KU-275-135

10
18

12, AVENUE D'ITALIE. PARIS XIIIe

Sur l'auteur

Claude Izner est le pseudonyme de deux sœurs, Liliane Korb et Laurence Lefèvre. Liliane a longtemps exercé le métier de chef monteuse de cinéma, avant de se reconvertir bouquiniste sur les quais de la Seine, qu'elle a quittés en 2004. Laurence a publié deux romans chez Calmann-Lévy, *Paris-Lézarde* en 1977 et *Les Passants du dimanche* en 1979. Elle est bouquiniste à Paris. Elles ont réalisé plusieurs courts métrages et des spectacles audiovisuels. Elles écrivent ensemble et individuellement depuis de nombreuses années, tant pour la jeunesse que pour les adultes. Les enquêtes de Victor Legris sont aujourd'hui traduites dans huit pays. Le premier titre de la série, *Mystère rue des Saints-Pères*, a reçu le prix Michel Lebrun en 2003.

CLAUDE IZNER

MINUIT, IMPASSE DU CADRAN

INÉDIT

**10
18**

Grands détectives

créé par Jean-Claude Zylberstein

© Éditions 10/18, Département d'Univers Poche, 2012.
ISBN : 978-2-264-05467-8

À Keita Lefèvre Kohiki

Souviens-toi que le Temps est un joueur avide
Qui gagne sans tricher, à tout coup ! C'est la loi.
Le jour décroît ; la nuit augmente, souviens-toi !
Le gouffre a toujours soif ; la clepsydre se vide.

Charles Baudelaire,
« L'horloge », *Spleen et Idéal*,
Les Fleurs du mal.

CHAPITRE PREMIER

Dimanche 29 octobre 1899

C'était une de ces aubes humides et venteuses dont le Paris automnal est coutumier. À la clarté jaune des becs de gaz, les voitures de laitiers ébranlaient les chaussées de leurs roues lancées à vive allure. Quelques maraîchers poussaient leurs baladeuses. Les réverbères s'éteignirent sous le firmament violacé. Boulevard de Clichy, la nuit capitula devant l'armée des balayeurs chargés de libérer les trottoirs des détritus disséminés par les fêtards. Un deuxième corps de ballet, plus modeste, s'activait : trois colleurs d'affiches luttaient contre les rafales pour tenter d'appliquer d'un coup de pinceau sur les façades un placard cerné de noir. Ils travaillaient sans méthode mais avec détermination. Seule une bourrasque exhalée par la butte Montmartre le long de la rue des Martyrs compromit leur tâche. Une liasse de feuillets fut arrachée d'une sacoche et battit les airs d'un vol désordonné. Retombant en une valse lente, elle s'éparpilla au travers des pavés.

Un grand gaillard vêtu d'une houppelande, coiffé d'un melon cabossé d'où s'échappaient des mèches neigeuses, se baissa, ramassa un des papiers imbibés de l'eau du caniveau et le fourra dans sa poche. Il s'éloigna d'un pas rapide vers le boulevard de Rochechouart où il investit le premier bouchon ouvert. Une créature au physique d'enfant malingre et au visage blèche s'affairait derrière le comptoir.

— T'as dégringolé du lit, vieux sapajou ! Je te préviens qu'à cette heure, je ne te sers que du café. C'est que j'ai des responsabilités, moi.

— Va pour un crème, mais rien n'empêche d'y verser une goutte de calva.

La patronne s'exécuta en regimbant.

— Père Barnave, on peut dire que tes noceurs t'ont filé la pépie !

— Qui c'est, ce pèlerin ? murmura un marchand d'éponges.

— Un ancien cocher. Pour joindre les deux bouts, il prend les pochards sous sa protection après une nuit de bamboche, il les reconduit chez eux. Il doit les défendre des attaques des poivriers qui les délesteraient sans scrupule. Ange gardien qu'il est, le Barnave ! Tu parles d'un ange, y a belle lurette qu'il a rogné ses ailes ! Je suis intransigeante avec ce volatile parce que pour mener correctement sa mission, faut qu'il soit sobre, hein Barnave ?

— Blablabla, la patronne. J'me crève le tempérament et qu'est-ce que je récolte en échange ? Des broquilles. Si j'empoche cinquante à soixante sous, ça tient du miracle. Je n'ai jamais filouté un buveur.

— Tu as de la vertu, personne ne s'est encore plaint, une chance. Si ça se produisait tu y perdrais sur toute la ligne.

Le père Barnave chantonna :

Voilà votr' hom' que je vous ramène
Il est dans un bien triste état !

Puis, sur le guéridon de marbre, il défroissa le papier détrempé cueilli quelques instants plus tôt. D'une voix enrouée, il lut :

Aux habitants de la Terre :
Pauvres atomes, que vous puissiez être roi, charcutier, journaliste, faux philosophe, curé, rabbin, empereur, épicier, député, ministre, l'heure de la suprême *égalité est proche. La Terre dont tu es sorti, la Terre dont tu vis, la Terre que tu fécondes de ton labeur, la Terre que tu convoites, la Terre que tu salis, la Terre enfin va disparaître, pulvérisée, anéantie, volatilisée, le 13 novembre. C'est le 13 novembre que tout mortel qui se respecte doit disparaître dans le néant. Le devoir du cabaret du même nom était tout indiqué, il n'y faillira pas. Donc, l'entrée du* Cabaret du Néant, *place Pigalle, sera libre et accessible à tous, de 8 heures ½ du soir à 2 h du matin et cela absolument gratis le lundi 13 novembre 99.*
Autodafé. Dans le cas où la comète, d'un coup de son étincelant appendice, viendrait à anéantir notre planète entre 2 h et 5 h du soir, comme cela nous est gracieusement annoncé, la soirée serait remise à une date ultérieure[1].

Le vieillard retroussa ses babines sous sa barbe. Le jour tant escompté allait arriver ! Il l'espérait depuis

1. Texte intégral de l'affiche publiée par le *Cabaret du Néant* fin octobre 1899.

si longtemps qu'il s'était résigné à ne plus y croire. Le deuil de Nanie et de Chloé serait vengé, *alléluia* !

— Normal, dans quatre jours c'est la Toussaint, le lendemain, la fête des morts… On va leur rendre la monnaie de leur pièce, à ces canailles qui accablent le pauvre monde. Et tant pis si je claque avec eux, nécessité fait loi !

— As-tu fini de proférer des inepties, méchant drôle ? Calte ! Grimpe chez toi tout de go et pionce, au lieu de taquiner ta soif, à ton âge ! le morigéna la patronne en s'emparant de la tasse à moitié vide.

Louis Barnave fit mine de retourner sa poche, elle l'arrêta d'un geste.

— Cadeau de la maison. Ne remets plus les pieds ici avant un bail ! Et n'oublie pas ton papelard !

Louis Barnave lui décocha une grimace et lui prédit qu'elle tirerait sa révérence lorsque la calotte des cieux s'effondrerait deux semaines et deux jours plus tard. D'un pas hasardeux, il traversa le boulevard et embouqua la rue de Steinkerque.

— Diantre, il est gris, et pas qu'un peu, observa le marchand d'éponges.

— Gris et timbré, depuis que sa femme et sa fille ont été victimes du botulisme, y a de ça quatre ans. Elles avaient sans doute mangé des conserves avariées. On les a soignées à Lariboisière, sans succès.

— Faut bien peupler les hôpitaux. Vous savez ce que j'ai lu ? Il paraîtrait qu'on ajoute de l'alun, du sulfate de zinc et du cuivre pour rendre le pain parfaitement blanc. Le consommateur va se transformer en bronze ! Et je ne vous parle pas des confitures du commerce assaisonnées à l'acide tartrique, colorées à la cochenille et gélatinisées à la colle de Chine. Je le comprends, le vieux.

La patronne opina.

— Et le lait. Vous négligez le lait ! On y a trouvé de la farine et de la cervelle de veau ! Heureusement j'en fais rarement usage.

— C'est le progrès, ma bonne dame, on nous empoisonne à petit feu, la chimie au service des intérêts. En attendant de trépasser, emplissez mon quart de pinard.

— Le Barnave, il n'a qu'une idée en tête : prendre sa revanche sur la société et sur le temps, parce que selon lui ce sont eux les responsables de son malheur.

— Ben s'il parvient à tuer le temps, ce particulier, je l'invite à sabler le champagne.

« Pensionnaire à la Comédie-Française ! se répétait Robert Domancy en fignolant son nœud de cravate devant son armoire à glace. Moi, le figurant miteux qui a incarné les saute-ruisseaux et les portiers des vaudevilles les plus minables de la totalité des théâtres parisiens, banlieue incluse, on m'a remarqué au Conservatoire, on m'a élu ! Si maman me voyait, elle concurrencerait Artaban ! Vingt-cinq printemps, la fleur de l'âge, un futur Le Bargy[1] ! »

Pour imiter ce *jeune premier* à la quarantaine bien sonnée – la coqueluche de ces dames –, Robert Domancy s'était mis en chic d'une redingote gris souris à col et parements de velours qui lui avait valu le surnom de Raton. Marguerite Moreno, engagée dans la troupe quelques années plus tôt, lui augurait une longue carrière de sociétaire-rongeur.

---

1. Charles Le Bargy, 1858-1936, sociétaire de la Comédie-Française de 1887 à 1916. Marié à Mme Simone, comédienne. Père de l'acteur et metteur en scène Jean Debucourt.

Pour l'instant, il devait patienter et se contenter des pannes qu'on lui proposait. En dépit de la bienveillance de Jules Claretie, l'administrateur au nez d'affamé, il n'ambitionnait nullement de rivaliser avec Mounet-Sully et son frère Paul Mounet, Maurice de Féraudy, Georges Berr ou Eugène Silvain. La divine Julia Bartet le toisait avec mépris. Et c'était Maurice Dessonnes, un débutant, qui, le mois précédent, avait été choisi pour donner la repartie à la charmante Mlle Louise Lara dans la reprise de *Froufrou*. Robert Domancy avait préparé en secret le rôle de Valréas et connaissait par cœur ses dialogues, qu'il jugeait au demeurant idiots :

« C'est vous qui êtes jolie, très jolie… et beaucoup plus que très jolie… et puis quand vous avez sauté ce fossé tout à l'heure, votre jupe s'est un peu enlevée, et j'ai vu un si joli petit, petit pied… »

Mais hélas, ses emplois antérieurs lui collaient à la peau, et il n'avait eu que le privilège d'interpréter un domestique dont la réplique principale, acte premier, fin de la scène VII, consistait en trois mots :

« Voici des lettres. »

Il y mettait un tel enthousiasme qu'il était sûr d'attirer l'attention des critiques, notamment celle d'Adolphe Brisson et de Catulle Mendès. Sans compter les éloges de donzelles mutines qui s'enticheraient de lui. D'ailleurs, il était sur la bonne voie. N'avait-on pas glissé la veille, sous la porte de sa loge, une enveloppe rose contenant un bristol sur lequel on avait griffonné le lieu et l'heure d'un nocturne rendez-vous galant ? La signature ne comportait qu'une initiale : *L*. Romanesque en diable ! Il irait,

dès qu'il aurait commandé chez Dufayel le chiffon-
nier et les chaises dont sa chambre, récemment louée
rue de Richelieu, était encore privée. Il se coiffa
soigneusement. Raie sur le côté ? Non ! Au milieu.
Puis il frisa sa moustache en bâtissant une intrigue à
l'épilogue optimiste : après douze mois de fréquentation assidue, les sociétaires du Théâtre-Français
proposaient à l'unanimité son admission en leur sein
au comité d'administration.

« Ah ! Appartenir à la prestigieuse troupe, être
acclamé chaque soir sous les feux de la rampe,
recevoir les œillades et les billets doux de mes
admiratrices ! »

Soudain il songea à l'autre, au demi-frère, qui
lui adressait une fois l'an ses meilleurs vœux assor-
tis d'un prêchi-prêcha, et qui n'avait pas daigné le
contacter depuis qu'il était monté à Paris pour y
devenir comédien. La bobine qu'il afficherait quand
il serait au fait des succès de son cadet ! Pourvu qu'il
écope d'une jaunisse ! Un histrion dans la famille,
quelle déchéance !

« Et pourtant, les Parisiens n'identifient-ils pas
plus facilement la trombine des acteurs que celle
des politiciens ? La rumeur ne court-elle pas qu'au
ministère des Finances, lorsqu'on fomente de lancer
un nouvel impôt, c'est au paradis de la Comédie-
Française qu'on jauge le baromètre de l'opinion ? »

Si les troisièmes galeries étaient pleines et que
le public exprimait bruyamment son euphorie, on
osait adopter des mesures concernant la fiscalité du
pays. Mais prudence. Si par malheur une banquette
sur deux était inoccupée, ou quand les spectateurs
impécunieux rouspétaient, mieux valait prévoir une
date plus propice.

« C'est là que les hommes d'État recrutent leurs égéries. Mon frangin de fonctionnaire modèle est aux avant-postes pour le savoir ! Les sous-secrétaires se pourvoient à l'Odéon, eux. Et puis quel événement qu'une générale ! La multitude des relations, les rosseries des adversaires, l'obséquiosité auprès de ces messieurs de la presse. Le Tout-Paris, en décolleté ou en frac, les rangs de perles, les inévitables envolées malveillantes au sujet des couples à la mode, les toilettes hors de prix… J'y goûterai sans faute, ce sera mon festin de Trimalcion à moi, et, qui sait ? Je serai de la paroisse, ma boutonnière s'ornera peut-être d'une rosette, au grand dam de mon austère frérot ! »

Décidément, sur le côté gauche des cheveux gominés, la raie. Robert Domancy jeta un dernier coup d'œil au lit couvert de chintz à fleurs, au vase de cristal garni de lis, au miroir ovale, au modeste tapis turc qui l'avaient délesté d'une partie de ses économies. Cela valait le coup. Un tantinet tapageur, rideau !

« Un de ces quatre, mon garçon, tu seras logé dans un hôtel particulier et tu fouleras des peaux de panthère escorté d'hétaïres aux yeux en amande. D'ici là, accommode-toi d'un plancher ciré. Et d'une admiratrice énigmatique. »

Tasha et Alice Legris avaient été invitées à séjourner dans la maison de campagne de Thadée Natanson, l'un des fondateurs de la Ligue des droits de l'homme l'an passé, très impliqué dans la défense du capitaine Dreyfus et, avec ses deux frères, animateur de *La Revue blanche* où Tasha publiait des caricatures. Il possédait un ancien relais de poste situé à Villeneuve-sur-Yonne. Édouard Vuillard, Pierre Bonnard et

Anatole France seraient de la partie. Sans la présence de Misia, l'épouse de Thadée, Victor se fût rongé les sangs de savoir sa femme entourée d'autant d'hommes. Il n'était que partiellement rassuré, mais s'efforçait de nier des alarmes que Tasha n'eût pas manqué de lui reprocher. Seul en compagnie de la chatte Kochka, qui, avec l'âge, s'empâtait et dormait davantage, il mettait à profit sa liberté pour se consacrer à sa passion, la photographie. Kenji lui avait octroyé une journée de congé, et, comme il était de mise, il avait commencé par tirer des épreuves dans son laboratoire au fond de la cour. Il s'appliquait à les retoucher le moins possible, à limiter au temps de pause son influence sur ses créations, manipulant peu le diaphragme afin d'obtenir des tons nuancés. Il activait le développement avec du carbonate de potasse ou le retardait avec du bromure de potassium. Depuis l'apparition du procédé dit « à la gomme bichromatée », l'impression permettait d'avoir une image beaucoup plus esthétique.

Il contemplait les portraits d'une vieille bouquiniste du quai Voltaire. Il s'était volontairement borné à cadrer le buste et la figure de Séverine Beaumont, rencontrée l'année précédente. Le premier cliché, trop sombre et figé, lui déplaisait, on eût dit que la femme avait avalé un parapluie. Le deuxième aurait été satisfaisant, n'eût été une tache de lumière sur le front. Le troisième l'emplissait de fierté. Le regard empreint de mystère braqué vers l'objectif, combiné au maintien un brin de guingois et aux ridules du visage, Séverine Beaumont affichait une allure étrangère à sa personnalité. Déplorait-elle les travaux rendus nécessaires par l'approche d'une exposition universelle, le sort des arbres déracinés et celui des bouquinistes contraints de déménager rive droite ? Le progrès, l'impitoyable progrès.

Une fois de plus, il s'interrogea sur son art. Le peintre Maurice Laumier avait-il raison quand il lui affirmait que jamais la photographie ne détrônerait l'art pictural ?

— Il y a un gouffre entre une esquisse d'Ingres et la plus belle photo du monde. Tu te sers d'une machine, mon lascar, merci Kodak ! Oh, les résultats sont souvent très mignons, mais cesse de rêvasser, Michel-Ange et toi ça fait deux !

Était-il injustifié de placer la prise de vue au même rang que la peinture ?

« On cherche à quoi les choses devraient ressembler et on les compare à la réalité captée par les sens, mais qu'est-ce que la réalité ? Le domaine du cinématographe a prouvé qu'un nouvel univers est à la portée d'un technicien de génie. »

Depuis qu'il avait passé une partie de l'été à assister au tournage de *L'Affaire Dreyfus* au studio de Georges Méliès, à Montreuil, il n'aspirait qu'à ça.

« Si je veux vraiment enquiquiner ce pauvre Laumier, je n'ai qu'à taxer ses croûtes de bandes cinématographiques ! Zut, c'est l'expression du sentiment qui témoigne du talent. Et du sentiment, j'en ai. »

Ce que la pellicule avait enregistré, Victor se sentait de taille à le modifier. Doter une Séverine Beaumont, plutôt encline à la gaudriole, d'une attitude tragique, n'était-ce pas un début prometteur ? Cela ne le changeait-il pas en un créateur, puisqu'il était capable de révéler une parcelle du tempérament mélancolique camouflé sous les traits cocasses de cette étalagiste ?

— Les chambres de sa mémoire sont peut-être moins bien rangées qu'il n'y paraît, commenterait Kenji. Hein ? Qu'en dis-tu, Kochka ? demanda-t-il en agitant le tirage sous les vibrisses de la chatte assoupie.

Elle se contenta d'émettre un faible miaulement et de se rouler en boule.

— Traduction : fiche-moi la paix. Bon, je t'abandonne.

Il pénétra dans l'appartement où se déroulait sa vie de famille. Mme Baudoin, en charge du ménage, ne viendrait que le lendemain. Le lit aux draps froissés était jonché de revues qu'il empila sur un fauteuil. Un *Lectures pour tous* d'avril tomba au sol, ouvert sur un article à moitié déchiré :

32 000 KILOMÈTRES DE LONDRES À LONDRES VIA TÉHÉRAN, CALCUTTA, TOKYO, SAN FRANCISCO ET NEW YORK[1].

« Je ne suis pas près d'égaler cet exploit avec mon Alcyon ! »

Il ramassa les feuillets et, pendant qu'il les remettait en ordre, il se promit de s'informer auprès de Kenji de l'authenticité de leur contenu. Les routes japonaises étaient-elles aussi délicieuses que l'affirmait le rédacteur ? Il s'imagina pédalant au pied du mont Fuji à travers un bosquet de cerisiers en fleur, loin des contingences de la librairie et de la France secouée par la révision du procès Dreyfus à Rennes, à la suite duquel le conseil de guerre,

1. Périple réalisé de 1895 à 1897 par trois Anglais, MM. Fraser, Lunn et Lowe, et deux Américains, le Dr Mc Ilwraith et sa jeune femme.

quoique reconnaissant au capitaine des circonstances atténuantes, l'avait déclaré coupable et condamné à dix ans de prison. Le président de la République, Émile Loubet, qui souhaitait l'apaisement, lui avait concédé sa grâce, mais cette mesure avait jeté le trouble dans les esprits et attisé les haines, car une grâce n'est-elle pas l'acceptation de la chose jugée et de la culpabilité avérée ?

Il canalisa son indignation. Inutile de se monter le bourrichon, jamais il n'aurait le courage de quitter les deux femmes de sa vie. Il considéra les bavoirs, les robes miniatures enrubannées, les bonnets de dentelle, l'abécédaire couvert de gribouillis et ressentit une morsure au cœur en prenant conscience de la rapide croissance d'Alice. Elle était précoce et parlait couramment, à la faveur des lectures prodiguées par ses parents, celles de son oncle Joseph toujours prêt à lui narrer ses feuilletons et de sa tante Iris qui lui avait offert ses deux recueils de contes illustrés par Tasha. Son seul léger handicap était sa difficulté à prononcer les *j*, mués en *z*, ze veux, z'ai faim, ze suis fatiguée. Outre sa propension à débiter des discours, elle manifestait un insatiable engouement pour le dessin. Ses sujets de prédilection étaient Kochka, entonnoir à museau rond et oreilles aplaties, à l'affût d'un papillon, et Victor, épouvantail aux membres en bâton de sucette, couronné d'une tignasse sur laquelle trônait un galurin protéiforme.

« Deux ans passés, déjà », songea-t-il.

Bientôt, elle le délaisserait, bientôt elle se marierait, aurait à son tour des enfants. Emporté dans cette spirale, Victor ignorait qu'au même instant un ancien cocher d'omnibus nommé Louis Barnave était en proie aux affres d'une anxiété similaire : la fuite du temps.

« Tu parles d'une matinée ! J'ai dû ronfler à faire crouler la masure, j'ai les boyaux en détresse et je crache du coton. »

Quand Louis Barnave en eut fini avec les tinettes de l'étage, il se désaltéra au robinet de la prise d'eau du couloir et retourna se cantonner dans sa chambre.

Il était d'humeur hargneuse. Il avait gâché une partie de la journée à dormir, obsédé par un rêve relatif à sa corvée de la nuit précédente : convoyer un blanc-bec de la haute qui avait employé des heures à explorer les cabarets de la Butte et à se dévêtir à mesure que croissait son ébriété. Aux aurores, il avait ingurgité une telle quantité d'alcool que Louis l'avait emballé en tricot de peau et caleçon dans un fiacre, braillant :

Sois bonne, ô ma chère inconnue
Pour qui j'ai si souvent chanté[1]...

Louis Barnave avait renoncé à le déposer chez lui, boulevard Haussmann, et gratifié le cocher d'un généreux pourboire, prélevé dans le portefeuille du loustic, moyennant qu'il le fît grimper jusque chez sa maman ou sa bourgeoise.

« Ah ! J'les ai quelque part, ces rupins ! Ils ont une écrevisse dans la tourte et supposent que le père Barnave n'est venu sur cette terre de perdition que dans le but de veiller sur eux. Mauviettes ! Tiennent pas un Picon-fraise, alors le cognac et le rhum les flétrissent comme des endives sous le pissat d'un matou en rut. Lever le coude, ça s'apprend ! C'est ce que devraient leur inculquer leurs précepteurs au lieu des déclinaisons latines ! »

---

1. *La Sérénade du pavé* : chanson créée par Eugénie Buffet.

Il s'examina dans un miroir fêlé. Une forêt de cheveux ébouriffés striés de gris surplombait deux sillons profondément creusés au-dessus d'un nez camus dominant une moustache et une barbe où une bouche édentée avait du mal à s'encastrer. Ce constat provoqua un soupir exaspéré sans que s'ensuivît une ébauche de débarbouillage. Il contempla sa mine terreuse et se dit que son gagne-pain actuel n'était pas toujours farce.

Tout en réchauffant une casserole de chicorée, il se remémora avec nostalgie son ex-métier. En avait-il percé des secrets concernant ses copains, les chevaux ! Avant de devenir conducteur d'omnibus, il avait longtemps mené son fiacre à travers la capitale. Pour cela, il s'était soumis à la formation d'une école spéciale, où il avait fréquenté des garçons de café, des maçons, des charretiers, de jeunes provinciaux désireux d'améliorer leur condition et l'ordinaire de leur famille. On trouvait parmi eux des gars huppés déshérités par les leurs : la lie de la société, ceux-là, ils avaient les mains trop blanches et le caractère trop mou. Il avait retenu les leçons théoriques de maniement des guides et la nomenclature des pièces du harnais. Il s'était enfoncé dans le crâne les règlements de police : la moindre faute était passible d'une amende de vingt-deux francs. Il était également au fait de ses droits. Mais le plus ardu avait été le cours pratique. Rien de mieux que d'arpenter Paris à pied afin de repérer les rues et les itinéraires. Le matin, il marchait de la gare de l'Est à la gare Montparnasse ou de la place de Clichy à l'église de la Madeleine. L'après-midi, il revenait à l'école, rue Marcadet, rendre compte de son équipée, répéter les noms des infimes venelles, décrire les accès aux gares, aux monuments, aux grands magasins, aux théâtres, qui seraient les destinations les plus prisées de ses futurs clients.

« Mais ce que j'ai aimé le plus, ce sont les canassons. On dit que c'est stupide, un cheval, que ça ne pige que dalle et que ça n'a pas de sentiment. Foutaises ! Le cheval, c'est le meilleur ami de l'homme. Mon préféré c'était Boulou, une jument épatante. Elle et moi on se comprenait. Quand je pense qu'on abat ces pauvres bêtes pour les bouffer ! Ma Boulou elle est morte de vieillesse, à la campagne. Quand elle est devenue inapte au turbin, je l'ai achetée, c'n'est pas moi qui l'aurais expédiée chez Macquart[1], j'ai été vraiment triste de la perdre. Les tireurs de sapin et d'omnibus ne gaspillent pas la brune à vider leur gousset devant des zincs en s'abreuvant d'absinthe ou de picrate, ils se contentent d'avoine ! Donc je prie le bon Dieu de les épargner le 13, quand il lancera sur nous ses météorites flamboyantes. »

Il relut avec délectation l'affichette du *Cabaret du Néant*.

« Quelle félicité de savoir à quelle date précise va s'achever cette sale histoire qu'est celle de l'humanité ! C'est simple, depuis qu'on a adopté la station verticale, on n'a commis que des horreurs. Ça vous donnerait envie de vous déplacer à quatre pattes comme la plupart des animaux qui se respectent ! »

Il frotta la vitre crasseuse et distingua un carré de ciel anthracite. La pluie se refusait à quitter Montmartre. Il enfila sa houppelande accablée d'accidents et se coiffa d'un gibus de castor pelé. Sans un regard pour

---

1. Locution désignant l'équarrisseur, du nom de Désiré Macquart, marchand de chevaux et équarrisseur à Paris, rue du Vert-Bois.

la chambre semblable à une bauge et jamais aérée qu'il désertait le plus clair de ses journées, il dévala l'escalier, cracha sur le paillasson du concierge qu'il haïssait copieusement, rejoignit la rue de l'Abreuvoir et accosta la rue Saint-Vincent où il avait à cœur de s'acquitter d'un devoir en mémoire de sa petite Chloé. Une meute de gamins dépenaillés jouait aux corsaires aux alentours du *Lapin Agile*. Ils connaissaient bien ce paroissien. Les premières fois, il les avait effrayés, mais, l'habitude aidant, ils voyaient en lui un aïeul débonnaire. Ils accoururent et l'assiégèrent, la main tendue. Dans chaque paume grisâtre, Louis Barnave déposa une piécette en cuivre. Il ne s'autorisa pas de privautés, se plaisant à sourire et à s'enquérir de la santé de chacun. Les gosses lui témoignaient de l'affection non seulement à cause de cette obole, mais parce qu'il s'abstenait de l'assortir d'un sermon sur la manière utile de la dépenser, voire de l'économiser. Son départ fut célébré par des vivats.

Rue des Saules, il honora de sa présence son caboulot familier, salua successivement les quelques rapins venus discuter peinture, le patron plongé dans la lecture d'un quotidien, le bouledogue chassieux qui bavait sur la sciure. Il n'était pas pressé qu'on lui octroyât son anisette et ses tartines de saindoux d'après la sieste. Bon gré mal gré, le temps s'évaporait. Les rapins et le patron entamèrent un débat animé ayant pour objet une guerre déclarée aux antipodes le 11 octobre.

— Dès le 9, le président Kruger a envoyé un ultimatum aux Angliches, il leur a accordé quarante-huit heures pour déguerpir. Ils auraient dû obtempérer, les Rosbifs ! s'écria un homme vêtu d'une blouse maculée de taches multicolores.

— Ouais, tout ce qu'on leur demandait, c'était de virer leurs troupes des frontières du Transvaal ! Autant s'adresser à des sourds, répliqua le patron, roulant son journal en cylindre.

— Et maintenant, les voilà embourbés dans un conflit qui menace de durer. Qui c'est qui va se pourlécher ? Les marchands de canons ! Surtout que l'État libre d'Orange soutient les Boers !

— Les bourgs ? Lesquels ? Y a une guerre entre les bourgs ? C'est les faubourgs, qu'il faut dire !

Un silence, puis un éclat de rire général accueillit cette remarque de Louis Barnave.

— N'y a pas à tortiller, rien ne vaut l'humour français ! constata un homme pansu qui compensait sa calvitie par une moustache en croc.

— Pour la peine, c'est moi qui régale, conclut le patron en servant à son client une anisette encadrée de deux épaisses tranches de pain.

— Fendez-vous la pêche, avec vos bourgs, tas de gougnafiers ! N'empêche que vous aurez la trombine en dèche d'ici peu, quand il pleuvra des toitures et des cheminées ! Hormis les rossinantes, il restera rien de rien de chez rien !

— Les Boers… Que signifie ce nom, au juste ? s'informa Robert Domancy auprès du vendeur occupé à noter ses achats sur un calepin.

— Ben, ce sont les descendants des premiers colons néerlandais, allemands et français débarqués en Afrique du Sud au XVIIe et au XVIIIe siècle.

— Merci d'avoir éclairé ma lanterne.

Méprisant la jovialité un tantinet complaisante du vendeur, ainsi que ses tentatives de l'intéresser à quelques pièces de mobilier payables à crédit, il se hâta de quitter les magasins Dufayel.

Nul fiacre à l'horizon. Il se résigna à emprunter un omnibus afin de s'éloigner au plus vite des abords du boulevard Barbès, quartier qu'il jugeait vulgaire et qui ne convenait pas à une imminente gloire de la scène. Quand ses revenus le lui permettraient, il se meublerait chez Maple, square de l'Opéra[1].

« Zut ! Je vais visiter de nouveau le secteur ce soir ! D'ici là, débarrassons-nous de cette andouille de Raphaël Soubran. »

Le voyage jusqu'à la Bastille, où il avait projeté de rencontrer cet ancien condisciple du Conservatoire, fut chaotique, en raison de la construction du métropolitain, qui relierait la porte de Vincennes à la porte Maillot. Même si le plus gros des gravats extraits du sous-sol par les tunneliers étaient remorqués la nuit par des tramways et des charrettes, des tumulus de terre encombraient les rues, parfois impraticables, comme celle de Rivoli, voie à l'épiderme raboté, où l'on contemplait les caissons se succédant sous ce qui avait été la chaussée.

— Quel fourbi ! commenta Raphaël. Tu imagines ? Chaque jour il faut évacuer mille mètres cubes de déblais ! En plus, les ingénieurs dévient les canalisations existantes et renforcent des endroits où la ligne ne passera pas. Je comprends que les commerçants s'indignent et exigent d'être exonérés de la taxe d'étalage !

Le cafetier ne les contredit pas, il ne lui était plus loisible d'installer sa terrasse à cause d'un bouclier qu'on était en train d'édifier à l'intérieur de ce qui serait la station Bastille.

— Je sais, rétorqua Robert Domancy, c'est kif-kif au Palais-Royal. Une chance qu'on ne les entende pas de la salle !

1. Depuis 1955, square de l'Opéra-Louis-Jouvet.

Raphaël Soubran se rembrunit. Il jalousait son camarade d'avoir été engagé dans la troupe prestigieuse, estimant avoir davantage la prérogative d'y appartenir de par son jeu supérieur. Il tendit la main.

— Tu l'as ?

À regret, Robert Domancy lui remit une enveloppe.

— Je te promets que c'est la dernière, assura Raphaël tout en comptant les billets de banque qu'elle recelait.

— Ouais, tu me le ressasses.

— Ce coup-ci, c'est le bon. Je suis tiré d'affaire, j'ai un rôle dans *Dégénérés !* de Michel Provins, et je répète *Petit Chagrin*, une comédie en trois actes de Maurice Vaucaire.

— Avoue que j'ai suffisamment casqué.

— Tu ne l'as pas volé, Robert. Ne te bile pas, je saurai tenir ma langue.

Contrairement à Robert Domancy, desservi par des traits un peu fades et un maintien sévère, Raphaël Soubran forçait la sympathie. Un examen plus attentif de son enjouement et de ses yeux bleus révélait une personnalité moins franche qu'il n'y paraissait. Il régla les bocks et emmena son camarade voir les soubassements de la tour de la Liberté. Le percement de la galerie du métropolitain les avait dégagés sous la rue Saint-Antoine. Une barrière à demi écroulée séparait les passants de la tranchée.

— Hein ! C'est profond ! Surtout, ne te penche pas. Manquerait plus qu'un zigue imprudent se casse la margoulette ! s'écria Raphaël Soubran d'un ton patelin.

« Et si ce pékin c'était toi, espèce de faux jeton ! », pensa Robert Domancy, soudain démoralisé à l'idée que cet hypocrite ait prise sur lui. Il se conforta en tâtant l'épître dans sa poche.

— Figure-toi que j'ai une admiratrice… Elle m'a sans doute apprécié dans *Les Caprices de Marianne* interprétés au domicile d'un certain Stanislas de Cambrésis au profit des enfants dont les parents sont morts lors de l'incendie du Bazar de la Charité.

— Pas étonnant, ce nobliau y a perdu sa femme.

Songeur, Robert Domancy fut la proie d'un fantasme : son collègue se carbonisait sous un déluge de flammes.

En nage malgré l'humidité de la soirée, Kenji Mori se hâtait sur le boulevard Saint-Michel. Il avait laissé la librairie à la garde de son gendre et se proposait d'offrir un flacon de *Trèfle incarnat* de chez Pivert à Djina, blessée par ses égards envers une jolie cliente, Mlle Mirande. Ah ! Les femmes seraient sa perte ! Un mariage le calmerait peut-être, et il eût été prêt à épouser la mère de Tasha, n'eût été l'absence du conjoint de celle-ci, un dénommé Pinkus qui vivait à New York et lambinait à effectuer le voyage pour l'affranchir des liens de leur union.

Il allait traverser le boulevard Saint-Germain quand une voix perçante lui vrilla les oreilles :

— Mon illustrissime compatriote ! Combien je suis aise de vous voir ! Vous êtes un îlot salvateur dans cette ville hostile.

Ainsi s'exprimait un Japonais d'une soixantaine d'années, au visage parcheminé, à la moustache de phoque, nommé Ichirô Watanabe et se présentant sous la raison sociale de « marchand de mort honorable ». Arrivé d'Ōsaka en 1896, il avait croisé Kenji chez une relation commune, maître d'arts martiaux. Depuis, il le traquait et lui débitait une épopée qu'il lui avait déjà relatée au moins cinquante fois.

— J'ai été ruiné par la révolution de 1868, et j'ai exercé tous les métiers, de Kyōto à Kōbe, de Kōbe à Ōsaka. J'ai élevé des faucons, j'ai enseigné la préparation du thé, j'ai vendu des nouilles, j'ai étudié le français, j'ai transmis cette langue à des jeunes gens en partance pour le gai Paris, et surtout, surtout, j'ai appris aux enfants de samouraïs le rituel du *seppuku*. Hélas, on ne sait plus mourir décemment, au Japon, alors j'ai eu l'idée de m'expatrier pour inculquer aux Parisiens la manière de s'ouvrir le ventre à l'horizontale. Et que pensez-vous qu'il advint ? Cette démarche respectable les laisse de marbre ! Ils préfèrent se tuer avec un pistolet, du poison ou une corde. J'en ai connu un qui s'est précipité des tours de Notre-Dame ! J'en suis réduit à traduire en français des poèmes japonais de dix-sept syllabes en trois vers, de quoi devenir fou ! Et je me nourris exclusivement de riz tiède ! Mon ami, mon inestimable ami !

Kenji fouilla frénétiquement ses poches et vida une poignée de pièces dans les mains en conque d'Ichirô Watanabe

— Mori-*san*, vous êtes l'égal d'un *bosatsu* ! Pour votre récompense, je vais vous livrer le résultat de mes observations : savez-vous de quelle façon un être humain emploie les vingt-quatre heures d'une journée ?

— Je souhaiterais demeurer dans l'ignorance, répondit Kenji, horripilé et tirant sur la manche de sa redingote dans l'espoir de s'enfuir.

— Je vous le dirai quand même : en moyenne, l'homme dort pendant huit heures, mange pendant deux heures, travaille pendant sept heures, se divertit pendant trois heures, reste inactif pendant une heure, s'isole une demi-heure afin de satisfaire ses besoins naturels, se consacre à sa toilette pendant un laps de temps identique et marche pendant deux heures !

— Splendide ! Je n'ai plus qu'une heure vingt pour m'adonner au footing. *Sayonara*, Watanabe-*san* ! s'exclama Kenji qu'une ultime secousse arracha à l'étreinte du marchand de mort honorable.

— Qu'ont-ils tous à galoper, dans cette ville en folie ? soliloqua Ichirô Watanabe. Ne se ruent-ils pas à la confrontation avec leur trépas ?

Mais la fatalité s'acharnait sur Kenji. À peine avait-il dépassé les thermes de Cluny qu'un second crampon l'accosta.

— Monsieur Mori !

« C'est mieux réglé que du papier à musique. Dès que je m'aventure au-delà de la rue des Saints-Pères, je suis victime de raseurs ! »

Jaillie de la cohue tel un démon de sa boîte, Euphrosine Pignot, un panier au bras, se rua sur lui.

— Devinez ce que ce gâte-sauce de Mélie Bellac préméditait ! Vous cuire demain un rôti sans y adjoindre d'ail ! Quelle chiffe, elle n'aurait jamais dû priver la Corrèze de sa présence ! Me v'là condamnée à cavaler jusqu'à la rue de Turbigo pour me procurer quelques gousses ! Et mes pauvres veines qui tambourinent dans mes mollets ! J'la porte, ma croix !

— Êtes-vous obligée de courir au diable ? grogna-t-il.

— Ben vrai ! C'est là qu'on y trouve les meilleures, j'y ai conservé des accointances de l'époque où je faisais commerce de fruits et légumes.

— En ce cas, je suis navré, quant à moi je file place Maubert.

Il la planta là, impatient d'échapper à ses jérémiades.

— Moi qui croyais qu'il allait m'allouer un brin de galette pour la course en fiacre, idiote que je suis ! Et dire que c'est le père de ma bru ! glapit-elle.

D'habitude près de ses sous, Robert Domancy avait décidé de grever une autre partie de ses économies à la suite de ses dépenses chez Dufayel et de son entrevue avec Raphaël Soubran. De temps en temps, il s'octroyait la faveur d'un dîner dans un grand restaurant et flambait en un soir la totalité d'un mois de pension envoyé par sa mère. Elle trimait dans une manufacture de gants près d'Uzès et se restreignait sur tout pour subvenir aux exigences de son unique enfant.

Il descendit la rue Royale en se récitant un extrait de la pièce qu'il envisageait de rédiger dès qu'il en aurait le loisir et qui ferait de lui un personnage illustre.

« — Pendard ! Pouacre ! Butor ! hurle Constance de Boisfleuri à son amant.

— Madame, le train de vos injures roule sur les rails de mon indifférence, riposte Adrien Plantureux, suçant sa réplique comme une pastille. »

Robert Domancy, réjoui de ce dialogue qu'il ne savait encore à quelle intrigue incorporer, pénétra d'un pas conquérant chez *Weber*, restaurant récemment inauguré et prisé des artistes et gens de lettres.

Le garçon lui suggéra un *welsh-rare bit*, soupe à la bière garnie de pain grillé au fromage.

— M. Caran d'Ache s'en délecte, souffla-t-il.

Robert Domancy avisa un homme en complet beurre frais assis non loin d'un militaire qu'on lui affirma être le général de Galliffet, occupé à déguster une tranche de jambon d'York et une salade romaine.

— Non merci, je prendrai des saucisses et des pommes de terre en rondelles.

— Si je puis me permettre, jeune homme, goûtez le bœuf mode froid, à moins que vous n'optiez pour l'assiette anglaise, merveilleuse création de la maison, conseilla un aristocrate au comportement raffiné.

— M. le prince de Sagan est trop aimable, remarqua le garçon en se courbant.

— Le bœuf froid, c'est bon pour les messieurs du turf, lança un convive attablé près de François Coppée, Séverine, Aurélien Scholl et d'une brochette de journalistes du *Figaro* et du *Temps*. Regardez-les, ces imbéciles, qui se jugent élégants, leur gardénia à la boutonnière !

Celui qui venait de se manifester s'inclina vers Robert Domancy et chuchota :

— Je vous garantis que vous ne regretterez pas votre entrecôte moutarde passée au gril, si vous vous fiez à moi, jeune homme.

— À qui ai-je l'honneur ?

— Comment, vous ne remettez pas M. Jean Jaurès ? s'indigna le garçon.

Gêné, Robert Domancy salua son voisin d'un signe de tête et suivit sa recommandation.

Il dîna fort bien, et ne désavoua pas ses sept francs, qui incluaient le café, le verre de fine, une part de tarte anglaise désignée sous le nom de *pie*, et le pourboire. Il butinait des bribes de conversations qu'il estimait lui être profitables à l'avenir et relut pour la cinquième fois le bristol.

Cher Monsieur,

M'entretenir avec vous ce dimanche 29 octobre, à minuit, impasse du Cadran, au pied de la butte Montmartre, serait pour moi un immense bonheur. Je vous y rejoindrai, à l'emplacement de l'ancien Bal des Folies-Robert. J'aurai tant à vous confier ! Vous côtoyer sans l'obstacle d'une scène et d'un public me comblerait. Je suis déjà à vous.

L.

Il se pencha sur le *L* orné de fioritures à l'instar d'une lettrine d'antan, et s'attarda sur les mots soigneusement tracés à l'encre violette. L'écriture, appliquée, évoquait une adolescente romantique au tempérament piquant. Un tel poulet présageait une nuit chaude.

Alors qu'il franchissait la porte, un homme emmitouflé dans un énorme paletot lui adressa un bonsoir timide. Robert Domancy ne daigna pas répondre à cet étranger bizarrement accoutré, un certain Marcel Proust dont la prose éditée chez Calmann-Lévy quelques années auparavant avait été éreintée par la critique.

Il débarqua du fiacre au 54, boulevard de Rochechouart, vingt minutes avant minuit, et s'avança d'un pas prudent le long de la courte impasse chichement éclairée par un réverbère. Dans les jardinets des maisons voisines se devinait la masse dénudée de grands arbres. Des masures s'inséraient entre deux ou trois immeubles haussmanniens. Cette juxtaposition extravagante attestait les changements subis par la capitale d'où le pittoresque finirait par être exclu. Robert Domancy songea que, dans un passé proche, les grisettes se trémoussaient en compagnie de leurs galants aux accents de la *Valse des roses*, d'Olivier Métra, dans ce qui, au fond de l'impasse, n'était plus qu'un amas de ruines, après être devenu une fabrique de ballons et une salle de réunions politiques. C'était du moins ce qu'il avait lu dans un guide de Paris. Si le cadran solaire, aujourd'hui disparu, qui avait donné son nom à cette voie, avait subsisté, il aurait été le témoin de ces métamorphoses.

Il se lassa vite de ces considérations philosophiques. Quelle idée saugrenue avait effleuré l'esprit de cette pécore ! Le lieu était sinistre à souhait, l'heure plus que tardive, et, comble de malchance, il commençait à bruiner. Robert Domancy rajusta son chapeau et se mit à faire les cent pas sous l'unique fenêtre allumée au premier étage d'une maison qui en comportait trois.

Un rideau fut légèrement écarté, un visage féminin se colla au carreau et guetta les allées et venues de cette silhouette imprécise coiffée d'un melon. Un poivrot ? Non, il tenait l'assiette. Un rôdeur ? Quel forfait manigançait-il ? Qu'il déguerpisse !

La femme, appuyée sur une béquille, s'apprêtait à gagner les toilettes quand son regard fut attiré par un mouvement provenant des décombres accumulés au bout de l'impasse. Une seconde silhouette se glissa hors de l'ombre, Sa démarche rapide semblait embarrassée par des vêtements trop larges. Dans sa main droite, elle serrait une canne avec laquelle elle jouait à tracer des moulinets. La femme à sa fenêtre s'empara d'une lampe à pétrole et l'approcha de la vitre. L'homme au melon se retourna vivement. Véloce comme un serpent, l'autre fonça sur lui, l'attrapa par le col et leva un bras. L'éclat d'une lame scintilla à l'extrémité de sa canne qui s'abattit et frappa encore et encore jusqu'à ce que sa victime s'effondre en position fœtale. L'agresseur accroupi s'affaira près du corps, puis d'un bond se redressa et s'enfuit à toutes jambes en direction du boulevard.

La locataire du premier se recula si précipitamment qu'elle manqua tomber. Affolée, elle se colleta avec la poignée récalcitrante de sa porte et, bégayant de terreur, ameuta ses voisins de palier.

Impasse du Cadran, une flaque sombre s'écoulait dans le caniveau.

CHAPITRE II

L'unique témoin du crime avait été questionné très tôt à son domicile. Le commissaire du quartier, un fonctionnaire rondouillard qui avait l'air d'émerger du sommeil, les gestes guindés, portant binocle et barbichette, s'était déplacé en personne et prenait des notes dans un calepin à l'aide d'un crayon qu'il mouillait de salive.

— Récapitulons. Aude Sembatel, née en 1852 d'un père charpentier et d'une mère ouvrière en allumettes…

— Maman est morte poitrinaire alors que je n'avais pas cinq ans. Trop de soufre, a diagnostiqué le médecin. Mon père a eu l'aubaine d'épouser en secondes noces une veuve, propriétaire d'un magasin de parapluies sur le boulevard de Rochechouart. Bien que, selon Balzac, elle se rangeât à trente-sept ans dans la catégorie des femmes sur le déclin, cette Berthe Prunier était avenante et avait le don de se parer d'atours seyants. Son aisance financière achevait de la rendre attrayante. Mon père, sur le point de fêter son demi-siècle, a pesé le pour et le contre, puis, sa carrure et son bouc ayant l'heur de séduire la marchande de parapluies, a consenti à ce qu'elle devînt ma belle-mère. S'est ensuivie une période faste. Grâce aux revenus qu'elle lui procurait, papa s'est mué en rentier. De maigre, il est devenu gros. De dynamique, mollasson. Une répulsion innée envers le commerce l'incitait à dilapider ses heures et sa santé chez les bougnats du quartier.

Le commissaire soupira et cessa de noircir son calepin.

— Madame, je…

Mais rien ni personne n'aurait pu stopper la logorrhée de l'infirme. Résigné, le commissaire ferma les paupières, une houle de lassitude le terrassa, Aude Sembatel jacassait, jacassait, et il hochait le menton, mais sans avoir une idée claire de son propos : délaissées, la marchande de parapluies et la petite Aude se bouclaient entre chien et loup chacune dans une chambre où elles tissaient leurs rêves. Berthe Sembatel lisait des romans d'amour chevaleresque dont elle incarnait la fringante héroïne juchée à cru sur un destrier blanc.

Les yeux du commissaire papillotaient. Il eut la vision d'une Lady Godiva nue sous son imposante chevelure, pourchassée au galop par des sbires patibulaires. Il secoua la tête, essayant de repousser la langueur qui envahissait ses membres. Il luttait pour rassembler ses esprits et éviter les bévues. Il n'avait néanmoins aucune envie de se concentrer, il n'aspirait qu'à s'endormir.

— Lorsque j'atteignis ma dix-huitième année, trois événements bouleversèrent ma vie : lors d'une soirée de beuverie mon papa trébucha, achoppa une poubelle, se rattrapa à la carriole d'un maraîcher, mais, trop lourd, en renversa le chargement de choux qui dégringola sur la chaussée et fit dévier un fiacre de son trajet. Quelque temps après les obsèques, ma belle-mère Berthe, qui venait d'encaisser la vente d'une ombrelle de tussor, porta les mains à sa poitrine et s'écroula en travers d'un fauteuil. De retour de ses funérailles, j'ôtais ma voilette devant une psyché suspendue dans le boudoir quand j'aperçus mon visage, auquel je n'avais jusque-là prêté que peu d'importance. J'étais laide.

Un bébé hurla à l'étage. Le cerveau du commissaire s'éveilla. Cette situation semblait être un piège. Il toussota, dans l'espoir de rappeler sa présence et d'interrompre ces prolégomènes que rien ne pouvait endiguer. La femme s'apparentait vaguement à un reflet affectant une forme humaine plutôt qu'à une créature vivante.

— En jeune fille pratique et moderne, je décidai de demeurer célibataire, de liquider le patrimoine de Berthe, de négocier un appartement dans un immeuble neuf impasse du Cadran et de passer ma vie à y entasser les colifichets récoltés au hasard de mes promenades. Je dévorais aussi les livres de ma belle-mère. Vint un jour où une langueur étrange, à laquelle quatre médecins attribuèrent une cause différente mais ne trouvèrent pas de remède, me bloqua chez moi. Sans me départir de mon sens des réalités, j'ai organisé mon existence de recluse en remerciant le ciel d'être assez largement nantie pour m'offrir les services de mercenaires qui me font mon ménage et mes commissions. Je ne vais que de mon lit à la cuisine, de la cuisine aux cabinets, des cabinets à la fenêtre et de la fenêtre à mon lit. Voilà, vous savez tout, monsieur le commissaire.

— La fenêtre ? murmura-t-il.

Aude Sembatel s'assura que sa béquille était à portée de main de son siège et se redressa.

— La fenêtre, précisément, d'où j'ai tout vu. Quel cauchemar ! Cela va vous étonner, j'aime la nuit, je n'en ai pas peur, elle est dévolue au silence sauf quand des pochards viennent ici cuver le vin ingéré sur la Butte ou sur les Boulevards, mais ce n'est pas si fréquent. Je me balade chez moi, je m'efforce de rester discrète et de ne pas gêner les locataires du premier, mais j'ai fait mettre des embouts de caoutchouc à ma béquille, je ne…

— La fenêtre ? insista le commissaire d'un ton las.

— Je l'avais remarqué depuis un moment, cet ostrogoth qui croquait le marmot à un endroit inaccoutumé. Normalement, c'est sous le réverbère qu'on se poste, pas près d'un monceau de détritus. Je supputai d'abord qu'il attendait une femme. Cela m'a remis en mémoire un récit que j'avais lu la semaine dernière et où…

— La fenêtre ?

— Si le titre vous importe à ce point… Ensuite, son attitude impatiente, son incapacité à tenir en place m'ont indiqué qu'il méditait un mauvais coup. Derrière lui, au lieu d'une femme à falbalas, j'ai vu s'étirer une silhouette, celle d'un homme qui m'en a d'ailleurs évoqué un autre, mais là, pas moyen de me souvenir duquel. Bref, il a brandi un bâton assez court achevé par une lame et a transpercé le cou du pékin à deux ou trois reprises. Enfin, il a agencé des choses près du corps.

— Je vous remercie de votre civisme et de vos précieuses informations, décréta le commissaire en délivrant sans regret son postérieur d'un canapé qui devait être rembourré de noyaux. Nous aurons sans doute encore à vous interroger.

— Pas de problème, je suis coincée dans ce logis.

Elle l'escorta jusqu'à la porte. Bien qu'elle fût bancroche, elle dominait d'une tête l'intrus à cheveux frisés.

« Il a tout d'un épagneul, pensa-t-elle en lui serrant la main, un épagneul qui jouerait au chien policier. »

À l'instant où le battant se refermait, une chaussure le retint, suivie d'un buste appartenant à un jeune homme à casquette.

— Renaud Clusel, reporter au *Passe-partout*. Mon oncle en est le propriétaire. Voici ma carte. Nous possédons des relations dans les commissariats parisiens, et, dès qu'un assassinat est perpétré, on nous prévient. Consentiriez-vous à m'octroyer quelques tuyaux pour ma feuille de chou ? Si vous souhaitez conserver l'anonymat, pas de souci. Je peux même vous rétribuer.

— Vous n'y songez pas ! J'ai de quoi. Le journal que vous avez cité est mon préféré ! Je serais enchantée d'y lire mon nom. Venez, installez-vous. Du thé ? Un petit alcool ?

— Je n'aurais rien contre un café.

Tandis qu'elle clopinait vers la cuisine, il se contorsionna sur le canapé plus dur que du bois et contempla une vitrine où s'alignaient des émaux cloisonnés.

— Très jolie, votre collection, déclara-t-il quand elle lui apporta un plateau sur lequel fumait une tasse flanquée d'un sucrier et de trois madeleines rassises.

— Oh ! Ce sont les témoins d'un temps révolu, quand je sortais et arpentais les magasins. Je ne tourne jamais la clé, car, régulièrement, je reçois la visite d'une voisine qui m'en fauche un ou deux. Elle

42

est ravie de me berner, ça m'amuse. Que désirez-vous apprendre ?

— Mais tout, chère madame, tout !

La célérité de Renaud Clusel, frais émoulu d'une école de commerce, que son oncle Antonin avait engagé pour satisfaire un frère aîné, valut au *Passe-partout* le privilège d'imprimer très tôt une édition spéciale. S'ajoutaient aux révélations d'Aude Sembatel des renseignements glanés auprès de la police. C'est ainsi qu'en ce début de matinée maussade, profitant de ce qu'aucun client ne le dérangeait dans la librairie, Joseph Pignot était plongé dans un fait divers passionnant. Il en oubliait de déguster sa pomme et de compulser le manuscrit de son feuilleton, *Mortel Réveillon*. Il peinait à finir sa copie relatant l'extermination de zombies menée sans merci par un immortel dans les sous-sols du Paris de 1898. Par bonheur, son roman précédent, *Le Canard démoniaque*, venait de paraître chez Arthème Fayard. Si cet ouvrage drainait un lectorat moins intellectuel que chez Charpentier & Fasquelle, il se taillait un franc succès auprès d'un public populaire de plus en plus friand des œuvres du sieur Pignot.

— Ça, c'est une besogne tapée ! Et vlan dans la carotide ! Mais avant de tirer ses guêtres, le criminel a cru malin de placer autour du cadavre des trucs étranges…

— Qu'insinuez-vous, perché face à ce comptoir où vous voici pris en sandwich entre ce que je devine être votre dernière œuvre et un de vos sempiternels quotidiens ?

Surpris de voir, campé devant lui, Kenji descendu plus tôt que de coutume du premier étage, Joseph croisa les jambes (inquiétude de dégringoler) et s'administra une claque sur la cuisse (volonté de recouvrer l'équilibre).

— Moi ? Je me contente d'apprécier une histoire bien troussée.

— Je parie qu'il y est question d'un quidam expédié *ad patres* grâce à quelque malandrin. Quel journal ?

Piteux, Joseph tendit *Le Passe-partout* à Kenji, qui assujettit ses demi-lunes et fronça les sourcils.

— Joseph, je n'irai pas par quatre chemins. Il faut sur-le-champ vous sevrer de cette manie ! Vous allez encore embarquer Victor dans un de ces imbroglios où il risque sa vie !

— Ah ! J'en ai soupé de vos reproches ! C'est presque toujours lui qui commence ! Et ma vie, à moi, je ne l'ai pas risquée, peut-être, en tant que partenaire et bouclier ? C'est le bouquet !

— Puis-je savoir en quoi cette algarade me concerne ? demanda d'une voix maîtrisée le propriétaire d'une bicyclette Alcyon qu'il avait du mal à orienter dans la boutique.

Le nouveau venu souffla quelques secondes, les yeux rivés aux deux hommes.

Son apparition eut pour effet de doucher leur exaspération. Joseph s'empressa de tapoter la pile manuscrite pour qu'elle ne formât qu'un bloc. Kenji reposa *Le Passe-partout* sur le comptoir et s'assit à son bureau où s'amoncelait du courrier en souffrance.

— Vous deviez être au Cercle de la librairie aujourd'hui, grommela-t-il.

— J'en ai terminé avec notre catalogue d'hiver. Pardonnez mon audace, l'envie m'a effleuré de rallier cette librairie où je me sens chez moi. Vous trouver tous deux la mine tellement réjouie de cette visite à l'improviste me met du baume au cœur, affirma Victor.

Quand il eut remisé le vélo dans l'arrière-boutique, il se pencha par-dessus l'épaule de son beau-frère et parcourut l'éditorial qu'il était derechef en train de lire.

— Alors voici l'origine du litige ? De quoi s'agit-il ?

— Je vous résume. Un meurtre affreux s'est produit cette nuit impasse du Cadran, dans le XVIIIᵉ arrondissement. On a découvert le cadavre d'un jeune homme égorgé. On l'avait dépossédé de ses papiers, sauf d'une lettre, ce qui a permis de l'identifier. Ce malheureux a été l'objet d'une macabre mise en scène. Une faux miniature était dressée sur son torse. Près de lui, trois grosses pierres enveloppées de tissu blanc. Une clepsydre. Un crocodile en peluche. Un sachet contenant des épis de blé et des graviers noirs. Puis-je découper cette chronique et la coller dans mon carnet ?

— Mon cher, souvenez-vous qu'il y a beau temps que vous n'avez plus à quémander mon assentiment, ni celui de Kenji ! N'êtes-vous pas notre associé et, qui plus est, un auteur célèbre ? Découpez, collez, et surtout ne me détournez pas de mon devoir, sinon j'en connais un qui va nous chapitrer d'importance !

Piqué par cette raillerie, Kenji fit volte-face.

— Rien de ce que je pourrai vous objecter ne sera apte à vous distraire d'une enquête. Cependant si je persiste à combattre votre fascination envers les morts, c'est que je tiens à vous.

— Je vous en sais gré. Soyez pleinement rassuré, la page est tournée. Ce ne sont pas un crocodile en peluche ni des gravillons qui m'entraîneront loin de mes résolutions.

Il réserva à Joseph une chiquenaude assortie d'un clin d'œil.

— Nous sommes d'un avis identique, je suppose, Sherlock Pignot ? La littérature, rien que la littérature ? Et la famille ?

— Cela va de soi, renauda Joseph, déterminé à sauvegarder l'article.

— La famille… je me languis d'elle, j'ai hâte que Tasha et la petite réintègrent la maison, je m'ennuie.

Joseph se garda de repartir que, nonobstant l'attachement qu'il portait aux siens, il eût volontiers joui de deux jours solitaires dans son appartement de la rue de Seine.

Selon l'usage, Tasha adressa une bénédiction papale au Moulin-Rouge qui se profilait à l'horizon de la rue Fontaine et se coula sous le porche du 36 *bis*, tenant d'une main un sac de tapisserie, de l'autre la patte poisseuse d'Alice. Quelle idée de lui avoir acheté des berlingots place de Clichy ! Elle se reprochait sa faiblesse pour sa fille, qui, sans être capricieuse, s'y entendait à soutirer de multiples cajoleries à une mère jadis privée de gâteries. Victor étant impuissant à lui résister, il était à craindre qu'elle ne devînt exigeante et superficielle.

« Je vois tout en noir aujourd'hui, une sucrerie, un détail… C'est cette rencontre, ma sotte acceptation, qu'avais-je besoin de dire oui à sa requête ? Le succès m'a-t-il changée ? »

Depuis qu'elle avait exposé une rétrospective de ses œuvres dans la galerie La Palette et le Chevalet dirigée par son camarade Maurice Laumier, les commandes ne cessaient d'affluer. Libre à elle de refuser, néanmoins elle était satisfaite de participer aux frais du ménage qui avaient longtemps incombé en majorité à Victor. Mais ce qu'elle gagnait en renommée et en numéraire, elle le perdait en indépendance et en estime de soi.

— Maman, ze voudrais zouer aux quilles sous l'acacia, s'il te plaît ! couina Alice, davantage galvanisée par ce jeu que par ses poupées.

— Un quart d'heure. Ensuite tu te laveras les mains, tu prendras ton en-cas et tu dessineras.

— Chic, tu m'envoies Kochka ?

Le laps de temps proposé parut une éternité à la fillette et elle applaudit quand la chatte débarqua de l'appartement, le ventre frôlant le pavé. Tasha s'engagea dans l'atelier dont elle laissa la porte ouverte afin de surveiller les activités quelquefois guerrières de sa progéniture.

Elle revit l'homme sautant de son cabriolet tandis qu'elle réglait le fiacre qui la ramenait de la gare. Lassée du séjour chez les Natanson, elle les avait quittés avant le terme prévu, pressée d'échapper aux conversations picturales et de dénouer son chignon dans son alcôve. Victor lui manquait, l'avouer eût semblé ridicule à ces artistes, pourtant elle ne se sentait épanouie que lorsqu'il était près d'elle, même si chacun s'absorbait souvent dans ses occupations.

— Je ne me trompe pas, vous êtes Mme Kherson ? Pardon, Mme Legris ? avait hasardé un personnage longiligne engoncé dans un costume sombre, visage poupin, pipe au coin des lèvres, bouche encadrée de deux profonds sillons. Vous ne me remettez pas ? Boni de Pont-Joubert, nous nous sommes entrevus chez mon oncle le duc de Frioul.

Elle l'avait identifié au seul son de sa voix monocorde semée de sous-entendus graveleux. Elle retenait que l'année dernière, lors d'une soirée rue Michel-Ange, sans se soucier de Valentine, son épouse, pas plus que d'Hector et Achille, leurs jumeaux de sept ans, ce *vlan* de Pont-Joubert l'avait poursuivie de ses assiduités à travers le salon, dissimulant ses intentions galantes, chasseur aguerri à traquer impunément sa proie. Si bien que ni sa moitié ni Victor n'avaient été au fait de son manège. Nul doute que si cette Valentine au nez pointu soupçonnait les frasques de son époux, elle s'en moquait, telle était la conclusion de Tasha.

« Oh ! Je me giflerais ! Pourquoi, à la minute où ce godelureau m'a suppliée de brosser le portrait de son épouse, ne l'ai-je pas expédié sur les roses ? »

— Valentine et moi serions tellement honorés de vous recevoir en notre nouvel hôtel particulier, rue de Rémusat, près de la maison de retraite Chardon-Lagache ! Votre jour sera le nôtre. Et surtout, pas un mot de cela à la tante de ma femme, Mme de Salignac, qui a gardé une dent contre vous et votre mari !

— C'est normal, elle déteste le capitaine Dreyfus et elle est au courant de mes origines.

— Chut, voyons, cette affaire est close, nous sommes affranchis de ces préjugés stupides ! Le talent n'a pas de frontières. Alors c'est dit ?

— Je passerai visiter votre dame, avait-elle répliqué afin de couper court.

« Le talent n'a pas de frontières... Ce n'est pas ce que diffusent le torchon édité par Drumont, *La Libre Parole*, ou la plupart des relations de ce Pont-Joubert. »

Comment se tirerait-elle de ce mauvais pas ? Quelle serait la réaction de Victor ? Elle disposa une soucoupe de biscuits de Reims et un verre de lait sur une table pliante, et, munie d'une serviette, s'apprêtait à quérir Alice, quand une voix masculine la fit tressaillir. Elle se précipita sous l'acacia où s'amusait sa fille. Une calamité n'arrive jamais seule : ce commissaire principal, cet Augustin Valmy, toujours empressé à la serrer de près, que fabriquait-il ici ?

Tiré à quatre épingles, il portait un gilet piqué blanc et un pantalon à carreaux gris et beige recouvrant des bottes Chantilly si luisantes qu'on eût pu s'y mirer. Un habit cintré, un tube, des gants de cuir noir, un stick à bout doré et un waterproof sur les épaules complétaient sa mise élégante.

— Madame Legris, aussi lumineuse que jadis !

— Ma maman n'est pas une lampe, clama Alice.

Il s'agenouilla, essaya maladroitement de l'amadouer d'une pichenette, elle bondit dans les jupes de Tasha.

— Quel esprit ! Cette mignonne a de qui tenir.

— Si vous cherchez mon mari, allez rue des Saints-Pères.

— Je suis en quête des *Parias de l'amour*, œuvre que M. Goron, l'ancien chef de la Sûreté, a récemment publiée chez Flammarion. Il y traite d'aventures qui ont empli les chroniques des tribunaux, le sadique qui tranchait les nattes des fillettes, les imposteurs qui abusaient de la confiance de provinciales en prétendant être des écrivains célèbres… J'ai hâte de dévorer ces Mémoires pour mon édification personnelle, j'ai profité de ce que j'avais à me rendre dans votre quartier, et…

— Pensez-vous que ce soit là matière à discourir en présence d'une enfant ? Puisque je vous répète que Victor est absent !

— Quel dommage, je n'ai guère le temps de musarder dans la capitale !

— Qui parle d'un tel périple ?

À la grande joie de Tasha et d'Alice, Victor accosta la cour sur sa bicyclette affligée d'un léger tangage. Il sauta à bas de sa selle avant de perdre son assiette et appuya son engin contre le mur de l'atelier.

— Que voilà une agréable rencontre ! Je vous convie à trinquer à nos retrouvailles, proposa Augustin Valmy.

Mécontente, Tasha s'interposa.

— Nous avons amplement à nous raconter, Victor et moi. J'ai résidé chez des amis et nous devons régler des problèmes relatifs à notre fille.

— Ne craignez rien, madame, je n'aurai pas l'outrecuidance de jouer les pommes de discorde dans votre couple ! Je ne vous l'emprunte que le temps d'un canon, il notera le titre qui m'intéresse et vous rejoindra incontinent, promis !

Mi-figue mi-raisin, Victor céda aux instances du commissaire principal, radieux d'avoir remporté la victoire, alors que Tasha entraînait Alice. Les quinquets en vrille, Kochka, écœurée de cette défection, entama une toilette d'envergure.

Assis à l'intérieur d'un box à l'écart des consommateurs, ils sirotaient leurs boissons en s'étudiant à la dérobée. Victor s'humectait le palais d'un vermouth cassis, Augustin Valmy retroussait ses lèvres sur l'âcreté d'un Amer Picon.

— Vous ne devinerez jamais ce qui m'amène, annonça-t-il.

— J'ai cru comprendre qu'il s'agissait d'un livre.

— Prétexte. Un meurtre a été commis. Il m'est impossible de me charger de l'enquête, elle me concerne de trop près. C'est pourquoi j'ai décidé de recourir à vos services.

Victor reposa son verre si brusquement qu'il en renversa la moitié. Épongeant avec indignation la flaque, il marmotta :

— Tenteriez-vous d'exercer une tardive vengeance à mon encontre ? N'y a-t-il pas prescription quant aux indiscrétions dont j'ai pu me rendre coupable lors de vos précédentes investigations ?

Augustin Valmy héla le garçon.

— Remettez la même chose à monsieur. Mon cher Legris, qu'allez-vous conjecturer ? Je suis dans la panade, et je vous implore de m'aider. Lorsque vous posséderez les éléments de ma démarche, il sera patent que je ne tiens pas à vous mystifier. Écoutez-moi, cela chambardera votre optique.

— Ne singez pas les Cassandre, parlez, je jugerai ensuite.

— Un homme a été assassiné dans un cul-de-sac. J'en ai aussitôt été averti par le commissaire du XVIII⁰ arrondissement. Si son identité véritable venait à être révélée, la presse ne louperait pas une telle occasion de clabauder à mon sujet. L'honneur de mon nom serait foulé aux pieds, on affublerait de cornes bien méritées mon défunt géniteur – Dieu protège son âme ! –, et ma pauvre mère, qui vit en recluse à Gap, subirait les calomnies d'écrivaillons qui ne sont que de vils gâcheurs de plâtre. Quant à ma carrière… S'il est hors de question que je m'implique personnellement, il m'est interdit de songer à laisser impuni un si lâche forfait : c'est mon demi-frère qui a été tué, par chance nous portons des patronymes différents.

— Comment savez-vous que c'est votre demi-frère ?

— Son portefeuille contenait une lettre : *Robert Domancy, 3, rue de Richelieu.* Domancy est le nom de sa mère. Tenez, lisez :

Mon Robert en sucre,

Quel dommage ! Nous aurions fait un si joli couple et partagé notre passion commune pour la scène du Théâtre-Français. Tant pis, nous resterons bons amis, dis ? Je ne t'en veux pas, la vie offre de multiples opportunités pour des êtres d'exception tels que nous.

Ta Charlina.

— Des êtres d'exception, je vous demande un peu, ricana Valmy. Je suis allé à la morgue reconnaître le corps, enchaîna-t-il. Bien que notre dernière entrevue date de quelques années, c'est incontestable, c'est mon demi-frère. Affirmer que j'éprouvais de l'affection envers lui serait mentir, cependant son destin me révolte, la gorge tranchée, ce bric-à-brac semé autour de la dépouille, un crocodile en peluche, un sachet d'épis de…

— … blé, Joseph m'a déjà lu le papier d'un journaliste.

— M. Pignot est d'une efficacité redoutable, il a raté sa vocation, la police lui tendait les bras.

— Ce Robert Domancy, un acteur ?

Augustin Valmy exhala un soupir.

— Mon père était un libertin. J'avais neuf ans quand il s'est entiché de Manon, la jeune servante de l'auberge voisine de notre maison. Lorsqu'elle s'est arrondie, mon père s'est débarrassé d'elle en la dotant de nos économies et en lui enjoignant de déménager le plus loin possible. Elle est retournée dans sa famille, au fin fond du Gard. C'est là que Robert est né. Mon père, qui a dû commettre des fredaines à tire-larigot et me gratifier d'une fratrie par bonheur inconnue, s'est attaché à ce garçon qu'il voyait rarement, mais avec lequel il a correspondu dès que le gamin a su aligner trois phrases. Sur son lit de mort, il m'a fait jurer de veiller sur lui. Obligation morale que j'ai accomplie sans enthousiasme, limitant mes interventions à de modiques envois d'argent et à des conseils épistolaires auquel ce galapiat n'a pas accordé d'importance. Un beau jour, il m'a prévenu qu'il montait à Paris dans la ferme intention de brûler les planches. Il s'est inscrit au Conservatoire. Pendant ses congés il figurait dans des théâtres des Boulevards. Il était sur le point de réussir puisqu'il avait été engagé à la Comédie-Française. Et le voilà occis.

Victor vida son verre.

— C'est regrettable, je compatis à votre malheur, mais…

— J'ai besoin de vous. Le policier assigné à cette instruction ne possède pas le dixième de votre discernement. Tout laisse supposer qu'un esprit madré s'est appliqué à signer son meurtre de symboles. Qui sait s'il ne va pas réitérer son crime ?

La tentation qui avait si souvent titillé Victor se manifestait de nouveau à lui, et, comble d'ironie, son ennemi intime, un commissaire principal hostile à ses initiatives, lui proposait de tirer les marrons du feu !

— C'est exclu. Tasha et Alice seraient en danger. Kenji et Iris m'accableraient de reproches.

— Mais Joseph Pignot gambaderait d'excitation. Vous opérerez dans l'ombre, sous ma protection occulte. Personne ne suspectera notre duplicité. Je vous fournirai les confidences grappillées par mes collègues, et en échange vous m'assisterez de votre connivence. Empoignez l'opportunité aux cheveux, Legris, je vous y autorise !

Pensif, Victor promenait son index sur le bord de son verre. Les habitudes de son existence rangée avaient étouffé des appétences de mauvais aloi. Lui qui se targuait de les avoir domptées, allait-il admettre son fiasco ?

— Votre silence est-il un assentiment, Legris ? jeta Augustin Valmy.

Victor opina légèrement du chef. Oui, un fiasco complet. Et un frémissement de joie dans le secret de son cœur.

— Le plus urgent, c'est de vous rendre au Théâtre-Français, afin d'y interroger selon vos méthodes subtiles cette mystérieuse Charlina. Tenez, je vous ai rédigé une lettre d'introduction qui vous permettra de vadrouiller à votre guise dans l'édifice.

— « Liberté, liberté chérie… » chantonna Victor à mi-voix.

— Oh ! Ce que j'en disais… Ce n'était qu'une suggestion. Les pistes sont multiples. Savez-vous que mon demi-frère était un adepte des champs de courses ? On a retrouvé ceci dans l'une de ses poches.

Il tendit à Victor un papier sur lequel était noté :

Payer le « donneur de conseils » pour les gains d'octobre à Longchamp. R.D.V. bistrot Butte.

— Explorez cette piste. Mon petit frère a peut-être omis de rétribuer son marchand de tuyaux et celui-ci l'aura mal pris. Vous avez carte blanche.

— Entendu. Quand le prédateur talonne sa future victime, il marche vers le nord et regarde vers le sud.

— Shakespeare ?

— Non, Kenji Mori.

— Vous comptez me rendre chèvre ? Si nous souscrivons à son désir, nous fonçons droit dans le mur !

— Je crains qu'au contraire un refus ne nous place en fâcheuse posture. La situation est particulière. Nous serions des auxiliaires, non des bâtons dans les roues. Et un refus équivaudrait à un camouflet.

Cette conversation entre Victor et Joseph avait lieu au *Temps perdu,* durant une escapade improvisée. Chacun cachait à l'autre son exultation. Joseph jubilait à la perspective d'être impliqué dans cette histoire qui défrayait la chronique. Que le commissaire principal Valmy devînt son obligé lui donnait des ailes. De son côté Victor éprouvait l'impression d'avoir subitement rajeuni.

Le jeu consistait à ne pas trahir leur allégresse, aussi Joseph se fit-il longuement prier de seconder son beau-frère récalcitrant.

— Comment s'organise-t-on ? s'enquit-il entre deux gorgées.

— Je vais traîner mes basques à la Comédie-Française, vous m'excuserez auprès de Kenji. Et vous, si ma mémoire est bonne, vous avez tantôt une bibliothèque à évaluer boulevard de Rochechouart. Sait-on jamais, vous pourriez glaner des informations inédites.

— Le grand chef sera-t-il dupe ? Boulevard de Rochechouart, ça va l'intriguer, il a lu le journal.

— Savoir dissimuler est le savoir des rois, débrouillez-vous. À condition d'être rusés, ni nos épouses ni Kenji ne remarqueront nos manigances. Cette fois, Joseph, il va falloir nous surpasser : réserve et langue ficelée.

— Ouais. On peut toujours rêver.

Quand Victor atteignit la Comédie-Française, la pluie giflait les pavés. Il ôta son waterproof, confia sa bicyclette aux soins d'un mastroquet complaisant qui lui avait servi un grog, et courut s'abriter sous la colonnade dorique qui ceignait le théâtre. Il contempla les flaques mitraillées de gouttes, le feuillage ruisselant des arbres du jardin du Palais-Royal, les parapluies ouverts et se demanda ce qu'il faisait là.

« Je n'arrive pas à tenir en place. Est-ce parce que je suis un anxieux ? Pourquoi ne puis-je m'épanouir pleinement ? J'ai une agréable vie de famille, un travail intéressant, je suis amoureux de ma femme comme au premier jour, j'adore ma fille, je suis un homme heureux, et pourtant j'ai besoin de m'envoler loin des sentiers battus. J'ai la sensation que le temps est un toboggan sur lequel je glisse de plus en plus vite à mesure que je prends de l'âge. Le moyen de freiner l'inexorable descente est de rompre la monotonie du quotidien. »

Il aurait dû aider Kenji à la librairie, mais il était incapable de résister à l'appel du large. Enquêter ? Une récréation, un retour à l'enfance peuplée de pirates, de trésors, de bandits, de justiciers.

« Je manque de maturité, jamais je n'aurai de carrière prometteuse. Seulement, en attendant que la vieillesse me prive d'enthousiasme, je m'amuse. Je suppose que Joseph doit partager le même état d'esprit. »

Il s'approcha du guichet des locations, examina les tarifs, et opta pour une baignoire à huit francs, prix qui lui parut exorbitant.

— Si c'est pour *Froufrou*, quelle que soit la représentation il n'y a plus que des sièges de troisième galerie à deux francs, l'instruisit la caissière d'un ton aigre.

— En ce cas, je serai privé de spectacle. En revanche je voudrais visiter la salle.

Il exhiba la lettre au bas de laquelle Augustin Valmy avait apposé son paraphe.

— La police ? Ici ? Vous plaisantez, monsieur.

— Une simple inspection de routine, indispensable en cas de meurtre.

La caissière hésita. Un *Figaro* déployé prouvait qu'elle avait eu vent de la mort de Robert Domancy.

— Patientez un instant, je vais m'informer.

Victor en profita pour admirer la riche ornementation des vestibules où de nombreux bustes évoquaient le drame et la comédie. La caissière se dirigea vers lui d'un pas lent et lui décocha un regard réprobateur.

— Il n'y a pas de répétition, vous disposez d'une heure, pas une minute de plus.

Il souleva son chapeau, puis s'engagea dans un des escaliers.

La salle contenait mille quatre cents fauteuils, et le fait qu'elle fût déserte lui donnait l'aspect étrange d'un lieu peuplé de fantômes. Talma, Rachel, Mlle Clairon, Mlle Mars dansaient-ils, invisibles, la farandole sur la scène où le brigadier frapperait sous peu les trois coups pour que le rideau s'évapore dans les frises ?

— Puis-je vous renseigner ? susurra une voix langoureuse.

Un demi-tour le planta devant des yeux pervenche, un nez retroussé et une poitrine généreusement décolletée.

— N'est-ce pas émouvant d'être là, au milieu de ces stalles silencieuses, d'appréhender les murmures et les grimaces des prochains spectateurs ? J'en ai le cœur chamboulé, tâtez.

L'inconnue lui prit la main et la plaqua sur son sein gauche. Victor se dégagea doucement.

— Je jouerai en décembre dans *La Conscience de l'enfant*, de Gaston Devore. Ah ! Si je pouvais égaler le talent et la célébrité de Jeanne Delvair ! Elle a remporté le premier prix de tragédie dans une scène des *Erynnies*[1]. On dit qu'elle va interpréter Hermione, mais durant des années elle n'était qu'une vulgaire vendeuse du magasin *Old England*, rue Scribe. Moi j'ai commencé à me produire à douze ans, certes je n'étais d'abord qu'une écuyère au cirque Fernando, mais mes parents se sont saignés aux quatre veines dans le but de m'écouter déclamer des alexandrins grâce auxquels je me suis extirpée de la piste. Terminé, le crottin. Aimez-vous mon parfum ? C'est de l'eau de toilette à l'opopanax, je la préfère à l'héliotrope, pas vous ?

— Je suis accoutumé au *benjoin* de mon épouse.

Une moue désappointée tordit la jolie bouche de la jeune femme. Ses pommettes rosirent. De l'index, elle repoussa une mèche blonde qui s'obstinait à lui barrer le front.

— Vous appartenez à l'espèce des maris ! Vous ne portez pas d'alliance !

— Elle me serre trop, je ne la supporte plus.

— Que cherchez-vous ici, à cette heure insolite ?

Victor opta pour la franchise.

— Un de mes amis, un policier, m'a conjuré de l'épauler dans une investigation touchant la mort de Robert Domancy. Le connaissiez-vous ?

— Pourquoi parler de lui au passé ? Je suis revenue hier soir de Guéret où l'on enterrait ma grand-mère.

— Il est décédé, un meurtre.

1. Leconte de Lisle.

Son interlocutrice se laissa choir sur un fauteuil.

— Pas possible ! Robert, assassiné ! Je l'appréciais beaucoup, malgré sa pingrerie et son arrogance. Je ne lui étais pas indifférente, seulement il gardait ses distances parce qu'on ne mélange pas les torchons et les serviettes. Lui, c'est une richarde qu'il espérait emballer, une spectatrice à héritage, ou alors une vedette de la scène. Une Charlina Pontis n'aurait servi qu'à réchauffer ses draps, il aurait consacré le reste de son temps à une maîtresse plus select ! Un vrai panier à deux anses, ce type !

— Pardon ?

— Un homme qui se pavane une femme pendue à chaque bras. Vous ne seriez pas un de ces aristocrates pourris de chic dont les femelles testent leurs charmes aux dépens de modestes actrices ?

Victor ne savait s'il devait se sentir offusqué ou flatté. Il choisit d'en rire.

— Mademoiselle Pontis, vous vous méprenez. J'exerce le métier de libraire, voici ma carte, d'ailleurs conservez le paquet, vous m'obligeriez en distribuant ces bristols à vos collègues, comédiens, costumiers ou coiffeurs et en les priant de me joindre s'ils possèdent des échos au sujet de M. Domancy.

— Charlina suffit pour les intimes. Cette adresse, c'est celle de votre boutique. Vous y habitez ?

Elle se leva, s'approcha de lui d'un peu trop près, le frôlant avec l'art consommé d'une séductrice.

— Ma femme et moi logeons dans un quartier excentré.

— Excentré ? Je trouverai. Je sais moi aussi mener une enquête. N'en avez-vous pas assez de cette salle pleine de courants d'air ? Si nous montions là-haut, où se dresse le mur du fond, je vous déverrouillerais une porte dérobée qui permet d'accéder à la bibliothèque. Huit mille volumes, un trésor de cartons bourrés de portraits d'auteurs et d'interprètes, des maquettes et des décors à foison. Vous seriez subjugué, c'est d'un calme inouï, rien que vous et moi et des tonnes de bouquins... Holà ! On jurerait qu'un scorpion vous a mordu !

Victor ébaucha un salut embarrassé et battit en retraite. Du bout de la salle, il agita son couvre-chef. Règle numéro un : éviter les questions indiscrètes lors d'un premier contact.

— Au revoir, monsieur le policier libraire, vous êtes un lièvre, mais comptez sur moi, je vous débusquerai dès que j'aurai repéré votre gîte ! cria Charlina Pontis.

CHAPITRE III

Même jour, fin d'après-midi

Après les averses, le trottoir du boulevard de Rochechouart avait bénéficié de timides éclaircies. Par précaution, Firmin Cabrières essuya le pavé à l'entrée de l'impasse, s'accroupit puis déploya son balluchon en un large carré d'étoffe où s'étalaient des craies grasses, trois ou quatre pots, une râpe à fromage, des pinceaux et des brosses. Il délimita un cadre noir, et, muni d'un bâtonnet bleu, traça de profil un coupé attelé d'un cheval. Avec dextérité, il fit apparaître un arbre bleu, une colonne Morris verte, un gardien de la paix jaune, une marchande de coco rouge vif et un enfant violet. Il se releva, se frotta les mains sur un morceau de tissu-éponge et, quand il eut épousseté son pantalon, guetta le verdict et l'obole des passants.

Joseph l'avait aperçu de loin. Il exultait, fou de joie que le moment tant souhaité fût arrivé. Il s'était morfondu des heures dans la librairie jusqu'au retour de Victor, et il lui avait encore fallu patienter pendant le déjeuner auquel Kenji les avait tous deux conviés à l'étage. Mélie les avait servis avec une lenteur exaspérante, il avait failli s'étrangler deux fois. Enfin, il s'était échappé, en dépit des réflexions acerbes de son beau-père étonné qu'il allât brusquement estimer des livres dont il ne lui avait touché aucun mot.

« Sous surveillance, pire qu'un môme il me traite, alors que je suis père autant qu'associé, quand donc vais-je être considéré comme un adulte libre de ses actes ? »

Il avait eu le loisir de ruminer dans le fiacre, plus indolent qu'un escargot, ballotté par la rosse qui le tirait au milieu des bouchons.

« Je parie que ce peintre des rues va m'apprendre des détails capitaux. »

Firmin Cabrières l'évalua d'un regard : un flic. Méfiance, ces gars-là retournaient contre vous la plus minime parole et vous enfournaient avec alacrité dans leurs paniers à salade.

— Vous êtes un véritable artiste, quel dommage que vos œuvres soient éphémères, quelques gouttes et hop ! elles disparaissent.

— Si le ciel était moins capricieux, j'aurais fignolé davantage, j'ai ma technique antigiboulées : la colle. J'en enduis la surface à décorer, je crayonne ma composition en utilisant un stylet. Grâce à cette râpe, je réduis mes craies en poudre et j'emplis les éléments du tableau de diverses couleurs. Ça dure plus longtemps, c'est minutieux. Vu l'humidité, ça ne vaut pas le coup aujourd'hui.

— Tenez, pour vous récompenser, dit Joseph en lui donnant dix sous.

— Vous êtes trop charitable. À la revoyure !

— Attendez ! On m'a raconté qu'un crime a été perpétré dans cette impasse. Vous avez examiné le cadavre ?

Firmin Cabrières, à croupetons pour ranger son matériel, rejeta sa nuque en arrière et contempla Joseph. Le complet noir étriqué, la cravate d'un blanc douteux, les cheveux calamistrés poivre et sel, les petits yeux porcins surmontés de sourcils broussailleux, la moustache hérissée, la posture de l'individu : tout l'apparentait à un blaireau. Joseph glissa légèrement de côté.

— Moi ? J'ai rien remarqué, je ne m'encroûte pas ici, j'ai d'autres chats à fouetter. Pouvez pas cesser de causer, ça me ferait des vacances.

— Excusez-moi, c'était sans mauvaise intention, vous comprenez, le corps était cerné d'objets farfelus, alors je cherche… Euh… nous cherchons à dénouer ce mystère.

— Vous ? Qui ça, vous ? Les cognes ?

— Permettez, vous faites erreur, je suis à mon propre compte, j'ai un collaborateur.

Quand le Blaireau se remit debout, Joseph fut soulagé de constater sa courte taille. L'homme avait perdu son humeur belliqueuse.

— Décrivez-moi ces drôles de trucs qui entouraient le macchabée.

— Il y avait une faux miniature, un crocodile en peluche, un sachet d'épis de blé et de graviers noirs, trois grosses pierres emmaillotées de tissu et une clepsydre.

— Une clé de cidre ?

— Une clepsydre. C'est une horloge à eau. Apparemment celle qu'on a trouvée est la copie d'un modèle antique grec. Un gobelet évasé de terre cuite gradué, percé d'un trou à la base. Il est surélevé et plein de liquide qui dégouline dans un récipient placé au-dessous, et selon le niveau dans le vase on sait combien d'heures se sont écoulées. Mais la clepsydre qu'on a laissée était vide, c'était juste un symbole du temps, je suppose.

Le dessinateur à la craie se gratta le menton.

— Je ne pige que couic à votre boniment. L'unique machin qui ait un rapport avec le temps dans les environs, ce sont ces placards sur les murs. Ils prophétisent que la fin du monde se produira le 13 novembre. La plupart sont arrachés, mais paraît qu'il y en a un à l'intérieur du *Néant*.

Interloqué, Joseph s'escrimait à décrypter l'énigme. Était-il crédible que le néant possédât un intérieur ? Conscient de son désarroi, Firmin Cabrières se fit plus explicite :

— Vous ne saisissez pas ? Le *Cabaret du Néant*. Ça mérite un détour, c'est plus loin, sur le boulevard de Clichy, au n° 34. Tiens, c'est curieux, ça se pourrait qu'il y ait un lien avec le type qui s'est fait refroidir.

Il balança son bagage sur son épaule et abandonna l'arbre bleu, le gardien de la paix jaune et l'enfant violet, qu'une soudaine ondée amalgama en un emplâtre chamarré.

Un drap mortuaire encadrait la porte du *Cabaret du Néant*, masquée de volets ornés de crânes, accessible le soir seulement aux amateurs d'émotions fortes. Joseph mit le cap sur le plus proche commerce, une épicerie.

Vve Foulon
Conserves et confitures maison
Livraison à domicile

Il se mêla aux ménagères disséminées au pied de rayonnages et de casiers où s'empilaient des conserves. Il ne s'attarda guère devant les emballages de farine lactée ou de Phosphatine Falières. Près d'une vieille femme ratatinée par les rhumatismes, il manipula un tube de bouillon.

— Ce n'est pas cher, lui souffla-t-elle, treize centimes, *idem* pour le potage minute, avec un quignon de pain, ça cale quand on n'a pas les moyens.

Il approuva et s'engagea dans l'allée consacrée aux thés, aux biscuits, au miel et au vinaigre. La vieille trottinait derrière lui.

— C'est la première fois que je vous vois faire vos emplettes ici. Une bonne adresse, on ne vous vole pas, les prix sont affichés. Je m'y connais, jadis je tirais la charrette, j'étais marchande des quatre-saisons, mais que voulez-vous, on se fait vieille. L'hiver dernier je suis tombée, alors… Je vous recommande le chocolat Pihan, deux francs la livre, ça vous fond dans la bouche, murmura-t-elle avec un regard de convoitise.

Sans plus résister, il s'empara de trois tablettes et les lui fourra dans les mains.

— Je vous les offre. Suivez-moi, je paierai à la sortie.

Rouge de plaisir, elle minauda pour la forme.

— Oh ! Non, jeune homme, impossible, je ne suis pas une indigente.

— C'est un honneur, vous pourriez être ma mère, elle aussi était marchande des quatre-saisons. Acceptez, je vous en prie.

— Puisque vous insistez avec tant de délicatesse… Un conseil, dispensez-vous de leurs lentilles, elles sont plus dures que des plombs de fusil, même après une heure de cuisson. En revanche, leur jambonneau à quinze sous est une merveille.

Quand ils atteignirent le comptoir, les bras de Joseph étaient chargés de sacs de chicorée *À la cantinière*, de boîtes de sardines, de sucre candi en morceaux enfilés sur une cordelette, de trois cervelas à un sou pièce, sans parler du chocolat et du bouillon. Il les entassa près de la caisse enregistreuse, un chef-d'œuvre en cuivre astiqué dont les boutons cliquetèrent, à l'évidente satisfaction de la patronne. Celle-ci, une quinquagénaire à face creuse, chignon serré et blouse rose, régnait sur son négoce, un sourire alléchant aux lèvres. De part et d'autre de son siège rehaussé s'étalaient sur un lit de paille des roues de brie de Melun et de Meaux. Sa silhouette était auréolée de chapelets de saucissons et de pots de moutarde.

— Vous allez festoyer, jeune homme !

— Ce n'est pas pour moi, c'est pour Madame.

— Qui ? La mère Anselme ?

Instantanément les conversations cessèrent. Les yeux se braquèrent sur l'heureuse bénéficiaire de ce somptueux présent qui totalisait la somme de trois francs soixante. Joseph empocha la monnaie tandis qu'une petite voix lui prédisait la ruine imminente de son ménage. La mère Anselme demeurait interdite.

— Ben dans quoi que je vais transporter tout ça ?

— Tenez, lança la patronne, voici un cabas, n'oubliez pas de le rapporter.

La vieille s'agrippa à son bienfaiteur.

— Merci, jeune homme, il faut savoir dire oui aux bontés de la vie, quelqu'un m'avait assuré que le lundi était mon jour de chance, c'est prouvé ! Soyez béni. Je suis certaine que c'est grâce à mon amulette.

Elle sortit de son réticule un mouchoir de dentelle et en tira un galet rond enjolivé d'une étoile rouge.

— C'est Firmin Cabrières, le dessinateur à la craie, qui me l'a offert. C'est fragile, ça peut s'effacer si on ne le protège pas.

— Très joli, agréa distraitement Joseph.

Il disposa les denrées dans le cabas mais, quand la vieille s'en munit, elle manqua trébucher.

— Hilaire ! Aidez-la, elle habite à deux pas, ordonna la patronne à un commis presque aussi âgé que la mère Anselme, mais droit comme une perche, le visage en lame de couteau paré d'une barbe jaunie à la consistance de coton.

— Service gracieux de la maison, pas de pourboire, grommela la patronne.

Joseph ratissa sa poche de la ferraille dont il venait de la lester.

S'étant acquis la reconnaissance générale, il pressentit qu'il était devenu *persona grata* dans l'épicerie de Pélagie Foulon.

La patronne examinait ce particulier si généreux. Un archiduc russe déguisé en M. Tout-le-Monde ? Un des préceptes favoris de feu son mari, Oscar Foulon, lui revint en mémoire : « Quand un chaland vide son gousset, harponne-le et force-le à dégorger son jus. »

— Nous allons bientôt inaugurer un rayon d'épicerie fine. Notre boutique sera le dépôt de foies gras de Strasbourg, nous aurons des parfaits de pâté à la gelée, du caviar, du saumon fumé, des jambons de Prague et de Limerick.

— Je suis végétarien, rétorqua Joseph, subitement enchanté qu'Iris lui imposât ce régime.

L'épicière ruminait une réplique adaptée à ce cas désespéré quand un vénérable personnage vêtu d'un macfarlane secoua sous son nez une bouteille d'eau minérale.

— Parce que nous n'avons pas de sources de qualité, en France ? clama-t-il.

— Que si ! Vittel, Vichy, Évian…

— Alors pourquoi promouvoir cette marque Mattoni puisée à Giesshübl près de Karlsbad, en Bohême, et prétendre que c'est la meilleure eau naturelle de table ?

— Ce n'est pas nous qui l'affirmons, ce sont les exploitants. Si vous n'êtes pas content, allez chez la concurrence. Et vous, madame Boboit, ça fait une heure que vous trifouillez ces flageolets en vrac ! Vous les voulez ou non ? gronda la patronne à l'intention d'une ménagère indiscrète en appuyant d'un doigt sur le plateau de la balance, ce qui l'exempta de compléter le juste poids.

Joseph quitta ce lieu de discorde et aborda l'une des vendeuses, une brunette potelée auprès de qui il s'informa de ce qu'on était susceptible de découvrir au *Cabaret du Néant*.

— La taverne des morts ? Mon fiancé René y bosse attifé en croque-mort, il est serveur, ce n'est pas de tout repos. Évitez ça, c'est affreux, rien que des ossements ! On vous sert à boire parmi des squelettes ou des spectres rigolards, tu parles si c'est réjouissant, s'pas Colette ?

La seconde vendeuse, une blonde de la même taille, au teint pâle et aux yeux cernés, hocha la tête.

— Grimpez plutôt sur la Butte, c'est plein d'endroits où c'qu'on s'marre et où c'qu'on danse, hein Colette ? poursuivit la brunette. Ah, j'oubliais, toi tu n'fréquentes pas ces coins-là !

— Si je me renseigne, dit Joseph, c'est parce qu'un ami m'a entretenu d'un placard punaisé dans le hall, une sorte de proclamation qui annonce la fin de l'univers.

— Ça doit être un de ces papiers qui inondent le quartier, dit Colette. Inutile de payer pour le lire, monsieur, j'en ai décollé un. Si c'est une plaisanterie ils ont perdu la boule, ils vont semer la panique.

Elle alla chercher son sac et donna à Joseph le papier imprimé bordé de noir.

— Je vous sais gré de votre amabilité, madame.

— Mademoiselle, dit Colette.

— Ah oui alors, mademoiselle ! Elle est sage, monsieur, pas d'amant à son âge, pas une écornure, quoi ! Et ça fait quatre ans qu'elle peine ici ! Remarquez, avec Hilaire elle n'a rien à craindre, il est vieux comme Mathieu salé, s'esclaffa la brunette.

— Pardon ? s'étonna Joseph.

— Veux-tu te taire, Catherine ! Il faut comprendre Mathusalem, monsieur. Une allusion à Hilaire Lunel, notre garçon épicier.

— Hep, monsieur, insista Catherine, si vous allez au *Néant* ce soir, dites à René Cadeilhan que je l'aime !

— Catherine, ça suffit !

— Vous le repérerez facilement, c'est un géant aux cheveux carotte, précisa la brunette.

Gêné d'être le point de mire de ces deux femmes, Joseph se dirigea vers la porte, escomptant s'éclipser sans encombre.

— Vous nous quittez déjà ? s'écria la patronne.

Pour seule réponse, elle fut gratifiée d'un grognement qui pouvait aussi bien signifier « bonsoir » que « boire », accompagné d'un bref salut.

— Zut et flûte, quel dommage de ne l'avoir pas retenu, ce coco-là ! regretta Pélagie Foulon.

Sur le boulevard, Joseph parcourut le texte du pseudo-faire-part. L'excitation croissait en lui. Le dessinateur à la craie avait eu le nez creux, il était probable qu'il y eût un lien entre la mort de Robert Domancy et la publicité du cabaret.

« La fin du monde, le 13. Je croyais que cette comète serait inoffensive. Nous mènerait-on en bateau ? Je dois dénicher des éclaircissements complémentaires, c'est urgent. Où ? À la librairie ? Kenji risque de m'espionner. Dans ma remise ! Maman sera ravie que je reste près d'elle. »

Il replia le papier incontinent serré dans son portefeuille.

Rue de Seine, le dîner se terminait dans une sérénité relative. Les enfants étaient fatigués, Iris absorbée par une idée de conte : *Les Mésaventures de Filasse*, chien de troupeau impuissant à dénombrer ses moutons. Euphrosine déplorait qu'on ne la félicitât pas de sa tarte au potiron.

— Maman, ça t'embêterait si je passais la nuit rue Visconti ? Je voudrais effectuer des prospections dans ma remise.

— Vrai, mon minet ? On rentrerait ensemble ? Je serais aux anges. Mais vous, Iris… ?

— Aucun problème. Dès que les petits seront endormis, j'écrirai.

— Décidément, vous avez ça dans le sang, Joseph et vous. Jésus-Marie-Joseph, comme si y avait pas assez de livres à vendre !

Dès qu'ils furent arrivés rue Visconti, Joseph subtilisa la lampe de la cuisine et rejoignit son fief attenant au logement du rez-de-chaussée où il s'attaqua aux strates de vieux bouquins, gravures, revues, journaux soigneusement classés selon les années.

— Mais au juste, mon minet, qu'est-ce que tu veux dégoter ?

— Des explications sur la mort.

— C'est d'un joyeux ! T'en as pour longtemps ? Parce que si t'en as pour longtemps je vais te tenir compagnie et amarrer des boutons sur la robe que Mme Kherson m'a donnée.

Une heure plus tard, Euphrosine, effarée, contemplait la remise où elle s'était éreintée à ordonner sur des étagères les reliques collectionnées par feu le père de Joseph.

— Quand j'pense que j'me suis coupée en quatre pour aménager le musée de ton pauvre papa, et toi… toi… !

La mèche en bataille, Joseph brandit une brochure.

— Eurêka ! La légende de Saturne ! Ça clarifie une partie de l'affaire !

— Qu'est-ce que tu fricotes encore ? Saturne ? C'est une planète, non ? Est-ce que ça aurait une corrélation avec cette pluie d'étoiles filantes dont on nous rebat les oreilles ?

— Le dieu romain Saturne.

Il se pencha sur la brochure et en cita quelques phrases.

— On le nommait Cronos chez les Grecs. Avant la naissance du monde, c'était le règne du Chaos, du sein duquel naquirent Titea, la Terre, et Uranus, le ciel. Ces deux divinités engendrèrent les Titans, les Cyclopes, Japet, Rhéa et enfin Saturne. Redoutant la rivalité de ses fils, Uranus les catapultait dans les abîmes.

— Quel salmigondis ! Ils ont des noms à coucher dehors ! Un dévoyé, cet Uranus ! Exterminer la chair de sa chair ! Jésus-Marie-Joseph !

— Oui, toujours est-il que Saturne vengea ses frères… Je te dirai la suite une autre fois, il est tard.

— Merci, tu saccages ma belle ordonnance et tu me laisses sur ma faim ! Déjà que la Mélie Bellac a les deux pieds dans le même sabot et ne cesse de commettre des bourdes ! Ah, j'la porte, ma croix… Moi qui espérais une gentille soirée à jouer au nain jaune ! Puisque c'est ça, bonsoir ! N'oublie pas de ranger, j'suis pas ta soubrette !

La porte claqua. Joseph se mit en devoir d'obéir. Alors qu'il déplaçait une pile de programmes de théâtre, un souvenir clignota. Ce nom, Robert Domancy, ne lui était pas étranger. Où l'avait-il remarqué ? Cela lui échappait. Pestant contre cette lacune, il gagna son lit de jeune homme qu'il fut ému de trouver paré de draps frais fleurant la lavande.

Calée au creux de son oreiller, Euphrosine ne pouvait se concentrer sur le feuilleton qui dramatisait ses nuits, elle entendait son fils aller et venir dans la pièce mitoyenne.

— Mon minet ? Pardonne-moi de m'être emportée, j'ai eu une rude journée. Fais de doux rêves ! lança-t-elle.

— Toi itou, maman.

Sur le point de sombrer, Joseph se remémora une comédie à laquelle il avait assisté au Gymnase l'année précédente, grâce à un billet de faveur, cadeau du directeur du *Passe-partout*, Antonin Clusel. Assommé d'ennui par *Mademoiselle Morasset*[1], il avait appris par cœur la distribution, à la lumière d'une des issues de secours. Il était presque certain d'avoir déchiffré le nom de l'homme assassiné impasse du Cadran.

— Où se cache ce fichu programme ? Je suis sûr de l'avoir conservé. Je vérifierai demain, il doit être au sous-sol, rue des Saints-Pères, marmonna-t-il en bâillant.

1. Comédie en trois actes de Louis Legendre.

CHAPITRE IV

Mardi 31 octobre

Louis Barnave avait du mal à s'endormir. D'habitude, le vin était un remède efficace contre ses terreurs nocturnes. Pas cette nuit-là. Le moindre craquement de l'immeuble, le moindre pas du voisin au-dessus de sa tête jouaient avec ses nerfs, exacerbaient son imagination. Le sommeil finit par l'engloutir, mais ce fut un sommeil peuplé d'obsessions.

Dans ses songes il voyait un défilé d'hommes-sandwichs vêtus de redingotes délavées. Ils marchaient à la queue leu leu le long des Boulevards, une affiche publicitaire sur la poitrine, une autre dans le dos, sur lesquelles son nom s'étalait en lettres écarlates. Ils scandaient une mélopée lugubre : « Louis Barnave, Louis Barnave, Louis Barnave est un assassin ! » Un vol de corbeaux se transformait en sergents de ville armés de bâtons blancs, puis, une foule jaillie des maisons se mêlait à une meute lancée à ses trousses. Soudain un fiacre mené par des chevaux fous fonçait sur lui. Alors qu'il allait être broyé sous les roues, une faux gigantesque trancha le macadam et il s'abîma sous des monceaux d'ossements.

Il s'éveilla en sueur.

— J'suis innocent, innocent ! martela-t-il, recroquevillé sous sa couverture effrangée parfumée au tabac. Saleté de cauchemar !

Il se leva, le froid le saisit. Il ajusta sa houppelande sur son tricot et son caleçon afin d'allumer au plus tôt le poêle à charbon. Le client de la veille, un Anglais à rouflaquettes et complet à carreaux, avait tenu à côtoyer les artisans, les calicots et les filles de joie agglutinés au Moulin de la Galette pour y flirter et chalouper. Il rêvait d'apercevoir le fameux clown Footit originaire lui aussi de Grande-Bretagne. Après une sérieuse cuite place Pigalle, il s'était précipité rue de Steinkerque où se succédaient maisons de passe et lupanars à trois francs « le moment ». Louis Barnave s'était démené jusqu'à ce qu'ils s'éloignent des femmes campées poings aux hanches devant les portes à gros numéros et, poursuivis par leurs invectives, l'ange gardien et son protégé avaient sauté dans un fiacre qui les avait convoyés à l'*Hôtel de la Tamise*, rue d'Alger.

— J'n'avais pas lampé le dixième de ce qu'il s'est envoyé, l'Angliche, quand ces ordures des Omnibus m'ont mis à pied comme un malpropre ! Conduite en état d'ébriété, qu'ils m'ont assené. Plus de boulot, plus d'oseille, et mes deux chéries empoisonnées par de la boustifaille pourrie, marmotta-t-il face au cliché jauni de sa femme et de sa fille.

Il se souvenait du dimanche matin où le photographe ambulant leur avait tiré le portrait rue des Abbesses, entre une pâtisserie et une charcuterie. Tout allait encore bien, Nanie était employée à l'Armée du Salut au 76, rue de Rome, et Chloé était sur le point d'entrer en apprentissage chez une enfileuse de perles pour couronnes mortuaires.

Il tisonna le feu, chercha en vain une croûte de pain ou de gruyère, ne trouva qu'un reste de lait caillé qu'il avala en guise de déjeuner. Puis il fourgonna sa pipe, s'habilla, enfoui dans la poche de sa houppelande un carnet dépenaillé et descendit en catimini. Le chien du concierge, parti marquer son territoire, avait dédaigné sa pâtée. Louis Barnave se chargea de la dévorer. Après avoir vidé la gamelle avec ses doigts, il les essuya sur le rideau de la loge.

« Ça lui apprendra à me persécuter et à ne pas manifester l'affection habituelle des pipelets envers la race féline », pensa-t-il en crachant sur le paillasson.

La pluie tombée au cours de la nuit se changeait en une vapeur bleuâtre. Les contours s'estompaient, les passants et les maisons adoptaient un aspect fantomatique. Des voitures de fruits et de légumes se dirigeaient vers la rue Lepic dont la pente était vouée au ravitaillement des Montmartrois. Près d'elles cheminaient des ouvriers en partance pour les usines de la banlieue nord, tandis que de rares fonctionnaires municipaux en jaquette et melon gagnaient les escaliers au bas desquels les attendaient leurs sinécures rétribuées cent cinquante francs mensuels. Louis Barnave se frayait un passage parmi ces ombres et les bousculait sans un mot d'excuse. Quelquefois, il en identifiait une : Martial, le sonneur de clairon au gilet rouge, Fernande, la brodeuse en lingerie, le chauve à monocle qui calculait des horoscopes, le joueur de vielle, Alfred, le dinandier. Il longeait des ateliers d'artistes meublés de caisses, de cageots et tapissés d'andrinople. Il évita de justesse le fût qu'un tonnelier roulait sur le trottoir. Il cracha sur les échafaudages du Sacré-Cœur au sommet duquel une croix récemment érigée se détachait sur un ciel charbonneux. Il montra le poing aux nuages. Il cracha ensuite sur les travaux du funiculaire à eau affecté à faciliter l'accès de la Butte. Rue Girardon, il s'arrêta à l'entrée de l'allée des Brouillards et expédia un jet de salive en direction du pavillon à deux étages où avait vécu le peintre Renoir. Il détestait tout ce qui, selon lui, dénaturait son quartier.

Il revint sur ses pas, dépassa de vieilles bicoques couvertes de chaume et précédées de vergers ou de potagers. Des pots à lait ponctuaient les barrières. Quelques boutiques, une boucherie rouge, une crémerie jaune, un épicier-verdurier safran semaient leur note de couleur dans ce morne décor. Les ruelles à ruisseau central s'encastraient entre des alignements de façades décrépies au cachet provincial. Cela sentait la pauvreté, voire la misère.

— Couteaux ! Ciseaux ! psalmodia un rémouleur itinérant.

Mais ceux qui travaillaient chez eux se barricadaient dans leur domicile, au coin du feu ou de la lampe à gaz. Les pas résonnaient, seul un groupe de fillettes malingres dispersées sur des marelles troubla le silence de ses piaulements.

— Ben les frangines, et l'école ? tonna Louis Barnave, provoquant une cavalcade.

Il déboucha place du Tertre et cingla vers son bistrot favori, *Bouscarat*, qui louait aussi des chambres. Le dimanche, le patron inscrivait au blanc d'Espagne « Poule au gibier » sur sa vitre. Quand il poussa la porte, un fumet d'anis, de sciure et de bouillon assaillit ses narines. Il fut satisfait de constater que sa table, à l'angle du comptoir, juste sous le bec Auer, était libre. Il s'installa douillettement et commanda une portion de gigot aux flageolets. Deux anarchistes rédigeaient un pamphlet et devisaient avec des mines de conspirateurs en sirotant un verre de Byrrh. Les autres consommateurs étaient soit des amateurs de billard massés dans l'arrière-salle, soit des rapins à casquette fourrée ou feutre cabossé, certains drapés dans des capes de mousquetaire, d'aucuns sanglés dans des costumes bretons. Les plus conformistes se contentaient de vestes droites et de houseaux serrés aux chevilles, quand ils n'arboraient pas un complet de serge de la Belle Jardinière. Les savates frôlaient les sabots, les barbes de sapeur concurrençaient les boucs, et tous ces compères ingurgitaient de phénoménales portions de frites arrosées de vin rouge et ne s'interrompaient de mastiquer que pour exposer avec force exclamations leurs théories sur l'art moderne.

— Maurice ! Je te croyais clamsé ! Vrai, t'es du dernier copurchic avec ton tube ! cria un peintre échevelé à un nouvel arrivant.

— Laumier, tu es un traître ! brama son voisin.

— Moi ? Je t'interdis de m'adresser la parole, répondit l'interpellé d'un air méprisant.

— Tu es propriétaire d'une galerie, tu exhibes les tableaux d'une femme, une Russe aux origines douteuses, tu n'as plus ta place parmi nous !

Il y eut un début d'algarade vite maîtrisé par le patron qui flanqua dehors les perturbateurs. Le brouhaha reprit. Les mains plaquées aux oreilles, Louis Barnave consultait les notes griffonnées dans son calepin.

— « Le docteur Rudolf Falb, astronome, professeur de géologie à l'université de Vienne et de mathématiques à l'université de Prague, l'avait expliqué dans un ouvrage prophétique : le 13 novembre 1899, notre planète entrerait en collision avec une immense comète. Son flamboyant sillage bombarderait la terre de rochers incandescents, les cités et les humains seraient réduits en cendres. »

— Un café ? demanda le garçon.

Louis Barnave leva une main en signe d'assentiment et continua de lire à voix haute un texte recopié dans l'*Almanach Hachette de la vie pratique* pour 1899.

— « On estime à soixante-quatorze millions de milliards le nombre de comètes flottant dans l'éther glacial. Leurs queues mesurent plusieurs millions de lieues. »

— Vous m'en direz tant, articula le garçon, les pupilles exorbitées.

— Eh oui, mon grand, faut s'instruire si on veut comprendre. Béranger avait déjà composé une chanson inspirée d'un cataclysme annoncé pour le 13 janvier 1819, « Finissons-en, le monde est assez vieux », je suis d'accord à cent pour cent avec lui. Après on a appréhendé le 29 octobre 1832, date à laquelle la comète de Biela, selon certains, devait nous anéantir. Et puis le 13 juin 1857 la comète de Charles Quint a foncé dans nos parages, heureusement elle nous a loupés. Mais alors là, mon grand, celle qui se pointe, elle ne nous ratera pas !

Apeuré, le garçon en laissa choir une cuiller sur le carrelage. Quelques peintres reculèrent leurs chaises cannées afin de dévisager Louis Barnave.

— En voilà assez ! fulmina le patron. Vous affolez ce pauvre idiot ! N'écarquille pas tes quinquets comme des soucoupes, Arnolphe, et distribue à ces messieurs leur gigot aux flageolets. C'est stupéfiant, les insanités qu'on vous impose.

— Rudolf Falb ne s'est jamais gouré ! C'est le devin des « jours critiques », grêle, ouragans, inondations, gelées, secousses telluriques, éruptions volcaniques ! Et faut pas non plus oublier Camille Flammarion ! tonna Louis Barnave.

— Qui c'est, cet oiseau-là ?

— Un savant doublé d'un romancier, môssieur, il a écrit *La Fin du monde*[1], je l'ai lu en épisodes dans *La Science illustrée*, et même si ça se situe dans six siècles, c'est la sempiternelle histoire : une comète, et boum !

— T'as une araignée au plafond ! C'est une manie, de vouloir que tout saute ! vitupéra le patron.

Les anarchistes se levèrent et effectuèrent une sortie discrète dont profita Maurice Laumier pour réintégrer le bistrot.

— Maintenant qu'on est avertis, on va aller se planquer dans un coin tranquille jusqu'à ce que ça se tasse, souffla-t-il à Louis Barnave avec un clin d'œil.

Sans l'honorer du moindre regard, l'ex-cocher régla son bœuf et son café, et, après avoir enfoncé son carnet dans sa poche, énonça d'un ton vibrant :

— *Les jours approchent*
Et toutes les visions s'accompliront[2].
« Ézéchiel, 12. Salut la compagnie !

Tasha lut la lettre reçue le matin. Avant même de la décacheter, au vu des timbres américains, elle avait deviné qu'elle provenait de son père. Elle était toujours touchée de recevoir des nouvelles de Pinkus, mais ce qu'elle lut l'emplit d'un tel émoi qu'elle en renversa un godet où trempait un pinceau. Kochka

1. Roman publié en 1894, chez Ernest Flammarion éditeur.
2. La Sainte Bible, Ancien Testament, traduction de Louis Segond.

accourut, à l'affût d'une gourmandise, Alice émit un couinement, par bonheur sans s'éveiller.

Ma fille chérie,
Mes affaires prospèrent dans cette cité trépidante à côté de laquelle Paris n'est qu'un village. Mon partenaire et moi envisageons d'ouvrir une deuxième salle de cinématographe à Broadway. Quand tu réceptionneras ce pli, je serai en Angleterre, près d'achever mon voyage vers l'Europe. Je viens en effet vous visiter, toi, Victor et la petite Alice, mais je dois surtout voir Djina, avec qui je suis déterminé à rompre officiellement. Nous nous étions entendus il y a deux ans pour divorcer à l'amiable, mais la distance rendait cette démarche difficile, c'est pourquoi je t'écris. Peux-tu te charger d'un rendez-vous en décembre au tribunal rabbinique et convoquer deux témoins ? Si je te sollicite, c'est parce que tu as des relations qui peuvent faciliter cette tractation. Je n'ai pas retrouvé notre acte de mariage, je pense que Djina doit l'avoir en sa possession. Après notre séparation officielle il nous sera loisible de recommencer notre vie. Cela m'embarrasse de soulever ce sujet avec toi, mais j'ai une compagne, nous éprouvons un vif amour mutuel et je songe à me remarier. Les mots me manquent, alors j'irai droit au but : un enfant nous est né, un garçon, il a trois ans et se prénomme Jeremy.

Rageusement, Tasha chiffonna la lettre.
— C'est *meshugge*, gronda-t-elle, c'est complètement fou ! Un frère ! De plus de trente ans mon cadet !

Elle était folle d'indignation. Il ne se préoccupait plus d'elle, il était fier d'élever un rejeton, à son âge !

— Je refuse de connaître ce mioche, ce... ce bâtard !

Elle se calma, défroissa le papier. Pinkus ne précisait pas qui était la mère.

— Non, pas un frère, un demi-frère ! L'oncle d'Alice et de Marcus !

Elle reprit sa lecture.

Jeremy est très mignon. Tu sais quoi ? Il te ressemble. Il n'est pas roux, plutôt châtain, mais il a tes yeux et tes expressions quand il boude. Djina va m'en vouloir, c'est incontestable. Je lui garde une profonde affection.

Rien concernant sa sœur Ruhléa. Si, un *postscriptum* :

Je compte ensuite me rendre à Cracovie où je séjournerai chez ta sœur et son époux Milos Tàbor. Je verrai enfin mon petit-fils, Marcus. Quel plaisir si, un jour, nous étions tous réunis...

Sa colère se résorba. Elle s'attendrit sur Alice qui dormait, puis elle relut la missive, sans s'apercevoir que Victor s'était introduit dans l'atelier.

— Bonnes nouvelles ? lança-t-il d'un ton enjoué.

Elle se troubla, cacha précipitamment la lettre dans un réticule qu'elle portait en bandoulière. Elle se sentait incapable de lui relater les évolutions survenues dans la vie de Pinkus.

— Une camarade d'enfance, rien de palpitant, un couple mal assorti, une séparation en perspective... Ta matinée a été fructueuse ?

— Excellente. Nous avons vendu un lot de livres pour décorer un salon, l'acheteur s'intéressait davantage à la demi-reliure en veau blond qu'au contenu. Tu t'attelles à un tableau ? ajouta-t-il en jetant un coup l'œil à son carnet d'esquisses.

— Oui. Boni de Pont-Joubert désire que je portraiture sa femme Valentine. Il m'a fait livrer une photo d'elle, il souhaite que je me familiarise avec ses traits. Tout à l'heure j'irai chez eux.

« Nous y voilà, se dit-il. Ce débauché notoire veut l'attirer dans ses rets. »

— Tu ambitionnes vraiment d'emprunter cette voie ? Les commandes ?

— J'ai bien croqué Mme de Gouveline et ses deux cadors ! Tu ne t'y es pas opposé.

— C'était il y a trois ans !

— J'ai promis. C'est beaucoup d'argent.

— Mais nous ne sommes pas à court ! Et Alice ?

— Je me suis arrangée. Iris l'emmènera au guignol du Luxembourg.

— Il serait préférable que Mme de Pont-Joubert vienne ici, son mari lui permettra de délaisser quelques heures par semaine le domicile conjugal, lui qui s'en échappe si fréquemment.

Elle ne répondit pas et se mura dans le mutisme en se rongeant l'ongle du pouce.

— Bonjour, monsieur Legris. Localiser votre lieu de vie personnel a été plus facile que je ne l'imaginais. La servante de votre librairie est d'une rare obligeance.

« Satanée Mélie Bellac ! » songea Victor, les mâchoires contractées.

Entrebâiller sans méfiance la porte de l'appartement au premier *toc-toc* lui avait valu de tomber nez à nez avec Charlina Pontis, plus éblouissante que la veille.

— Je ne vous dérangerai pas longtemps, assura-t-elle en forçant son passage.

Elle fit un signe de tête à Tasha, furibonde d'être interrompue au milieu du repas par une inconnue aussi jolie qu'élégante. La comédienne déboutonna le col d'une longue cape à carreaux qu'elle étala sur le dossier d'un fauteuil. Elle rajusta les bouillonnés de sa robe en mousseline ivoire dont les bords étaient ornés de nœuds de velours et de boucles de strass.

Les cheveux frisottés étaient couronnés d'un toquet cerise à plis, garni d'un chiffonné de taffetas noir. Certaine de ne recevoir aucune visite à l'heure du déjeuner, Tasha n'avait pas jugé utile de se changer. Aussi avait-elle honte de sa blouse constellée de taches et de ses mèches dépeignées. Elle jeta un regard inquisiteur à Victor, affligé d'étranges contorsions destinées à clore le bec de l'intruse. Celle-ci feignit de ne s'apercevoir de rien.

— Madame Legris je suppose ? Et comment se nomme cette fillette ? s'enquit Charlina Pontis debout près de la chaise rehaussée où était perchée la petite.

— Alice, mâchonna celle-ci, la bouche pleine de purée.

— Quel prénom charmant ! Et tu parles couramment ! Une future actrice, monsieur Legris. Je suis navrée de vous importuner pendant que vous mangez.

— J'ai pratiquement terminé, ne pourrions-nous nous entretenir dans l'atelier de mon épouse ?

— Vous êtes un fieffé menteur ! Votre assiette est à peine entamée, à cause de ma venue intempestive vous ingurgiterez de la viande froide. Je serai brève : j'ai quelques révélations à vous faire à propos de Robert Domancy. Hier, j'ai déguisé la vérité, je vous ai dit qu'il gardait ses distances avec moi, en réalité les distances entre nous ont très vite été abolies. Et très vite il s'est débiné. Mon Dieu, que je regrette ma sottise !

Elle exhala un soupir de tragédienne. Effrayée, Alice en lâcha sa fourchette, renonçant à labourer sa purée.

— Les femmes sont trop naïves, vous en conviendrez, madame. Mais je jacasse et je vous ennuie.

— Qui est Robert Domancy ? demanda Tasha.

Victor fut soudain la proie d'une quinte de toux qui l'obligea à se précipiter dans la cuisine. Il espérait que Charlina Pontis aurait l'intelligence de l'y suivre. Elle ne bougea pas, une statue de sel plantée près d'Alice. Il but un verre d'eau et fut contraint de revenir sur ses pas.

— Ça va mieux ? Vous m'avez infligée une de ces frousses ! Ma grand-tante est morte parce qu'elle avait avalé de travers. Robert était pensionnaire à la Comédie-Française, tout comme moi, acheva Charlina Pontis en se tournant vers Tasha.

— Était ? Il ne l'est plus ?

— Il est mort, on l'a tué dans la nuit de dimanche, votre mari ne vous en a pas informée ?

Tasha se leva, très pâle, et contempla Victor de plus en plus mal à l'aise.

— Non, il m'a une fois de plus tenue à l'écart de ses élucubrations morbides, répliqua-t-elle d'un ton courroucé. À moins qu'il ne souffre d'éclipses de mémoire.

— Remarquez, je comprends qu'il vous ait dissimulé notre entrevue, il avait sûrement peur que vous soyez jalouse. Rassurez-vous, notre conversation s'est limitée à des généralités, il a rejeté ma proposition de lui montrer la bibliothèque du théâtre. En ce qui concerne Robert, ce pauvre Robert, je suis en mesure de vous fournir des renseignements, si cela vous intéresse toujours, monsieur Legris.

Charlina libéra son décolleté d'une écharpe de soie.

— Eh bien, fournissez ! s'exclama Tasha.

Alice sursauta, peu accoutumée à entendre crier sa mère. Elle se mit à pleurer. Victor lui en fut reconnaissant, il l'emporta à l'autre bout de la pièce afin de la consoler.

— Votre pendule indique-t-elle l'heure exacte ? Je suis en retard, une répétition, ne m'en veuillez pas. Demain, midi, jardin du Palais-Royal, monsieur Legris ! ordonna Charlina Pontis en se parant de sa cape.

— Je ne suis pas certain de… commença Victor, mais déjà la belle s'était envolée.

— En voilà une mijaurée, et grossière par-dessus le marché, ni bonjour ni au revoir, et devant notre fille, c'est du propre ! gronda Tasha.

— Silence, ma chérie, elle nous écoute.

— Aurais-tu le culot de prétendre t'inquiéter de ce que ta fille surprend sous ce toit ?

Victor s'assit posément, Alice sur les genoux, et entreprit de la gaver de purée séchée.

— Tu t'énerves pour rien. J'ai effectivement rencontré hier cette jeune effrontée dans le but de rendre service à Augustin Valmy. Robert Domancy appartenait à son cercle familial. Il souhaite enquêter dans l'ombre, et m'a prié de l'assister en sourdine.

— Et tu comptes me faire gober cette plaisanterie ?

Victor opta pour l'expression « candeur outragée » et, tout en dessinant de la main gauche un chat sur la purée qu'Alice renâclait à enfourner, dressa la dextre.

— Mon amour, je te jure sur la tête de notre enfant que…

— Non. Pas de serment, surtout sur sa tête. Tu ne tiens jamais parole. Promets-moi simplement ceci : tu ne te laisseras pas séduire par cette Sarah Bernhardt d'occasion.

— Pas plus que tu ne céderas aux avances de Boni de Pont-Joubert.

— Une gommeuse !

— Un pschutteux !

Alice les considéra à tour de rôle et décréta en désignant le chat sur son assiette :

— Gomme-chut !

Ils la regardèrent, se dévisagèrent et s'efforcèrent de refouler les hoquets de rire qui montaient en eux.

Tasha descendit du fiacre rue Mirabeau, si bien qu'avant d'atteindre l'hôtel des Pont-Joubert elle dut cheminer entre les vastes bâtiments de deux maisons de retraite, l'institution de Sainte-Périne et son annexe de Chardon-Lagache. Une anxiété nouvelle s'infiltra en elle, celle de vieillir, de perdre ceux qu'elle aimait, d'être jetée dans la fosse commune des morts vivants, abandonnés, extirpés des réminiscences de leurs proches, condamnés à attendre leur fin en compagnie d'autres reclus cacochymes. Puis le visage de sa fille, qu'elle avait confiée à la garde d'Iris, lui apparut, et elle goûta l'apaisement de l'espoir. À supposer qu'elle vécût âgée, Alice serait un soutien, même s'il était hors de question de lui empoisonner l'existence.

Elle se heurta à une grille et tira le cordon. Un laquais en livrée la toisa et, quand elle lui révéla le but de sa visite, adopta une mimique encore plus hautaine. Ils traversèrent un jardinet, gravirent quelques marches, accédèrent à un perron puis à un vestibule. Tasha fut priée d'admirer la décoration d'un boudoir où ne tarderait pas à la rejoindre Mme de Pont-Joubert.

On avait sacrifié au culte du satin liberty qui tapissait non seulement les murs mais aussi le sofa, les fauteuils, les coussins, et bannissait gravures et tableaux. Tasha ressentit un malaise à être confinée dans cette niche ornée tantôt de bouquets pompadour, tantôt de fleurs issues de l'imaginaire d'un dessinateur réinventant la botanique. La vue d'autant de pétales barbares provoqua en elle un léger vertige. À cet instant la porte du boudoir fut discrètement close. Avant que Tasha ait pu réagir, deux bras l'enserrèrent et l'obligèrent à se retourner, un visage se plaqua au sien, des lèvres écrasèrent les siennes. Boni de Pont-Joubert l'emprisonnait avec une telle force que toute rébellion était vaine. Pas à pas, il la repoussait vers le sofa au-dessus duquel son corps tétanisé se ploya malgré un ultime effort de résistance. Elle sentit avec terreur et dégoût une main s'introduire sous sa jupe et tenter d'écarter ses cuisses. Elle voulut crier, mais la bouche de l'homme, appliquée sur la sienne, l'en empêchait et elle ne parvint à émettre qu'un son inarticulé. Son agresseur se collait contre elle, son poids fut vite insupportable, et, tel un crabe, la main s'obstinait à s'immiscer dans son intimité.

— Arrêtez ! Levez-vous et libérez-la, ou j'appelle au secours et toute la domesticité sera au fait de votre perversité ! clama une voix de femme.

La main s'immobilisa, se retira, la masse oppressant Tasha se souleva. Boni de Pont-Joubert affronta le regard méprisant de Valentine et, sans l'ombre d'un regret, recoiffa ses cheveux en bataille.

— Qu'allez-vous croire ? Cette dame eût été ravie de subir mes avances, elle ne se débattait que pour la forme, elle ne désire que cela, c'est évident, tout comme vous, ma chère.

Il quitta le boudoir aussi calmement que s'il était venu y chercher un cendrier.

Valentine se précipita vers Tasha qui s'était assise et avait rajusté ses dessous et sa jupe.

— Je suis désolée, je… Voulez-vous un docteur ?

— Non, juste un peu d'eau. J'ai la nausée.

Valentine se hâta d'aller emplir un verre que Tasha vida d'un trait.

— Mon Dieu, quelle brute ! J'aurais dû m'en douter, ce n'est pas la première fois. Moi-même, il m'a violentée, notre nuit de noces a été une abomination, depuis la naissance de nos fils je lui interdis ma chambre. Mais il me guette et parfois, au coin d'un couloir, il…

— Chut ! Avez-vous déjà songé à divorcer ? murmura Tasha.

— Oui ! Mais que deviendrais-je, je n'ai pas d'argent, tout est à son nom ! Quand j'ai épousé Boni, ma tante, Mme de Salignac, ne m'a pas demandé si j'éprouvais le moindre sentiment à son égard. Je n'avais pas d'expérience de l'amour physique, j'ai trouvé cela horrible, mais plus je me refusais à lui, plus ses appétits s'amplifiaient et j'ai enduré les assauts répétés de mon époux sans me révolter. J'ai été éduquée dans la soumission et la piété. Mon unique consolation, c'est que les apparences étaient sauves. La naissance des jumeaux sonna l'heure de mon salut, il cessa de me harceler. Mon époux prit l'habitude d'aller voir ailleurs. On le rencontrait en compagnie de demi-mondaines et moi, moi…

Valentine hoquetait. Ce fut Tasha qui la réconforta. Elle était pressée de fuir cet hôtel, de peur que le propriétaire ne réapparût. Elle se leva. Victor avait raison. Elle ne devait en aucun cas remettre les pieds dans cette demeure.

— Je vous plains. Le mieux est que vous me rendiez visite, une fois par semaine si vous le souhaitez, nous parlerons, le prétexte sera ce portrait de vous que j'ai accepté de peindre, mais rien ne vous oblige à poser si tel n'est plus votre but.

— Votre compassion est un soulagement. Vous ferez ce tableau, j'y tiens, et vous me conseillerez, si vous êtes d'accord.

— Bien sûr, vous m'avez soustraite aux griffes du tigre, ce ne sera que justice.

Valentine escorta Tasha jusqu'à la grille. Comme elles se séparaient, elle chuchota :

— Allez-vous le dire à votre époux ?

— Jamais. Il serait capable d'assassiner le vôtre.

CHAPITRE V

Même jour, fin de journée et soirée

Lassé de corriger une pile de cahiers, Charles Tallard s'octroya une pause. S'il avait choisi de louer le deux-pièces meublé qu'il occupait depuis la rentrée rue Ampère, c'était à cause de la proximité du lycée Carnot où il enseignait. Mais la monumentale armoire assiégeant l'espace étriqué du salon lui avait, répétait-il sans cesse, « tapé dans l'œil ». Non qu'elle fût belle ni même fonctionnelle : un bloc de chêne sans fioritures ni style, inutile puisqu'il ne possédait quasiment rien. L'essentiel était la glace. Vingt fois par jour il s'y mirait de face ou de profil. De face, il détaillait la silhouette d'un jeune homme au visage anguleux, prunelles sombres, mince fil de moustache retombant sous une bouche presque inexistante et rejoignant une barbiche en pointe. Il s'imaginait vêtu en Napoléon, l'oncle de Badinguet. Pour compléter l'illusion, de profil il passait une main sous son gilet pour endosser une allure impériale et aplatir un abdomen quelque peu relâché.

La pendule sous globe le rappela à son pensum.

La date. À la ligne. Un intervalle de huit carrés à partir de la marge des feuilles quadrillées. La maxime morale du mois :

Il faut aimer le travail, loi naturelle et loi sociale.

Puis l'énoncé de la rédaction :

Pourquoi Victor Hugo est-il considéré comme le chantre des faibles et des opprimés ? Inspirez-vous des extraits de son œuvre étudiés en cours.

Deux de ces petits crétins avaient trouvé le moyen de confondre « chantre » avec « chancre », ce qui leur valut un zéro. La fréquentation de ce lycée, qui succédait depuis quatre ans à l'école Monge, était pourtant une aubaine propre à développer l'intelligence ! Cette école laïque, créée en 1869 par un saint-simonien, dispensait un enseignement d'avant-garde dont la devise était :

Pour faire de bonnes études, il faut ménager le physique pour sauvegarder le moral.

Chaque cours ne durait qu'une heure et demie, et, l'après-midi, trois heures étaient consacrées à la gymnastique ou à l'escrime, quand ce n'était pas à des promenades dans les jardins parisiens. Certains pratiquaient le football ou l'équitation. L'uniforme avait été exclu.

« Des perles jetées à des pourceaux. C'est sans doute là le hic, on est trop attentionné envers eux, pas de coups de règle sur les doigts, pas de bonnet d'âne... J'ai subi ce traitement, ça m'a trempé le tempérament ! » pensa Charles Tallard, néanmoins fort satisfait d'avoir été nommé dans cet établissement plutôt libéral. Il dépendait du corps professoral de la deuxième division, qui préparait au baccalauréat. Ce n'était pas un maître populaire, toutefois son cheptel de trente-deux têtes lui reconnaissait des qualités pédagogiques et une impartialité supérieures à celles de ses collègues. Son défaut majeur consistait en un total manque d'humour. Il fallait être de marbre pour ignorer les facéties de Guillaume Massabiau, le meilleur grimacier de la classe !

Il se ravisa et ajouta le chiffre un devant les deux zéros. Et si celle qui lui avait adressé la lettre était apparentée à l'un de ces deux cancres ? Il s'évertua à raviver sa mémoire. La blonde pulpeuse auprès de laquelle se précipitait Jacques Vergnon quand sonnait la cloche était-elle sa maman ou une gouvernante ? Et qui attendait Ferdinand Galbier, à la sortie ?

Il en avait repéré une en particulier, brune aux cheveux bouclés et au nez retroussé, impossible de formuler son nom. Si c'était elle…

Peu importait ! Cette feuille de papier crème glissée la veille dans sa serviette était-elle l'œuvre de la mère d'un des garnements qu'il était chargé d'éduquer ? Graphie studieuse, encre violette dérobée à son fils, pleins et déliés tracés avec assurance, paraphe complexe et illisible, à l'exception de l'initiale, un *L* : une femme.

> *Monsieur,*
> *C'est moi qui ai dissimulé ce mot dans votre cartable, lorsque vous avez fait vos courses chez le boucher après l'école.*
> *Si je me permets de vous écrire, c'est après avoir débattu en moi-même du bien-fondé de ma requête. Que de nuits blanches elle*

m'a occasionnées ! Cependant, après mûre réflexion, je cède et vous supplie de me retrouver mercredi 1er novembre à minuit, impasse du Cadran, au pied de la butte Montmartre. Heure et lieu étranges, direz-vous. C'est que ma situation m'y oblige. Je crois donc préférable de vous rencontrer loin de mon quartier où l'on pourrait nous remarquer.

Depuis des semaines, vous croiser chaque jour s'est mué de plaisir quotidien en obsession...

— « De plaisir quotidien en obsession. » N'est-ce pas joliment tourné ? interrogea-t-il son reflet avant de poursuivre sa lecture.

Votre présence m'est aussi indispensable que le boire et le manger, je me nourris de ces trop brèves entrevues que je m'ingénie vainement à prolonger.

Voilà pourquoi j'ose enfin me risquer à cette demande insensée : un rendez-vous secret.

Peut-être serez-vous déçu, peut-être me repousserez-vous. Tant pis ! Qui ne risque rien n'a rien ! Si je suis à votre goût, n'abusez pas de ma faiblesse. D'ailleurs je suis stupide de craindre de votre part un manquement aux bons usages. Vous êtes un gentleman, votre maintien en est la preuve. À demain donc, avec espoir.

L.

Il s'approcha de la fenêtre et murmura :
— Léonie ? Lucie ? Louise ?
Il demeura rêveur. À travers le rideau, il venait de distinguer la silhouette de son voisin de palier, Wilfred Fronval, de retour du café où il dilapidait

son temps à disputer des parties de dominos avec les habitués. Et si c'était lui, l'auteur de cette missive ? Était-il capable d'un tel machiavélisme ? Charles Tallard pesa le pour et le contre en percevant le pas traînant de l'ex-marchand de timbres de collection. Une clé s'engagea dans une serrure, une porte grinça. L'hypothèse fut éliminée.

Lorsqu'il avait accédé à cet immeuble bourgeois, Charles Tallard s'était lié d'amitié avec ce voisin, un sexagénaire maniéré, qui ne cessait de lui proposer ses services. Wilfred Fronval semblait doué d'un sixième sens, il anticipait les intentions de Charles Tallard sans que celui-ci en eût conscience. Il lui avait par exemple fourni un moulin à café et une poêle à frire alors que les cartons de déménagement du nouvel arrivant étaient encore empilés contre les murs du vestibule, et indiqué les meilleurs commerçants du quartier. Il l'avait également invité plusieurs fois à lamper un apéritif dans son fief, le *Domisiladoré*, et s'était appliqué à tisser un lien courtois entre la peu amène Caroline Montoire, patronne de cet estaminet, et son protégé.

— Vous aurez de la sorte votre ardoise chez elle, ce qui vous sera utile si vous manquez de numéraire. Répétez-lui à satiété que vous adorez l'entendre chantonner Bizet, elle a une voix de casserole mais se figure être une seconde Emma Calvé, ne la détrompez jamais, elle ne vous en chérira que davantage !

Au bout de deux mois, Charles Tallard se rendit compte de sa naïveté à certains ricanements saluant son entrée et celle de son mentor dans le troquet. Puis il y eut les frôlements prodigués par le vieil homme sur ses bras et ses mains.

— Méfiez-vous, il en pince pour les hommes, cela va nuire à votre réputation et à votre emploi, lui avait un soir chuchoté Caroline Montoire.

À la consternation de Wilfred Fronval, Charles Tallard refusait depuis lors de lever le coude en sa compagnie, et le fuyait comme la peste. Il en était peiné car il savait que le marchand de timbres, heureux de lui montrer ses albums de raretés, n'était pas du genre à attenter à sa pudeur. Il était beaucoup trop timide. Cependant, le fait que la lettre eût été découverte dans sa serviette ne plaidait pas en sa faveur.

« Si c'est lui, il a au moins pris la précaution de m'attirer dans un quartier distant de l'école. »

La question cruciale était : quel costume choisir ? Charles Tallard n'en possédait que deux, l'alternative était simple : le beige ou le brun ?

Sur le trottoir humide scintillaient l'éclairage des magasins et les lanternes des véhicules lancés boulevard de Bonne-Nouvelle. Joseph n'avait éprouvé aucune envie d'assister à une représentation exceptionnelle de *Dégénérés !*, en dépit de l'affiche qui annonçait en capitales rouges :

M. MICHEL PROVINS A TROUVÉ UN MOT
ET UNE IDÉE QUI CARACTÉRISENT SON ÉPOQUE

Il avait vu se former une longue queue devant les guichets. Depuis plus de soixante-dix ans, le public plébiscitait le théâtre du Gymnase auquel étaient liés les noms des actrices Rachel et Déjazet, des auteurs dramatiques Eugène Scribe, Alexandre Dumas fils, Émile Augier et Octave Feuillet.

Il s'était mêlé à la foule, curieux d'écouter les propos des amateurs. Il y avait les dames

raffolant du théâtre sentimental et des dénoue-
ments romanesques précédés d'un baiser inattendu.
Ceux qui excluaient les sujets sérieux. Les spectateurs hostiles au décor unique, les contempteurs des
ménages à trois, les prétentieux réjouis d'être les
élus du parterre.

Joseph nota quelques réflexions dans un carnet, au
cas où il lui prendrait la fantaisie de rédiger une pièce.
Il décrivit les hommes assis sur un pliant, lisant le
journal à l'abri d'un parapluie. Sous la marquise, des
femmes tricotaient, d'autres cajolaient des paquets
d'étoffes où vagissaient des nourrissons. Des collégiens désargentés serraient de près des midinettes
qui se contenteraient elles aussi du deuxième balcon
ou du poulailler.

À la porte du théâtre s'activait le bataillon des
marchands de billets à tarif réduit, On proposa à
Joseph le dernier fauteuil libre à l'orchestre, il secoua
la tête.

« *Dégénérés !*, tout un programme, déjà que je me
suis emmouscaillé à *Mademoiselle Morasset*, mille
mercis ! Pourvu que ça ne s'achève pas trop tard ! »

Il s'éloigna en direction du boulevard Poissonnière,
bordé de brasseries, jeta à peine un coup d'œil à la
réclame tapageuse de *La Libre Parole* et regretta
la splendeur d'antan du *Brébant* devenu gargote. De
peur de rater le moment propice, il fit demi-tour.

Il avait soutenu à Iris qu'il devait s'attarder à la
librairie en prévision des fêtes de fin d'année, mais
il ne tenait guère à regagner la rue de Seine aux
aurores. Bien que son estomac protestât, il résista au
désir de dîner dans une brasserie, d'où s'échappaient
les miaulements d'un quatuor tzigane. Il enfila la rue
de la Lune, s'acheta un pain au lait et revint s'installer sur un banc éclairé par les lumières du restaurant

Marguery. Il observa des filles trop fardées, danseuses ou interprètes de chansons coquines, qui se hâtaient vers les caf'conc' où elles se produiraient, et qui réapparaîtraient au milieu de la nuit mal fagotées et coiffées à la diable.

Soudain, il prit conscience de l'absurdité de la situation. D'ici à deux semaines, cet environnement familier serait anéanti par une comète. Fallait-il en rire ou s'en effrayer ? Il tira de sa poche *La Fin du monde,* un roman de Camille Flammarion, l'ouvrit à la page marquée d'un signet :

« Contrairement à toute attente la journée du vendredi 13 juillet fut merveilleusement belle… »

Le chiffre 13 le frappa. Il décapita son petit pain d'un coup de dents. L'auteur avait-il choisi cette date délibérément ? Il déglutit et reprit sa lecture :

« L'astre menaçant était suspendu sur toutes les têtes… Dans cinq jours l'humanité blêmie respirerait tranquillement ou plus du tout… »

Il ferma le livre. Pourquoi se donner des sueurs froides ? Ce qui le rassurait, c'est que le célèbre scientifique avait situé au XXVe siècle le cataclysme qui sonnerait l'hallali de la Terre.

« Ça laisse une marge, se réjouit-il. C'est singulier, je suis apte à mettre en scène des meurtres en série mais je ne supporte pas la mort. Oublions ça. »

Il meubla le temps à compulser le programme de *Mademoiselle Morasset* repêché le matin parmi le fouillis accumulé au sous-sol de la librairie, le nom de Robert Domancy y figurait en minuscules.

Il fut agréablement surpris de voir s'évacuer le public à vingt-deux heures quinze. Après avoir exhibé la carte de presse qu'Antonin Clusel, directeur du *Passe-partout*, avait eu l'obligeance de lui procurer, il remonta le flot jusqu'aux loges. Tout en se démaquillant, les artistes, Mmes Megard, Duluc, Toutain, MM. Grand, Chautard et Gauthier recevaient leurs admirateurs. Joseph demanda à la cantonade si l'un d'eux pourrait lui fournir des renseignements sur un comédien décédé, Robert Domancy. Moues perplexes, dénégations, vagues souvenirs trop flous pour lui être profitables, telle fut sa récolte.

Désappointé, il s'apprêtait à tourner bride quand une main lui tapota l'omoplate. Il avisa un jeune homme jovial à la dégaine sympathique, cheveux blonds bouclés, yeux bleus, en bras de chemise.

— J'ai cru comprendre que vous étiez un camarade de Robert Domancy ? Je suis bouleversé par ce meurtre, je le connaissais, il était au seuil d'une carrière brillante à la Comédie-Française. Quelle injustice !

Joseph l'entraîna à l'écart.

— Je suis journaliste, je ne citerai pas votre nom.

— Au contraire, cela me fera de la publicité, je me nomme Raphaël Soubran, j'en ai assez d'ouvrir les portes et d'apporter des plateaux de liqueurs en scène ! J'ai suivi un temps les cours du Conservatoire avec Robert. Il avait du talent.

— J'ai retrouvé le programme de *Mademoiselle Morasset*, il faut une loupe pour déchiffrer son nom.

Raphaël Soubran soupira. Son sourire s'accentua. Gêné, Joseph cherchait une épithète susceptible de qualifier l'attitude ambiguë du comédien qui enchaîna :

— Oui, un rôle insignifiant, qui lui a valu des applaudissements. Dommage qu'il ait eu tendance à… comment m'exprimer ? Une sorte de fatigue morale.

Sans autre explication, Raphaël Soubran claqua des talons en guise de salut.

— Qu'essayez-vous de me dire ?

— Je n'essaie pas : je vous l'affirme. Robert Domancy a été pincé un soir par la caissière en train de s'approprier une partie de la recette. Une somme modique, j'en conviens. On lui a pardonné. Inutile de l'écrire dans votre article. Médire des morts, surtout s'ils ont été assassinés, est une vilaine action. Robert se serait indubitablement amendé de cette défaillance. Au fait, la police soupçonne-t-elle quelqu'un ?

— L'enquête débute, c'est encore le brouillard.

— J'espère qu'on va agrafer et coffrer en vitesse le coupable. Supprimer un acteur, même un peu dévoyé, c'est agresser l'art dramatique. Bonsoir, monsieur, et retenez mon nom : Raphaël Soubran, sans *t* ni *d* finals.

Il fit mine de rallier la coulisse à l'instant où Joseph formulait l'adjectif propre à son sourire : carnassier.

« Tu parles d'un ami ! Quel hypocrite… Un suspect idéal. »

Joseph décida de recopier cette conversation face à un tournedos aux pommes sautées bien mérité. Peut-être s'octroierait-il une tarte aux abricots. Il se promit d'en garder un morceau pour Arthur. S'allier son fils était une priorité afin que sa chère Iris, de plus en plus cotée dans les milieux littéraires, et sa mignonne Daphné, épaulées par Euphrosine, ne régentent pas la maisonnée.

Dissimulé dans l'ombre entre deux rangées de fauteuils, Raphaël Soubran épiait son départ. Satisfait, il huma l'odeur de la salle après la représentation, mélange de sueur, de parfum et de poussière. Cette atmosphère trouble lui convenait à merveille.

CHAPITRE VI

Mercredi 1ᵉʳ novembre

Les becs Auer de la librairie Elzévir peinaient à dompter la grisaille d'une matinée pluvieuse. Quelques habitués avaient bravé les averses et s'intéressaient aux acquisitions récentes, un lot d'ouvrages du XVIIᵉ siècle empilés derrière la table. Joseph veillait au grain. Kenji, véritable dandy en chemise de soie bleu marine, gilet céladon et pantalon de laine noir, occupait sa place coutumière à son bureau. Il affectait de prendre des notes destinées à un futur catalogue. Si l'un des clients avait eu la curiosité de se pencher vers son carnet, il eût été ébahi de discerner des cercles, des spirales, des fourmis en file indienne et même une grenouille. C'est que le digne M. Mori était plongé dans l'édition genevoise de 1780 de *La Pucelle d'Orléans*, de Voltaire, embellie d'une suite érotique dite « anglaise ». Les dix-huit figures hors texte dues à Marillier pour le dessin et à Duflos pour la gravure révélaient des ébats licencieux et des détails anatomiques capables d'enthousiasmer un passionné d'estampes japonaises.

Aussi Kenji déplora-t-il d'avoir à refermer le volume relié en maroquin violine à double filet doré d'encadrement sur les plats. Ichirô Watanabe se dressait devant la cheminée et s'adressait à lui avec volubilité, menaçant de renverser le buste de Molière.

— Mori-*san*, je suis en mesure d'enrichir vos connaissances d'exclusivités extraordinaires ! Jamais vous ne le soupçonneriez, mais entre vingt et vingt-cinq ans on flirte quotidiennement une demi-heure, durée qui ne cesse de s'amenuiser jusqu'à se limiter à un quart d'heure entre quarante et soixante ans. Au terme de son existence, un mâle humain aura consacré deux cent soixante dix-sept journées à courtiser les femmes. Quel gaspillage !

— Permettez-moi de vous contredire, c'est extrêmement gratifiant. D'ailleurs, je doute que ce soit circonscrit à une si brève période. Je suis désolé d'interrompre ce dialogue palpitant, j'ai du travail, grommela Kenji, regrettant que sa main droite, aplatie sur son carnet, fût victime d'une crampe.

— Toutes ces statistiques, Mori-*san*, nous devrions les rassembler dans un livre, vous et moi. Nous gagnerions beaucoup d'argent, poursuivit Ichirô Watanabe comme s'il n'avait rien entendu.

Au vif soulagement de Kenji, Micheline Ballu, la concierge de l'immeuble mitoyen, fit tinter le carillon. Elle ne colportait en général que de mauvaises nouvelles, pourtant il lui eût volontiers baisé la main lorsqu'elle fonça sur lui. Ichirô Watanabe, qui la redoutait à l'égal d'un chien enragé, bondit dans l'arrière-boutique.

— Ah, misère de misère, mon cousin Alphonse est mal en point ! Faut-il qu'il soit idiot pour être allé participer à cette corrida le mois dernier ! Il ne se remet pas de sa chute, et qui c'est qui doit lui rendre visite deux fois par semaine à la clinique de Montmorency ? Ma pomme ! J'ai les guibolles rompues !

— Une corrida ? Où ça ? s'informa M. Mendole.

L'ex-professeur au collège de France était entré un moment plus tôt et chamboulait les rayonnages, à la recherche de *La Mission secrète de Mirabeau à Berlin* avec introduction et notes d'Henri Welschinger.

— À Deuil, près d'Enghien, un taureau a franchi la barrière séparant la piste des gradins, résultat : une cinquantaine de blessés, dont six grièvement, énonça Kenji d'un ton saccadé.

— Deuil-la-Barre ? C'est une plaisanterie ?

— Nullement. Plaignez Romito, il a été abattu.

— Romito ?

— Le taureau. Le préfet de Seine-et-Oise a rédigé un arrêté interdisant les courses, acheva Kenji, la voix vibrante de rire contenu.

— C'est ça, moquez-vous, mon Alphonse il risque d'avaler sa cartouche, vous feriez bien de vous brider la langue !

Djina, qui venait d'apparaître au pied de l'escalier à vis menant à l'étage, réprima un cri d'indignation. Elle détestait qu'on brutalisât les animaux. Au même instant, Tasha, engoncée dans un tailleur de ville en drap mauve, poussa la porte.

— Il est arrivé quelque chose à Victor ? s'exclama Kenji, inquiet de cette incursion alors que son associé profitait d'une journée de liberté.

— Il est au mieux de sa forme, il envisageait de pédaler au Luxembourg, je n'ai pas eu le courage de l'escorter, je ne raffole guère du vélo en ville, encore moins sous le crachin.

— Mais qui surveille la petite ? s'alarma Djina.

— Mme Baudoin. Maman, j'ai reçu un courrier de Ruhléa, isolons-nous dans l'arrière-boutique, nous le lirons ensemble.

Kenji les suivit des yeux. Leur venue avait débusqué Ichirô Watanabe, qui se propulsa illico sur lui.

— Ben puisque c'est comme ça, je m'en retourne dans mes quartiers, grogna Micheline Ballu, outrée que cet ami de M. Mori ne lui témoignât aucune compassion.

Elle fila au galop.

— Cette dame se déplace à l'instar d'une autruche. Saviez-vous, Mori-*san*, que marcher pendant six ans et trois mois à une allure moyenne de trois kilomètres, c'est au final parcourir plus de quatre fois le tour de la Terre ?

Kenji secoua la tête d'un air las, ce qui ne l'empêcha pas de distinguer Djina près de l'armoire vitrée où il exposait ses souvenirs de voyages. Elle arracha la lettre des mains de sa fille, ses lèvres formèrent les mots qu'elle déchiffrait. Elle paraissait en proie à une profonde émotion, joie plutôt que chagrin. Un soupçon l'effleura. Étaient-ce réellement les nouvelles envoyées par Ruhléa qui la perturbaient à ce point ? Ne venait-elle pas d'articuler « Pinkus » ?

— Lettre dissimulée, piège ou danger, murmura-t-il.

La sonnerie du téléphone figea les occupants de la librairie, sauf Joseph qui décrocha. L'écouteur collé à l'oreille, il marmonna plusieurs onomatopées et raccrocha brusquement.

— Qui était-ce ?

— Ma mère, répondit-il à Kenji. Arthur a de la fièvre, m'autorisez-vous à m'absenter jusqu'au déjeuner ?

— Vous êtes libre. Désertez, larguez-moi, soupira Kenji, assommé par les observations d'Ichirô Watanabe.

À peine Joseph s'était-il esquivé qu'Euphrosine déboula, un cabas de victuailles au bout de chaque bras.

— Comment va l'enfant ? jeta Kenji.

— Arthur ? Ce bambin est un drôle de numéro, une santé de fer ! On ne peut pas en dire autant de sa grand-mère qui s'étiole à force de transbahuter des provisions…

Lorsque Joseph s'effondra dans un fauteuil rembourré de vêtements d'enfant et de pinceaux, il était hors d'haleine. Victor aidait Alice à chantourner une guirlande avec des ciseaux à bouts ronds tout en conversant avec son beau-frère.

— Tasha se méfie, l'actrice, Charlina Pontis, avec qui je m'étais entretenu samedi à la Comédie-Française, eh bien elle a cassé le morceau ici même, hier.

— Voilà que vous vous exprimez comme un de mes personnages de roman !

Embarrassé, Victor reprit ses découpages.

— Oui, enfin, cela m'ennuie mais je ne saurais poursuivre cette enquête.

— Ah non, on ne laisse pas tomber maintenant ! J'ai moi aussi eu une entrevue hier soir, avec un acteur, un certain Raphaël Soubran, un blond aux yeux bleus, un ami de Robert Domancy qui ne m'a pas semblé franc du collier.

Victor lui adressa un discret signe du menton en désignant sa fille.

— Ma chérie, regarde dans la cour, Mme Baudoin est là : ta promenade !

Alice rechigna, il eut du mal à lui faire enfiler son waterproof et à la convaincre de le quitter.

— Un acteur de la Comédie-Française ? reprit-il lorsqu'il se fut affranchi de sa fille.

— Non, du Gymnase. Il m'a relaté que Domancy avait subtilisé de l'argent dans la caisse du théâtre, le directeur a étouffé l'affaire. Soubran était très intéressé par l'évolution de l'enquête.

— Ça nous dispense peu de lumière. Robert Domancy a cédé à la tentation, ce n'est pas la raison de son homicide !

— Minimisez ma contribution ! Mais j'ai un plat de résistance autrement séduisant. Vous êtes sûrement au courant de la vie de Cronos, alias Saturne.

— Je me rappelle confusément que son père, Uranus, précipitait sa progéniture dans des gouffres.

— Et après, vous séchez ? Je vous rafraîchis la mémoire : Saturne vengea ses frères en frappant Uranus du tranchant d'une faux et s'installa sur son trône. Le fils aîné d'Uranus, Titan, s'estima lésé et piqua une colère. Saturne, qui était conciliant, jura de lui laisser la place et de boulotter à leur naissance ses propres enfants mâles. Rhéa, sœur et épouse de Saturne – les dieux antiques toléraient l'inceste –, n'était pas d'accord avec le traitement infligé à ses rejetons. Pour sauver ses fils, elle montra à son mari des pierres enveloppées de langes.

Victor se gratta la nuque.

— Exact ! J'ai étudié cette légende, je crois que c'est Kenji qui me l'a racontée à Londres. Un concept allégorique, ainsi que la plupart des mythes grecs. Le temps détruit ce qu'il a engendré !

— La faux miniature, les trois grosses pierres entourées de tissu blanc, la clepsydre. Tout cela prend un sens. Mais pourquoi le sachet contenant des épis de blé et des graviers noirs, et le crocodile en peluche ?

— Je présume que ce sont des attributs du Temps tel que les symbolisaient les Anciens. Traversons la cour, j'ai quelques dictionnaires dans l'atelier, proposa Victor, oublieux du désir récent de renoncer à une nouvelle investigation.

Une bibliothèque s'insérait entre deux tableaux figurant le premier un manège de chats à la Foire du Trône, le second une scène pastorale librement inspirée de Poussin. Victor s'empara d'un in-folio qu'il feuilleta avec impatience jusqu'à ce qu'il manifestât son contentement d'un claquement de langue.

— Voilà. Si en Grèce Cronos était le dieu du Temps, en Italie Saturne était la divinité des Récoltes. Le mot *sator* signifie semeur. D'où les épis de blé. La fête des Saturnales avait lieu en décembre. Saturne était représenté armé d'une faux, à ses pieds étaient disposés un sablier et un crocodile, animal vénéré des Égyptiens, présage de destruction.

— Le coupable est obnubilé par la durée.

— Ou au contraire il cherche à attirer l'attention sur la fugacité de la vie, difficile d'en être certain. En tout cas l'article ajoute que Saturne était le père de la vérité, car l'écoulement des minutes révèle les motivations les plus hermétiques. Au Moyen Âge, chaque métal était attribué à un dieu. L'emblème de Saturne était le plomb.

— D'où les graviers noirs ! Chiadée, la mise en scène !

— Elle n'est pas le fruit du hasard. C'est dans le passé de Robert Domancy que réside la clé de son meurtre.

— Ce qui nous ramène à notre enquête. Vous n'avez pas le droit de démissionner. Oh !

Joseph était tombé en arrêt devant un carnet de croquis grand ouvert. Une femme au nez pointu en toilette de bal à collet était plantée près d'une ottomane, un éventail à la main. Il la reconnut aussitôt.

— Valentine, murmura-t-il.

Son premier amour. Celle qui le troublait tant à l'époque où il n'était que simple commis et qu'elle apparaissait dans la librairie au côté de sa tante Olympe de Salignac.

Victor referma le carnet qu'il maintint pressé sous ses doigts. La vision désagréable de Boni de Pont-Joubert serrant de trop près Tasha s'était imposée à lui.

— J'accepte de persévérer de façon provisoire jusqu'à ce que l'actrice de la Comédie-Française m'ait livré ses informations. Je me change en vitesse et je me sauve au Palais-Royal.

Joseph lança un regard exaspéré au carnet de croquis prisonnier des mains de Victor.

— J'ai pigé, soupira-t-il. Je décampe. Vous me prévenez si vous glanez de l'inédit ?

— Demain, je vous fixerai rendez-vous. Pas la moindre allusion dans la librairie à nos agissements, compris ? Je me débrouillerai pour qu'on déjeune à l'extérieur.

Le jardin du Palais-Royal accueillait quelques promeneurs satisfaits que la bruine eût cessé. Un soleil timide éclairait dans l'un des parterres latéraux un canon modèle réduit qui tonnait à midi si le ciel était dégagé. Dans la galerie de Montpensier, des femmes en voilettes stationnaient devant des bijouteries. Un porche abritait une corpulente vendeuse de billets de loterie qui bondit sur Victor en brandissant ses vignettes.

— Tentez votre chance, monsieur !

Il lui échappa, quitta les arcades et gagna le bassin central. Cachée derrière un arbre, une loueuse de chaises guettait les dormeurs et les tourtereaux enlacés. Il s'en détourna, intrigué par un vieil homme chapeauté d'un tube qui disséminait à la volée des poignées de miettes de pain. Il éparpillait ensuite quelques graines sur sa paume à plat et attendait que les arbres et les massifs de verdure desséchée s'allègent de volatiles à l'affût de ces friandises. Pigeons et mésanges battirent des ailes, bientôt surpassés par les moineaux. Ces derniers se perchaient sur les épaules de l'homme et allaient jusqu'à lui chaparder la becquée dans la bouche. La loueuse de chaises confia à Victor que le vieillard, ancien prote dans une imprimerie, était possédé d'un don tout comme l'avait été son cadet, un ami des corbeaux du Louvre qu'il nourrissait de viande coupée en morceaux.

— On prétend que cinquante de ces oiseaux assistèrent à son enterrement. Son frère, c'est pareil, dès qu'il pointe le museau, les pierrots rappliquent. Ils sont gras et d'un beau gris, n'est-ce pas ? Ils ne redoutent personne, hormis l'arroseur avec son jet. Ce qu'ils se chamaillent avec lui !

Charlina Pontis jaillit de la galerie de Valois d'où elle avait observé la scène.

— Excusez mon retard, monsieur le libraire, et trimbalons-nous loin de ces bestioles, je ne tiens pas à attraper la psittacose.

— C'est une maladie transmise par les perroquets et les perruches.

— La pipelette avec qui vous vous entreteniez en est une aux petits oignons !

Elle l'entraîna vers la boutique d'un coiffeur encastrée entre celle d'un photographe et un magasin proposant des décorations, couronnes, cordons, étoiles. Elle détailla longuement un étalage de médailles, puis un assortiment de vases de Bohême. Bien que faible, la clarté s'accrochait aux cristaux où elle allumait des éclats bleus et rouges sur le menu d'un restaurant.

— Miam, quel menu alléchant ! Éperlans du lac Majeur, rosbif des Ardennes, glaces aux fraises de Vélizy-les-Bois… M'inviterez-vous au *Grand Véfour* ?

— Nous ne sommes pas ici pour jouer les touristes, marmotta-t-il en l'obligeant à faire demi-tour. Votre temps est compté, Melpomène et Thalie vous réclament.

— Qui ça ?

— La muse de la tragédie et celle de la comédie. Qu'avez-vous à me révéler aujourd'hui qui requérait l'interruption de mon repas, l'indignation de mon épouse et votre départ précipité hier ?

Elle s'arrêta devant la vitrine d'un marchand de figurines en plomb et recolla une mouche sur sa pommette. Elle en profita pour cambrer les reins et échancrer son manteau.

— Rhabillez-vous, vous gaspillez vos efforts et vous risquez non la psittacose mais la pneumonie.

— Ce que vous êtes méchant ! Parole, je suis navrée d'avoir mortifié votre dame. Entre parenthèses, elle s'arrangerait juste un peu qu'elle serait ravissante. Bon, ne me pulvérisez pas des mirettes, je ne vous ai pas menti, je détiens un renseignement au sujet de Robert Domancy. Et comme ces temps-ci j'ai de gros frais…

— Vous n'aurez pas le front d'exiger une récompense ?

— Ben un petit quelque chose, quoi, histoire d'aider une jeune artiste prometteuse un tantinet fauchée…

Victor émit un grognement puis tira de sa poche une pièce de cent sous.

— Cela suffira-t-il ?

— La fortune ! On n'en voit plus guère qu'au jour de l'An. Ce n'est pas Robert qui m'en aurait donné une !

— N'exagérons rien, rétorqua-t-il en souriant, heureux de lui avoir concédé ce plaisir.

Elle soupesa la pièce et l'admira.

— Elle brille tant que je ne sais pas si j'aurai le cœur de la dépenser.

Ils reprirent leur marche sans s'apercevoir que, de l'autre côté du jardin, un homme les épiait depuis la galerie de Beauvais. Augustin Valmy déplorait que son éloignement le privât de leur dialogue. Cette péronnelle était sûrement celle dont on avait découvert la prose dans la redingote de son frère. Une prostituée, comme la plupart des femelles. Sa vue seule suscitait en lui le dégoût. Il eut soudain envie de courir au bassin et de s'asperger le visage. Il se força à continuer sa peu discrète filature.

— Robert avait un secret qui l'accablait pire qu'une maladie. Les rares moments où j'ai partagé son lit, il m'a empêchée de dormir en baragouinant des idioties du genre : « Jamais ça n'aurait dû se produire, c'était la faute à pas de chance ! » Un soir de l'année dernière, je me hâtais vers ma loge, j'ai perçu une discussion dans la sienne, j'ai voulu entrer, c'était fermé. Robert enguirlandait quelqu'un, il criait qu'il ne lui refilerait plus de picaillons. La clé a tourné dans la serrure, j'ai eu la frousse, je me suis carapatée.

— Et c'est tout ?

— C'est déjà pas mal. Robert était la proie d'un maître chanteur, moi j'appelle ça un élément essentiel quand on enquête sur un meurtre. Vous me quittez ?

— Vous êtes une fréquentation dangereuse pour un homme marié épris de sa femme, repartit Victor.

— Séducteur !… Revenez vite, j'ai un soupirant, il se nomme Arnaud Chérac, il est fou de moi, mais je connais les hommes : si on veut les tenir il faut se refuser le plus longtemps possible.

— Souhaitez-vous que je le provoque en duel ?

— Je suis assez grande pour mener ma barque. Arnaud Chérac vous confirmera ce que je vous ai divulgué. Le fameux soir de la dispute, il a surgi derrière moi dans le couloir. Il devait y être depuis un certain temps, j'ai songé que c'était lui qui avait des mots avec Robert.

— C'était peut-être lui.

— Je crois plutôt qu'il me guettait parce qu'il a tenté de me voler un baiser, le coquin !

Elle porta à ses lèvres le bout de ses doigts réunis en bouquet et souffla sur eux en direction de Victor. Au même moment, les moineaux massés autour du vieillard s'égaillèrent dans un bruit de papier déchiré. Écœuré, le commissaire principal Augustin Valmy recula d'un bond, écrasant les pieds d'une vendeuse de billets de loterie qui le menaça du poing.

CHAPITRE VII

Même jour, après-midi et soirée

À treize ans, Guillaume Massabiau en paraissait quinze. Calotté par son père, délaissé par sa mère, il ne s'épanouissait qu'en classe, au milieu de camarades subjugués par son talent. Il singeait les professeurs avec une telle virtuosité qu'on l'eût juré capable de se muer en adulte. Sa tête de Turc favorite était Charles Tallard, commis à enseigner la morale et le français à une cohorte d'adolescents révoltés.

En cet après-midi de novembre, l'ennui pesant sur les fronts courbés vers leurs cahiers s'accordait si bien au ciel bas que Guillaume Massabiau céda à la démangeaison de le rompre. Que lui importait que les menteurs fussent toujours punis ou que le sot fût un automate ? Les adultes s'appliquaient à raconter des sornettes, des imbéciles dirigeaient le pays. Chaque expérience lui apportait la preuve du contraire de ce qu'on lui inculquait.

Profitant de ce que le maître, dos tourné, traçait à la craie sur le tableau noir une nouvelle devise : « L'homme généreux écrit les injures sur le sable et les bienfaits sur le marbre », il abaissa ses paupières de ses deux index, se plaqua le pouce gauche sous le nez en guise de moustache et avala ses lèvres.

Un éclat de rire général salua le portrait-charge vivant.

Charles Tallard pivota sur lui-même, livide, et, sous le coup de la colère, décréta :

— Massabiau, à toutes les personnes de l'indicatif, du subjonctif et du conditionnel, vous me conjugue-rez pour demain le verbe « ne pas se livrer pendant le cours à une gestuelle dégradante ».

— Mais, m'sieu, si ça c'est un verbe, moi j'suis un Patagon !

— Une retenue de deux heures.

— Mais on sort à trois heures, aujourd'hui, c'est la Toussaint ! Ma mère m'attend pour aller au cimetière !

— Elle se passera de votre présence.

— Elle va s'inquiéter.

— Très bien, alors un renvoi de trois jours pour votre insolence.

— C'est injuste !

— Plus un zéro pointé. Votre carnet de correspon-dance, s'il vous plaît, que je note à l'attention de vos parents combien votre attitude me consterne.

Il ignora le regard haineux que lui décocha Guillaume Massabiau en grimpant sur l'estrade.

Tout comme il ignora l'étiquette mentionnant LYCÉE CARNOT subrepticement collée sur la poche arrière de son pantalon à l'instant où il prenait congé de ses élèves. On y avait calligraphié :

> *Charles Tallard est un bâtard*
> *Mâtiné d'un fripouillard*

— Hé, René Cadeilhan, espèce de mouton enragé, je suis muni d'une invitation de la part d'un lord angliche, alors j'ai le droit d'entrer ! brama Louis Barnave à la face d'un croque-mort qui contrôlait les billets donnant accès au *Cabaret du Néant*.

Le gros homme roux resserra autour de lui les pans de sa cape noire et démêla son imposante barbe d'un air perplexe.

— J'ai des consignes. T'as déjà causé du scandale, le patron t'a classé parmi les indésirables. J'suis pas responsable. T'étais en état d'ébriété et t'as menacé à deux reprises de tout fracasser dans la boîte.

— L'alcool et moi on a définitivement divorcé, René ! Si j'insiste, c'est parce que c'est ici le seul endroit qui me console de la disparition de ma famille. Le bonheur perpétuel. L'infini. Le purgatoire incessant. C'est si bon de respirer l'atmosphère d'une zone où plus rien n'existe, hors de ce foutu capharnaüm qu'est le monde ! Ici, terminés les rois, les juges, la Troisième République, les deux précédentes *idem*, les grandes batailles et les armistices, l'évolution, le progrès, l'impôt sur les portes et celui sur les fenêtres, tout se ratatine et on efface l'ardoise, on vit enfin, on calanche et on vous flanque la paix ! Et pis j'ai froid, moi, le ciel est à la neige, j'ai besoin d'un peu de chaleur avant de subir une turne sans chauffage !

Le croque-mort à tignasse rousse le toisa d'un air mauvais.

— Tu n'serais pas un tantinet fêlé, par hasard ? C'est sûr que ça caille. File ton billet, mettons que je t'ai pas vu, fais-toi tout petit et surtout boucle-la !

— Merci, René, et pourvu que la comète t'épargne ! Ainsi que ta fiancée, une brave poulette, cette jeune fille. Quand j'ai de quoi me payer des vivres à l'épicerie Foulon, j'exige toujours d'être servi par elle.

— C'est vrai que Catherine est une chouette môme, admit René Cadeilhan, l'œil humide.

Il s'estimait privilégié d'avoir reconquis son cœur d'artichaut. Ne l'avait-elle pas autorisé à l'embrasser deux jours plus tôt, lui assurant qu'elle avait un regain de béguin pour lui et que dès qu'il aurait une soirée libre, ils iraient se déhancher ensemble dans son nid d'amour sous les toits ? N'était-il pas l'heureux père de son enfant ?

Il écarta le lourd rideau masquant le seuil. Louis Barnave avança sans crainte dans une chambre aussi sombre qu'un tunnel. Peu à peu s'allumèrent des bougies fichées dans des appliques murales. La lueur d'un chandelier massif composé de crânes et d'ossements révéla des doigts décharnés d'où pointaient des cierges funéraires. Des cercueils de bois s'alignaient le long de la pièce. Les murs étaient ornés de squelettes figés en des postures grotesques, de scènes de combats, de guillotines et de paniers emplis de têtes tranchées. Un chœur invisible murmurait :

— Pénétrez dans notre antre, misérables mortels, et plongez dans les ombres de l'éternité. Choisissez votre cercueil, à gauche ou à droite, établissez-vous confortablement, et jouissez de la tranquillité solennelle du trépas. Puisse Dieu avoir pitié de vous !

Louis Barnave avisa sous une voûte une tombe devant laquelle il s'attablait à chacune de ses visites. Elle était occupée par deux couples de bourgeois en goguette qui, perchés sur des tabourets, trinquaient avec allégresse. Une odeur chimique évoquant une poubelle qu'on eût omis de vider depuis plus d'une semaine flottait autour d'eux. Des garçons proposaient aux clients des potions maléfiques contenant un éventail de poisons dont une goutte eût suffi à occire un géant. D'autres distribuaient des certificats de décès au prix ridicule de vingt sous.

Furieux, Louis Barnave se planta devant l'affiche annonçant la destruction du globe par la comète, la relut une fois, deux fois, puis, n'y tenant plus, se rua vers les intrus.

— De la bière ! Des cerises à l'eau-de-vie ! Dans ce lieu sacré ! C'est une honte, pire : un sacrilège !

Il rafla un bock et le renversa sur le sol. Les dames émirent des glapissements. Leurs cerises à l'eau-de-vie atterrirent à leur tour dans la poussière.

— Homoncules, vous buvez pour mieux forniquer cette nuit, vous ne songez qu'à la bagatelle, aucune pensée supérieure n'est apte à se ménager un passage dans vos cervelles de primates. Pas de ça, Lisette, ouste ! Du balai ! C'est mon cercueil, et pour votre gouverne je m'en vais m'y vautrer, tas de cuistres !

La débandade des deux couples lui permit d'exécuter sa menace. Il se coucha à plat ventre sur la tombe. Mais sa victoire ne dura guère. Deux croque-morts, dont René Cadeilhan, l'agrippèrent par les épaules, le traînèrent jusqu'à la sortie et l'expédièrent sur le pavé.

— Déni de justice ! clama-t-il en se remettant d'aplomb. Racaille ! Traiter ainsi un vieillard, vous allez en pâtir, et plus tôt que vous ne le prévoyez !

Des confettis clairs émaillèrent sa houppelande. Il redressa le menton, reçut un flocon sur le nez. Il neigeait. Hystérique, Louis Barnave ricanait.

— Le grand soir ! Je vais vous rejoindre, mes chéries. Tout ici-bas est illusoire et miteux, un univers de fossoyeurs ! Je vais me préparer à affûter mon couteau avant d'en replier le manche à jamais !

Sur la Butte, les ruelles étaient déjà blanches. La place du Tertre avait rétréci, les trottoirs glissaient sous les semelles qui imprimaient des traces bien nettes. Emmitouflé dans sa houppelande, Louis Barnave ressemblait à une bête de proie. Les fenêtres s'obscurcirent une à une, seul un rai jaunâtre filtrait parfois à travers un volet. Certains jouaient peut-être aux cartes, d'autres sifflaient du vin chaud. Louis Barnave les enviait. Il était le dernier habitant de la planète. La flamme des becs de gaz brillait autour de l'église Saint-Pierre. Une cloche égrena onze coups, une seconde, plus lointaine, lui répondit. Louis Barnave s'engagea dans un escalier et descendit avec prudence les marches qui crissaient sous ses galoches.

Charles Tallard s'était réfugié chez lui de très méchante humeur. N'eût été l'intervention malencontreuse du proviseur lors de la fin des cours, l'espoir de démasquer parmi les mères ou les gouvernantes de ses élèves celle qui lui avait écrit l'eût déterminé à questionner habilement ces dames. Mais cette inopportune discussion à propos des festivités prévues pour le terme de l'année avait tout gâché. De plus, elle était cause d'un retard déplaisant, car le professeur, pétri d'habitudes sacro-saintes de célibataire, dînait à sept heures tapantes. Or, le temps de se pourvoir d'une portion de choux de Bruxelles dans une crémerie et d'acheter une flûte et un saint-honoré chez sa boulangère, la demie de sept heures était largement dépassée lorsqu'il s'était assis face à son assiette.

Ces agapes avaient été précédées d'innombrables tergiversations. Le pantalon du costume marron s'était révélé immettable en raison d'une tache de café et de deux faux plis. Comme par un fait exprès, la veste du costume beige était affligée d'un accroc à la hauteur du coude gauche. Il avait donc fallu se résoudre à marier le pantalon beige, qu'il renonça à ôter, avec la veste marron, obligation qui avait chagriné le possesseur de tenues mal assorties.

Agité à l'idée de patienter à la maison jusqu'au moment du départ, il avait préféré sauter dans un omnibus et aller musarder sur le boulevard de Rochechouart, quartier qu'il avait peu fréquenté et comptait explorer à l'instar d'un touriste. Très vite horripilé par la foule des badauds, les flocons de neige et les parapluies prêts à l'éborgner, il s'était écarté et était tombé sur un établissement qui ne payait pas de mine : le *Cabaret des Taxes et Redevances*, un hangar lamentable situé rue des Martyrs.

L'enseigne l'intrigua, après tout il avait quelques heures à perdre, il entra et reçut un billet libellé comme une feuille administrative :

Patente de 2ᵉ classe
Sexe faible 1 fr. 50
Sexe fort 2 fr.
Soirées mondaines, demi-mondaines
et mondaines de Quart
Salut et Fraternité.

Comprimé sur un banc inhospitalier dans une salle aux murs blanchis à la chaux entre un quidam corpulent fleurant l'ail et un bourgeois venu s'encanailler, il regretta aussitôt son impulsion. Que lui importaient ces imitateurs, ces chansonniers vulgaires et ces rimailleurs de quatre sous ? Hélas, il était coincé, impossible de fuir la salle bondée où la chaleur était telle qu'il redoutait de transpirer. Il estimait sa mise bien assez négligée sans qu'elle fût imprégnée de sueur.

Un chantre à lorgnon de mièvre apparence, nez retroussé sur une moustache hérissée, menton prolongé d'une barbiche tourmentée, débita d'un trait :

— En ce temps-là le Tout-Puissant dit à Trimouillat : « Tu es Pierre, et sur cette pierre je bâtirai l'une des plus solides et moindrement surfaites réputations de poète-chansonnier de ce siècle... »

— Et des siècles à venir ! brailla un titi. Accouche, on n'a pas l'éternité vu qu'c'est bientôt la fin du monde !

Sans complexes, Trimouillat s'installa au piano et proclama :

— Je vais vous interpréter *La Gosseline*, paroles et musique de Pierre Trimouillat.

> *Treize ans, pas plus, appas naissants*
> *Des traits moins jolis qu'agaçants*
> *La Gosseline*
> *Trouble les flâneurs vicieux...*

Charles Tallard, outré, se leva brusquement.

— C'est une infamie ! Une gamine de treize ans !

— Môssieur, on est en République, on a payé sa place, on a le droit de priser l'artiste, espèce de pisse-vinaigre ! lui répliqua son voisin, tandis que Trimouillat, imperturbable, attaquait son deuxième couplet d'une voix de haute-contre qui provoqua les quolibets de l'assemblée :

— Ouvrez les fenêtres ou les vitres vont éclater !

> *Qui sait ce que maint vieux fripon*
> *Ferait pour friper son jupon*
> *De popeline !*

La salle recracha un Charles Tallard frisant l'apoplexie. En fouillant sa poche pour en tirer un mouchoir, sa main frôla la lettre qui lui fixait rendez-vous et il eut honte. Frappé d'affolement il fut sur le point de sauter dans le premier omnibus et de rentrer chez lui, mais il se ressaisit. L'horloge pneumatique indiquait onze heures trente, il avait juste le temps de repérer l'impasse du Cadran. À peine eut-il débouché sur le boulevard de Rochechouart qu'il fut abordé par une femme en cheveux, un panier de fleurs au bras.

— Un bouquet, monsieur ? Des violettes ? Deux sous.

« Des fleurs ? Pour un premier rendez-vous ? Pourquoi pas ? » pensa Charles Tallard.

Alors qu'il empochait sa monnaie, il demanda son chemin.

— Vous lui présentez le dos à votre impasse, c'est à deux pas sur la gauche. Dis, beau brun, viens-tu chez moi ? Je ne demeure pas loin, je serai bien mignonne.

Interloqué, Charles Tallard explosa.

— Pour qui me prenez-vous !

— Va au pieu, croquant, tu n'es qu'un peigne-cul ! l'invectiva la fille.

Charles Tallard devint brûlant, il tourna bride, se retenant pour ne pas courir. Au bout de quelques centaines de mètres, il s'adossa contre une palissade, le souffle lui manquait. Face à lui, il discerna une voie enténébrée, il avait atteint son but. Il se troubla, hésita et s'avança en somnambule. Il était minuit moins dix, la neige avait cessé.

Charles Tallard restait figé, les yeux baissés sur ses chaussures trempées. Il se sentait ridicule. Une éternité parut s'écouler. Un claquement résonna au-dessus de sa tête, il entrevit une femme qui fermait ses volets.

Se donner une contenance. Il voulut allumer une cigarette, frotta en vain trois allumettes, renonça.

Et si cette histoire n'était qu'un canular fomenté par ses élèves ? Non, l'écriture était trop élégante, les termes choisis et le papier crème provenait d'une papeterie de luxe.

Incapable de bouger, il ne voyait plus rien, n'entendait rien, tout était pétrifié dans l'attente.

Un grattement étouffé.

Sur le qui-vive, il se raidit pour écouter : silence. Un coup d'œil à son oignon, minuit moins cinq. De nouveau, un crissement. Des pas ?

Il ne put en identifier la source. Cela semblait sourdre du fond de l'impasse. Il fit lentement demi-tour. Rien. Il réalisa qu'il suffoquait. Elle ne viendrait pas, c'était mieux ainsi. Cet endroit le mettait mal à l'aise. Quelle idée saugrenue, ce rendez-vous par ce temps de chien dans un tel lieu !

« Conduis-toi en homme, sacrédié ! »

— Bonsoir, Charles, chuchota une voix.

Il scruta les ombres qui s'amoncelaient au-delà du réverbère.

Il perçut le bruit d'une respiration.

— Je suis là, Charles.

Une douleur violente lui déchira la gorge. La panique s'empara de lui, un gémissement s'échappa de ses lèvres, il roula sur le ventre à même le macadam poudré de neige. Avant de contempler le néant, ses pupilles dilatées se fixèrent sur la tête verdâtre d'un crocodile.

Depuis un bon moment, Aristote avait senti approcher son dieu. Le braque hypnotisait le loquet et remuait la queue en cadence. La faim et l'envie pressante de soulager sa vessie le disputaient à la joie de retrouver celui auquel il vouait sa fidélité. Dès que la porte s'entrebâilla, il entama une cavalcade et modula des aigus de bonheur.

— Bas les pattes, Aristo, va pisser, je te prépare ta panade, grogna René Cadeilhan.

Aristote détala et s'engouffra impasse du Cadran où son réverbère totem l'aimantait autant que le nord attire l'aiguille d'une boussole. Quel délice de rompre enfin l'interdit entre les murs où il avait été dressé à la propreté ! Il prit le temps de marquer son territoire et allait s'en retourner vers sa pâtée et son maître adoré lorsque sa truffe décela une odeur affriolante. Il était si excité qu'il méprisa le tintement familier de la fourchette contre sa gamelle.

— Aristo ! T'as pris racine ? Il est une heure du mat', faut qu'j'pionce ! Grouille !

En trois bonds, le braque rejoignit l'immeuble du boulevard.

— Ben, qu'est-ce que t'as sur la gueule, gros cochon ? Montre voir... Ma parole, t'as estourbi un rat, t'es plein d'raisiné ! Hé ! Où tu vas ?

Aristote jappa, et fila. René Cadeilhan se lança à ses trousses. Sous le réverbère, il distingua une forme immobile.

« Il m'a tout l'air d'être un gugusse complètement schlass. »

Il s'accroupit, se pencha et tomba sur les fesses, estomaqué.

— Un refroidi ! Un vrai de vrai ! On lui a coupé le sifflet, ben merde, alors ! Qu'est-ce que c'est que ce fourbi ? Un crocodile en peluche, des pierres emmaillotées, un bâton de craie bleue...

CHAPITRE VIII

Jeudi 2 novembre

À vingt ans, Renaud Clusel eût pu se permettre de vivre dans l'oisiveté grâce à l'opulence de ses parents qui l'entretenaient dans leur hôtel particulier de la rue du Bac sans exiger de lui qu'il se livrât à une quelconque occupation. Son père, directeur d'une étude d'avoués, se rengorgeait d'avoir un fils diplômé d'une école de commerce et ne lui en demandait pas davantage. Sa mère, qui se prétendait âgée de trente-cinq ans alors qu'elle en avait égrené cinquante, ne songeait qu'à son apparence et ne se souciait guère de la carrière qu'embrasserait cet enfant unique auquel elle accordait peu d'attention. Quant à l'intéressé, il ne supportait plus cet état de mirliflore et ambitionnait d'être reporter. Les visites mensuelles de son oncle Antonin, rédacteur en chef du *Passe-partout*, stimulaient son désir, éperonné par les aventures criminelles sorties de l'imagination d'un auteur en vogue : le prolixe Joseph Pignot.

L'épisode Robert Domancy lui avait donné l'occasion de faire ses preuves. Doté d'un don de seconde vue, il était persuadé que la mise en scène de ce meurtre était le fait d'un assassin roué qui frapperait probablement encore. Dans l'expectative d'un rebondissement, il avait loué une chambre meublée chez un mastroquet fréquenté par les sergents de ville du commissariat.

En cette aube du 2 novembre, il venait de terminer son café-crème quand il fut récompensé de sa persévérance. Aux alentours d'une heure du matin, un serveur du *Cabaret du Néant* avait découvert, impasse du Cadran, le cadavre d'un homme égorgé. Sur la poche arrière de son pantalon était collée une étiquette portant ces mots imprimés :

LYCÉE CARNOT

suivis de deux rimes à l'encre rouge écrites à la main :

Charles Tallard est un bâtard
Mâtiné d'un fripouillard

Nulle trace de portefeuille, mais en revanche les premières constatations faisaient état d'objets similaires à ceux disposés autour du précédent trépassé : une faux miniature, une clepsydre vide, un sachet de blé et degravier noir, trois pierres enveloppées de tissu blanc et un crocodile en peluche. Cette fois s'ajoutait à ces éléments un bâton de craie bleue. L'interrogatoire du serveur du *Cabaret du Néant*, un nommé René Cadeilhan, n'avait rien donné. La femme Sembatel, locataire d'un appartement à l'entrée de l'impasse, avait remarqué un homme sous le réverbère alors qu'elle fermait ses volets après une partie de bésigue en compagnie de voisins, mais, accoutumée aux pochards, elle n'y avait pas prêté attention. Le commissaire s'arrachait les cheveux, quant à Renaud Clusel, il jubilait : à lui les gros titres !

Bien qu'il fût à peine six heures, Aude Sembatel, rompue aux nuits sans sommeil, était emmitouflée d'une douillette informe. Lorsque plusieurs coups discrets furent tapés à sa porte, elle s'apprêtait à se servir une chicorée noyée de lait. Elle alla ouvrir en traînant la savate et sourit à son visiteur.

— Quel plaisir ! Le jeune journaliste ! J'allais griller du pain, vous partagerez mon déjeuner ? Je viens de recevoir la visite de cet abruti de commissaire qui m'a tirée du lit pour me poser des questions stupides en crachouillant sur son crayon. Ce rond-de-cuir ferait mieux d'appréhender le tueur.

— Quel tueur ?

— C'est clair comme de l'eau de roche ! Firmin Cabrières, le dessinateur à la craie !

— Un dessinateur à la craie ?

— Dame, il dégrade les trottoirs et ça lui rapporte des sous. Un gribouilleur, oui ! Des arbres bleus, des enfants violets, vous avez déjà rencontré ça, vous ? Il travaille du chapeau, ce type, il est tombé de la lune. Et quand elle est pleine…

— Que se passe-t-il ?

— Ben les loups-garous, vous connaissez ? C'est des gens pareils à vous et moi qui se transforment en bêtes sauvages, alors là…

— Comment pouvez-vous être aussi affirmative ?

— Sur les loups-garous ?

— Sur la culpabilité de… de…

— Firmin Cabrières ? Parce qu'on a repêché un bâton de craie bleue près du corps, pardi ! Et puis parce que, hier, ce brave Hilaire Lunel, le garçon de boutique de l'épicerie Foulon qui me monte mes commissions deux fois la semaine, a vu, de ses yeux vu, un dessin de Firmin sur le boulevard de Clichy. Prenez un siège, vous me flanquez le tournis. Buvez tant que c'est chaud.

Elle lui emplit un bol d'un liquide blanchâtre qu'il considéra avec dégoût.

— Madame Sembatel, que représentait ce dessin ?

— Un bonhomme allongé par terre, une faux plantée dans la poitrine. Vous en faites une tête, c'est pourtant la vérité. Firmin a le gabarit de l'homme que j'ai aperçu la semaine dernière, dimanche soir, je crois. Qu'est-ce qu'il vous faut de plus ? C'est un obsédé, il reproduit sur l'asphalte les homicides qu'il a perpétrés. Vous allez le publier dans *Le Passe-partout* ?

— Où habite-t-il ?

— Ah ça, c'est le chiendent ! Personne ne saurait dire avec exactitude où il reste, le Firmin. Un jour ici, un jour ailleurs. L'unique certitude, c'est qu'il opère dans le quartier. Notre macadam est encore souillé des stigmates de ses compositions tordues, bel exemple pour les mouflets.

Un nouvel arrivant se faufila dans la cuisine. Sa barbe semblable à une mousse malade, ses cheveux jaunâtres, sa peau parcheminée, son regard papillotant eurent sur Renaud un effet répulsif.

— Eh bien, Hilaire, vous semblez bouleversé, constata Aude Sembatel.

— Les rues sont en effervescence depuis que les flics ont embarqué un deuxième cadavre à la morgue. Les soupçons pèsent sur Firmin Cabrières. Y a des gens qui veulent organiser une battue.

— Monsieur Lunel, décrivez-moi le dessin qu'il a tracé boulevard de Clichy. Je suis journaliste, précisa Renaud Clusel.

— Il était très réaliste, esquissé à la craie bleue. Je suis tombé dessus sur le seuil de l'épicerie où je suis commis : un homme étendu sur le dos au pied d'un bec de gaz, le torse transpercé par une lame fixée à l'extrémité d'un long manche, j'ai le nom sur le bout de la langue…

— Une faux ?

— C'est ça. Ce qui est étonnant, c'est qu'il rigolait, oui, il rigolait. Mais le comble c'était l'inscription à l'intérieur d'un petit nuage, ça m'a secoué.

— Que disait cette inscription ?

— C'était injurieux pour notre épicerie. J'ai aussitôt prévenu la veuve Foulon, parce que côté publicité ça se posait un peu là. « Ben mon salaud ! qu'elle a glapi. Allez chercher un seau d'eau et du savon noir et dites à Colette de me nettoyer cette saleté ! »

— Destruction de preuves, trancha Renaud Clusel.

— On voit que vous ne trimez pas chez la veuve Foulon, des comme elle y en a pas bésef.

— Ce Cabrières est un forcené, on n'a pas idée d'un monde pareil ! proclama Aude Sembatel. Hilaire, il est de votre devoir d'alerter les autorités.

— Justement, mademoiselle Aude, je suis monté prendre votre avis, j'ai jamais raffolé de la fréquentation des cognes.

— Cette fois, c'est différent ! appuya-t-elle en abattant sa cuiller sur la table. La vie de nos concitoyens est en péril, il faut traquer ce déséquilibré. Écrivez-le dans votre article, monsieur. Si la presse alarme l'opinion, la police se démènera au lieu de se tourner les pouces. Et vous, Hilaire, filez au commissariat.

À neuf heures, les crieurs de journaux sillonnaient les rues de la capitale en s'égosillant à tout venant :

— Demandez *Le Passe-partout* ! Un deuxième meurtre impasse du Cadran ! L'égorgeur court toujours !

Les réactions furent immédiates. Après le coup d'éclat du *Passe-partout*, la totalité de la presse propagea la nouvelle. Le proviseur du lycée Carnot, qui n'achetait que *Le Gaulois*, lut avec stupeur que la victime n'était autre que Charles Tallard, l'un de ses enseignants, et s'empressa de contacter le commissaire du XVIIᵉ arrondissement qui se débarrassa illico de ce cas alambiqué en refilant l'information à son alter ego du XVIIIᵉ. Renaud Clusel put ainsi brosser le portrait moral d'un professeur de français intègre, aimé de ses élèves, estimé de ses confrères et menant la vie austère d'un moine cistercien, ce qui rendait son assassinat d'autant plus mystérieux. *Le Passe-partout*, jamais à court d'imagination, lança dans sa deuxième édition un appel à témoins récompensé d'un abonnement d'un an au quotidien, suivi du récit d'un garçon d'épicerie fine à l'enseigne de la Veuve Foulon et de celui d'une locataire de ladite impasse qui tous deux mettaient en cause un dessinateur à la craie du nom de Firmin Cabrières.

Vissé à son bureau, Kenji semblait avoir pris racine. Victor et Joseph durent attendre la fin de la matinée pour confronter leurs impressions. Ils échangèrent des banalités sur le temps, la famille, les nouveautés littéraires en brûlant d'impatience.

Par prudence, Victor avait décidé de déménager leur quartier général : *Le Temps perdu* était trop proche de la librairie Elzévir. Son choix se porta sur un bistrot miteux de la rue Bonaparte, *Au va-et-vient*, où se désaltérait la faune de l'École des beaux-arts. Aucun risque d'y croiser un habitué du magasin à l'heure du déjeuner.

Dès que Joseph y eut pénétré, il se rendit compte avec satisfaction que c'était l'endroit propice à des conciliabules secrets. Dans ce restaurant à prix fixe, bruyant, sombre et enfumé, Victor et lui ne connaissaient personne. Il s'assit au fond de la salle, commanda un steak frites et déplia *Le Passepartout*. Son saisissement fut tel qu'il sentit sa gorge se nouer et, souffle suspendu, doigts tremblants, il relut l'article de la une sans remarquer que Victor avait pris place face à lui.

— Joseph, vos frites vont ramollir. À quoi devez-vous cette mine effarée ?

Sans un mot, celui-ci lui tendit le journal. Victor lut attentivement en remuant les lèvres :

« ... Les agents se sont mis en branle afin de débucher Firmin Cabrières, qui avait croqué place du Tertre une silhouette orange trouée d'une faux de part en part. Rue Lepic, un raccommodeur de porcelaines a signalé la peinturlure invraisemblable d'un crocodile dressé sur sa queue qui dansait la polka piquée en compagnie d'un squelette.

« Ces dessins sont récents, ils ne peuvent avoir été réalisés qu'après l'épisode neigeux de la nuit précédente car ce matin le macadam était sec. On a interrogé les commerçants, les ménagères, les écoliers, sans résultat. »

— Et de deux ! grommela Joseph. La veuve Foulon, je suis allé dans sa boutique. Quant à Firmin Cabrières, j'ai bavardé avec lui et il est possible qu'il soit plus finaud qu'il n'en a l'air. Ces deux meurtres sont liés, tout y est, la faux miniature, le croc…

— Je sais, Joseph. Voyons, tâchons de raisonner. Qu'est-ce qu'un professeur de français d'une école réputée, vertueux et célibataire, allait fricoter à une heure indue dans une impasse du XVIIIe arrondissement ?

— Rencontrer des filles.

— Plausible mais incertain. Quelqu'un l'y a peut-être délibérément attiré.

— Quelqu'un, quelqu'un, c'est bien gentil, mais qui ? Charlina Pontis ?

— Pourquoi pas ? Je trouve son attitude rien moins qu'étrange, elle me sollicite un peu trop. Il faut que je cuisine le soupirant qu'elle fait tourner en bourrique, un comédien, j'ai noté son nom… Arnaud Chérac. Elle m'a appris que Robert Domancy était en butte aux exigences d'un maître chanteur.

— On le faisait chanter ? Pourquoi ?

— Sûrement pas à cause de ses larcins dans la caisse du théâtre puisque le personnel et les comédiens étaient au courant.

— Ça se complique.

Joseph repoussa son assiette.

— J'n'ai plus faim. Dites, on ne va pas se laisser doubler par ce pisse-copie de Renaud Clusel. Un morveux qui a encore du lait aux naseaux ! Il est primordial que j'agisse cet après-midi, demain on va à la salle des ventes. Servez n'importe quelle fadaise à Kenji, je veux devancer les flics et Renaud Clusel, mon instinct me dit que Firmin Cabrières n'est peut-être pas étranger à cette histoire.

« Zut, zut et crotte ! Comment me procurer l'adresse de la vieille dame que j'ai comblée de boustifaille, l'autre jour ?… Je sais ! »

Joseph sauta de l'omnibus place Blanche. Sans un regard pour le somptueux manège des cochons, il suivit le boulevard de Clichy et fit une entrée précipitée dans l'épicerie Foulon.

La patronne brandissait une pince à saisir les harengs en saumure. À la vue de Joseph, les poissons lui échappèrent, elle s'essuya les mains à son tablier et lui décocha un sourire enjôleur.

— Monsieur est de retour ? Monsieur désire ?

— Vous m'avez vanté votre foie gras et votre saumon fumé, un de mes amis se marie à la fin du mois, il va passer pour ses emplettes mais il voudrait être livré, c'est faisable ?

— Tout à fait, monsieur, tout à fait.

Elle ouvrit un registre, trempa une plume dans un encrier.

— Quel est son nom, que je le note ?

— Clusel, Renaud Clusel, 40, rue de la Grange-Batelière.

— C'est très aimable de votre part, monsieur.

— J'ai justement pensé à vous ce matin en lisant le journal. Vous avez eu du malheur. Il paraît que votre garçon de boutique a découvert un dessin lugubre sur votre seuil ?

— Une abomination, monsieur. Un malfaisant, un envieux a voulu nuire à ma réputation, mais il a beau se planquer on va l'épingler et on lui coupera la cabèche.

— Ça représentait quoi ?

L'arrivée de trois ménagères fouineuses n'empêcha pas la commerçante de déballer sa hargne.

— Un cadavre avec une inscription odieuse. Je l'ai communiqué à la police, on est une maison honnête, ces dames en sont garantes. N'est-ce pas, mesdames ?

Les femmes approuvèrent vigoureusement.

— Donnez-moi deux plaques de chocolat, du meilleur, c'est pour ma petite fille, et un sachet de dragées, dit Joseph qui ajouta d'un ton détaché : À quel propos, cette inscription ?

— Oh, des insanités ! Du style la maison ne fait pas crédit, et des inepties sur le temps, pas celui qu'il fait, celui qui s'écoule. C'est ignoble, non ? Quand je totalise tous ceux qui ont une ardoise chez moi, y a de quoi perdre son sang-froid ! Il ne l'emportera pas en Paradis, ce Firmin Cabrières, foi de Pélagie Foulon.

Joseph allait régler ses achats quand il se ravisa.

— Adjoignez-y un paquet de café et dites-moi où loge la vieille dame que j'ai régalée de vos délicieuses denrées, je lui ai promis de lui monter du café mais j'ai la tête au plafond.

— La mère Anselme ? Numéro 38 sur le boulevard, sixième étage. Votre ami, M... Clusel, sera traité mieux qu'un archiduc.

Au quatrième palier de l'escalier de service, Joseph n'avait plus de jambes. Au cinquième, il haletait.

« Je hais l'altitude ! »

Enfin le sixième ! Ô joie !

Le vainqueur des sommets s'engagea dans un couloir jalonné de chambres de bonnes. Tout au bout, un espace sombre où l'on s'avançait en tâtonnant pour sonder l'ombre.

« C'est là, m'a dit le pipelet. »

Il frappa.

Mme Anselme le reçut en souriant, lui indiqua une chaise paillée et s'assit sur le lit. Joseph regarda le minuscule intérieur reluisant de propreté. Il se sentit tout de suite à l'aise, avec la curieuse sensation de replonger dans son enfance.

— Je vous ai monté un paquet de café.

— Ah ! C'est plaisant, ça me changera de la chicorée. Le café c'est au-dessus de mes moyens, ça coûte. Vous êtes bien brave, jeune homme, parce que les escaliers, avec mes articulations… Durant vingt ans j'étais attelée comme un baudet à une carriole de fruits et légumes, je me fournissais aux Halles et je sillonnais le boulevard de Rochechouart. Pourquoi êtes-vous si serviable ?

— Je peux vous poser une question ?

— Allez-y.

— Vous connaissez Firmin Cabrières ?

— Si je le connais ! Depuis qu'il est gamin, je le connais. Jadis avec mon vieux on demeurait sur la Butte, mais on était jeunes, hein ! On logeait dans une rue qui se terminait par une dégringolade à pic de pavés et de marches, c'était avant qu'on établisse les fondations du Sacré-Cœur, la campagne, quoi. À l'époque on avait chacun son jardin, son puits, moi, je vendais du beurre avant de négocier des fruits et légumes. On était « en village », on se prêtait la main. Après l'école je surveillais les mioches des voisins qui travaillaient tard. Mon préféré c'était Firmin, il était mignon, ce gosse, pas turbulent pour deux sous, dix ans, maigre comme un cent de clous, menu comme une souris, dame, un prématuré qu'avait failli mourir ! Il était studieux en classe, toujours plongé dans des bouquins confiés par l'instituteur. Il avait souvent la croix d'honneur, mais il était renfermé et on le traitait d'arriéré. Il dessinait déjà, son rêve c'était devenir peintre, seulement voilà, suivre des leçons en atelier quand les parents tirent le diable par la queue et qu'on a des crises d'épilepsie qui vous laissent épuisé… Quand son papa et sa maman ont quitté ce monde, il a fait son balluchon et il a disparu. Moi j'aurais voulu le garder, mais on était trop pauvres. Je l'ai revu il y a deux ans. Il m'a raconté qu'il avait voyagé à bord d'un bateau jusqu'au Tonkin, il briquait le pont et faisait des tatouages aux marins. C'est tout ce que je sais de son passé, c'est un taiseux. Il vit à droite à gauche, il se débrouille, il ne voit pas plus loin que sa besogne, et sa besogne c'est dessiner sur les trottoirs. Il tente parfois de trouver un gagne-pain, trois heures d'un boulot de rencontre, mais aucune perspective d'un emploi stable. Vous savez, monsieur, les gens déblatèrent, ils colportent que les chômeurs sont des fainéants, la lie de la société, mais quand on n'a jamais manqué de rien, on n'a pas le droit de juger. Je l'aide à ma façon. Pourquoi vous vous intéressez à lui ?

— Vous m'avez montré l'amulette qu'il vous a fabriquée, j'ai pensé que vous étiez amis et…

Joseph considéra la lucarne percée au-dessus de la gouttière, le carrelage de tommettes astiquées, le lit de fer, le visage candide de la mère Anselme auréolé de cheveux blancs. Il se lança.

— Autant que vous le sachiez, madame Anselme, la police le soupçonne de deux assassinats, impasse du Cadran.

— Quoi ! Lui ? Impossible, il est plus doux qu'un agneau. Quand le premier meurtre a-t-il eu lieu ?

— Le 29 octobre, vers minuit.

— Alors ce n'est pas lui, il me tenait compagnie. Faut vous dire que c'était le jour de mon anniversaire, soixante-huit ans ! Je suis Scorpion, mais je ne pique pas en traître. Il était tard, il faisait froid, il a dormi sur la carpette enveloppé d'une couverture, il est parti le lendemain après un bol de chicorée. Vous me croyez, hein ?

— Oui, je vous crois, mais votre témoignage sera nécessaire.

— Je témoignerai, soyez-en sûr. Et le deuxième meurtre, c'était quand ?

— Hier. Même lieu, même heure.

— Ce n'est pas lui. Le crépuscule venu, par beau temps, il se réfugie dans le maquis, sur la Butte. L'hiver il se dégote un coin rue Championnet à l'usine de montage des omnibus. Il se rend utile, vous pouvez vous renseigner, on ne vous dira que du bien de lui.

— C'est mon intention. Ne vous faites pas de mouron, je vais le tirer de là, je repasserai vous voir.

La mère Anselme s'était assombrie.

— La neurasthénie me guette. Les idées qu'on se fait quand elles tournicotent dans votre cervelle, la nuit ! Pas moyen de les arrêter. Vous reviendrez, dites, promis ?

— Promis, jura Joseph en posant les deux plaques de chocolat et les dragées sur la table.

Les chantiers de la rue Championnet exécutaient toutes les opérations de l'assemblage d'une voiture d'omnibus et de tramway. Ils comprenaient une infinie variété de corporations et d'ouvriers spécialisés. L'exploration de leurs ateliers eût égalé les douze travaux d'Hercule. Charrons en roues, ajusteurs de ressorts, forgerons, menuisiers, ébénistes, vitriers, lanterniers, tourneurs, zingueurs, boulonniers, selliers, bourreliers peuplaient cette immense cité laborieuse. Comment y pénétrer ? À qui s'adresser pour débusquer Firmin Cabrières dans cette foule d'hommes de peine ?

Le ciel virait au gris. Bientôt la sirène annonce-rait la libération. Joseph risqua le tout pour le tout. Il s'approcha d'une guérite et accosta un veilleur de nuit qui s'apprêtait à prendre son poste. L'homme haussa les épaules en signe d'ignorance.

— Je suis du soir, pas du matin, et puis c'n'est pas moi qui fais les embauches. Faudra revenir demain. Quel nom vous avez dit ?

Joseph remarqua in extremis, étalé sur une table à côté d'une gamelle, la première page du *Petit Parisien* qui affichait sur deux colonnes :

UN DEUXIÈME MEURTRE IMPASSE DU CADRAN
FIRMIN CABRIÈRES, LE PRÉSUMÉ ÉGORGEUR,
ACTIVEMENT
RECHERCHÉ PAR LA POLICE

— Michel Bouvières, répondit-il précipitamment. Un grand blond, il est ébéniste.

— Connais pas, marmonna le veilleur de nuit en tisonnant le poêle.

CHAPITRE IX

Helga Becker aborda la librairie dès l'ouverture.

— Bonjour, messieurs. Nous voici débarrassés d'un assassin, Paris en fourmille ! Sans oublier le reste du monde, on s'y massacre à tour de bras dans le plus complet désordre, c'est du propre !

Joseph, perché sur une échelle, se laissa glisser au sol.

— De quoi s'agit-il ? demanda Kenji d'un ton las.

— Des crimes de l'impasse du Cadran, de la guerre des Boers, que sais-je ! On ne peut compulser un quotidien qui ne fasse appel aux plus bas instincts. Au lieu de vouloir que le peuple s'élève petit à petit au niveau du journal ainsi que le prônait M. Émile de Girardin, c'est au contraire le journal qui s'abaisse au niveau du lecteur, je vais finir par ne lire que *La Mode pratique* !

Elle jeta violemment sur le comptoir *Le Passe-partout* qui fut aussitôt raflé par Victor.

— Ils l'ont attrapé, murmura-t-il à Joseph.

— Qui ?

— Firmin Cabrières. Un employé de la Compagnie des omnibus l'a dénoncé.

— Un peu d'attention, s'il vous plaît, les pria *Fräulein* Becker. J'ai une nouvelle importante, je suis fiancée !

Kenji releva vivement la tête.

— Félicitations, quel est l'heureux élu ?

— Un marchand d'automobiles de Francfort. Par son entremise je suis détentrice d'un *certificat de capacité spéciale* à la conduite d'engins à moteur de moins de cent cinquante kilos. Rendez-vous compte, seulement mille huit cents brevets d'aptitude ont été délivrés par les préfectures françaises. Je suis montée avec l'examinateur dans une Clément-Gladiator, j'ai effectué un parcours difficile, j'ai…

Victor jeta un bref regard à Kenji pris d'assaut et fit signe à Joseph de le suivre dans l'arrière-boutique.

— Que va-t-on lui faire ? s'alarma Jojo. Je suis persuadé que ce n'est pas lui, la mère Anselme me l'a assuré. Où l'ont-ils déniché ?

— Il dormait dans l'atelier des bourreliers.

— C'est trop bête ! Avant-hier, j'aurais dû m'introduire dans l'usine.

— Qui vous dit que votre mère Anselme ne ment pas pour le protéger ? Quoi qu'il en soit, Augustin Valmy va se contenter de ce suspect et s'empresser de clore l'enquête.

— Victor ! Joseph ! Venez inventorier les Musset ! ordonna Kenji d'une voix altérée.

— C'est le cri de détresse, constata Victor. Allons-y, sinon ça va se gâter.

Ils trouvèrent Kenji acculé à la cheminée, tentant d'échapper à la faconde d'Helga Becker.

— Il faut vivre avec son temps, monsieur Mori, pour quelques sous vous pourrez utiliser l'un des cent dix véhicules électriques mis à la portée de tous par la Compagnie générale des voitures.

— Je redoute cependant que les « carrefours des Écrasés » n'envahissent la cité, grommela Kenji.

— Moi, je confierais plus volontiers mes gambettes au plancher des vaches, affirma Euphrosine, prête à escalader l'escalier à vis au sommet duquel Mélie Bellac la lorgnait avec appréhension.

— Notre petit-fils est-il toujours aussi agité ? jeta Kenji en s'intéressant de près au buste de Molière.

— S'il était en âge de porter l'uniforme, il en remontrerait à ces « bouseux de bourres » qui se rebellent contre les Britanniques.

— Ces fermiers sont des Hollandais, rectifia Helga Becker.

— J'm'en fiche ! J'les soupçonne d'être des sauvages qui se trémoussent au son du tambourin. Et puis c'est quoi ce pays à la noix, le Transvase ? Qui en a entendu parler ?

— Le Transvaal, *v*, deux *a*, *l*, lâcha Kenji visiblement à bout de nerfs. Je veux être damné si vous parvenez à le situer sur une carte.

— Monumentale erreur ! J'le placerai où c'qu'il est, en Afrique, un continent plein de zones inconnues où qu'j'irai jamais, ni à pied, ni en vélo, ni en automobile électrique. C'est ça, gondole-toi ! cracha-t-elle à Joseph, moque-toi de ta mère ! Ah, j'voudrais m'endormir et m'réveiller morte ! Et vous, là-haut, l'alpiniste de la Corrèze, n'avez rien à préparer en cuisine ?

Victor se pencha vers Joseph et lui glissa à l'oreille :

— Je dois voir le commissaire Valmy. Débrouillez-vous et rejoignez-moi à trois heures *Au va-et-vient*.

Chauffez un peu votre mère, que personne ne remarque mon départ.

— Comme si elle en avait besoin, ma mère ! Elle est au bord de l'éruption volcanique.

Il éleva la voix et implora d'un ton angélique :

— Maman, si ce n'est pas abuser, tu voudrais bien papoter une octave en dessous, tu m'empêches de classer mes Musset.

En dépit de nombreuses obligations, le commissaire principal Augustin Valmy reçut Victor avec urbanité. Son bureau repeint accueillait une nouvelle reproduction, *La Cruche cassée*. Il appréciait cette composition de Greuze qui symbolisait la virginité perdue et le confortait dans la conviction que les femmes sont des créatures instables dont la fragilité n'est qu'un leurre. Le visage empreint de jovialité, il se frotta les mains et alla même jusqu'à offrir un cigare à son hôte.

— Mon cher Legris, nous voici dégagés d'un cas épineux. Un dessinateur à la craie, où va le monde ? Il est au dépôt.

— Quel mobile l'aurait incité à commettre ces meurtres ?

— Il ne tardera pas à cracher le morceau. Tout l'accuse, il n'a eu de cesse de décorer les trottoirs de scènes dégoûtantes illustrant l'assassinat de Robert et de ce Charles Tallard. Il a semé une de ses craies près de son cadavre. De plus, deux personnes honorables l'ont formellement identifié. C'est du tout cuit.

— Pourquoi se serait-il trahi d'une façon si stupide ?

— Parce qu'il l'est, mon cher, parce qu'il l'est à l'instar de la majorité des criminels. J'ai informé la mère de Robert, à Uzès, elle a exigé que son fils y soit inhumé. C'est au diable, je n'irai pas.

— Uzès ? Cela me remet en mémoire deux vers de Jean Racine qui y a séjourné un an :

Adieu, ville d'Uzès ! Ville de bonne chère
Où vivraient vingt traiteurs, où mourrait un libraire !

— Racine ? Tiens donc. Dommage, il se passera de mon pèlerinage, je vais plutôt m'accorder une journée de détente et déjeuner chez *Prunier*. Je me régalerai de potage aux huîtres et d'un plat d'escargots, ensuite soirée chez *Maxim's* où de froufroutantes mondaines tenteront de me suborner. Aurai-je le bonheur de côtoyer Liane de Pougy qui reçoit, dit-on, « à draps ouverts » ?

— Monsieur le commissaire, souvenez-vous de ce qui est arrivé à notre dernier président de la République.

— Je vous en prie, Legris, j'ai quinze ans de moins que le vieux Félix Faure, j'observe un régime alimentaire strict, je m'adonne à la marche, le romanesque m'est étranger, je ne cours pas le risque de passer l'arme à gauche en plein effort dans les bras d'une galante. Cela dit, rien ne s'oppose aux fantaisies : une pâtisserie de temps à autre, à condition de respecter les règles rudimentaires de l'hygiène, ne peut mettre votre santé en péril.

— Loin de moi l'idée de moraliser.

— Je vous ai vu en compagnie de cette dévergondée dans le jardin du Palais-Royal, vous étiez près de céder à ses attraits. Mieux vaut laisser courir le vent par-dessus les tuiles.

— Vous m'avez surveillé ?

— Quel vilain mot ! Je me suis assuré de votre zèle à me seconder, mais ce n'est plus nécessaire puisque nous tenons le coupable.

— Il a avoué ?

— Patience, nous avons nos méthodes.

— Et le mobile ? Excusez-moi d'insister, mais on ne tue pas sans mobile.

— A-t-on besoin de mobile quand on est un déséquilibré mental ou que l'on possède une double personnalité à l'égal du Dr Jekyll, le héros de ce fameux roman de Stevenson que j'ai lu dans le texte ? ricana Valmy.

Victor se remémorait son entrevue avec Charlina Pontis et sa réflexion douce-amère concernant Robert Domancy : « Un vrai panier à deux anses, ce type ! »

— Je vous sais gré de votre aide ponctuelle, monsieur Legris. Je souhaite que désormais vous vous cantonniez au commerce des livres. Méditez les vers de Racine, … *où mourrait un libraire*, car *tant va la cruche à l'eau qu'à la fin elle se brise*[1]. Votre prestation est terminée, préoccupez-vous de votre petite famille.

— Foin de vos maximes, rétorqua Victor, je ne suis pas une cruche et j'ai toujours été prudent.

Augustin Valmy se leva, les mains sur son buvard, l'entretien était clos.

— Au fait, Legris, quand me procurerez-vous les *Mémoires de Vidocq* ?

« Quel culot ! pensa Victor, il me congédie comme si j'étais son valet de pied ! Pauvre fat ! Ça t'arrange, hein, de faire porter le chapeau à un individu sans défense !… Je dois avoir une conversation avec le soupirant de Charlina Pontis, Ar… Arnaud Machin Chouette. »

---

1. Gautier de Coincy, *Les Miracles de Notre-Dame*, XIIIe siècle.

Arnaud Chérac doutait de son talent au point de se considérer un acteur exécrable et de se repentir un jour sur deux d'avoir quitté son village natal de Latouille-Lentillac pour grimper à Paris. Ni le succès, ni les compliments, ni les critiques louangeuses ne le persuadaient de sa propre valeur. Le félicitait-on qu'il songeait être l'objet d'une tartufferie. Lui attribuait-on un rôle de premier plan qu'il était convaincu de jouer les utilités. En de rares occasions, il sautait du lit empli de foi en la bienveillance divine qui l'avait déjà guidé jusqu'à la Comédie-Française et persisterait à le protéger. Une semaine d'ivresse s'écoulait, il atteignait des sommets d'audace, le spleen et l'anxiété s'évanouissaient. Et patatras ! Il suffisait d'une parole malheureuse, d'un mot perçu de travers pour que cet équilibre précaire s'écroulât et que l'incertitude reprît les rênes de son quotidien. Ce mal-être le minait tellement qu'il plaçait ses espoirs en un unique palliatif : l'amour. Seule une tendre compagne saurait le déterminer à conserver confiance en lui-même. Il avait jeté son dévolu sur la capiteuse Charlina Pontis et s'était ruiné en bouquets, en parfums, en friandises avec le joli résultat de se voir dédaigné au profit de Robert Domancy, un vaniteux qui se targuait de surpasser le génie de Frédérick Lemaître. La mort brutale de ce rival l'avait soulagé d'un grand poids sans combler ses aspirations. Le cœur en morceaux, il avait renoncé à conquérir sa belle et se contentait de lui donner la réplique sur les planches.

Malgré la fraîcheur de l'air, il grignotait sans appétit un pain au lait garni d'une tranche de rôti, affalé sur un banc, face au bassin du jardin du

Palais-Royal, lorsqu'un homme se pencha vers lui :

— Monsieur Chérac ? On m'a dit à la billetterie du théâtre que je vous trouverais ici. Je me présente, Victor Legris, libraire. Charlina Pontis m'a parlé de vous.

Une décharge électrique secoua Arnaud Chérac, il en laissa tomber son sandwich aussitôt disputé par les piafs et les pigeons.

— Vous êtes le bon ami de Charlina ?

— Oh non, juste une relation ! Le mystère court les rues de Paris, je m'intéresse aux agressions, aux meurtres. Celui de Robert Domancy a aiguisé ma curiosité. Étiez-vous proche de lui ?

Arnaud Chérac épousseta les miettes de son pantalon.

— Cela ne m'étonne pas de Charlina, elle me méprise. Elle vous a probablement divulgué nos dissensions, à Robert et moi. Je suis suspect, c'est ça ? Inutile de vous prétendre libraire, monsieur l'inspecteur. À dire vrai, je suis ravi que ce séducteur ait été exécuté. Bouclez-moi, je m'en balance ! Et sachez que sa disparition m'enchante.

— Vous vous méprenez, je suis réellement libraire. Voici ma carte. Personne ne vous soupçonne. Charlina Pontis…

— La garce ! explosa Arnaud Chérac.

— Elle a du sentiment à votre égard, je vous le certifie. Elle m'a prié de vous presser de corroborer ce qu'elle m'a révélé.

— Quoi ?

— Elle a entendu Robert Domancy se quereller dans sa loge avec un inconnu, vous étiez là ?

— J'étais dans le couloir, elle m'a repoussé.

— Elle n'a fait que mettre en pratique l'adage de Pierre Corneille : *Et le désir s'accroît quand l'effet se recule*[1].

Arnaud Chérac daigna sourire.

— Vous croyez ?

— Tactique spécifiquement féminine. Charlina Pontis teste avec vous l'art de se faire demander comme une grâce ce qu'elle brûle de vous offrir. Racontez-moi ce que vous avez remarqué.

Victor pédalait avec ardeur vers le nord de la capitale. C'était une façon de calmer la nervosité qui s'était emparée de lui après sa discussion avec Arnaud Chérac. En réalité, il était dans cet état depuis qu'Augustin Valmy l'avait révoqué sans la moindre déférence.

« Attends un peu, mon vieux, si tu imagines que je vais lâcher prise tu te fourres le doigt dans l'œil, j'ai un train d'avance sur toi. »

Il stoppa pour se réchauffer dans un bouillon Duval où il se sustenta d'un navarin et d'un ballon de rouge. Avant de sauter en selle, il téléphona à Kenji, s'excusa de son départ précipité en prétextant un début d'angine.

L'entrée de l'impasse du Cadran était barrée, seuls les riverains avaient la permission d'y pénétrer. Le boulevard de Rochechouart affichait une indolence de lendemain de nouba, des groupes palabraient à mi-voix sur les trottoirs. Un homme armé d'une longue perche chargée d'éponges traversa la chaussée et faillit percuter Victor qui freina en catastrophe.

— Pouvez pas faire gaffe ? grommela le bonhomme.

1. *Polyeucte* (acte I, scène 1), 1642.

146

— Pardonnez-moi, dit Victor, je suis journaliste, je suis en quête d'un serveur du *Cabaret du Néant*, celui qui a découvert le corps.

— René Cadeilhan ?

L'homme ramassa une de ses éponges, plus captivé par la bicyclette que par la question.

— C'est ça qu'il me faudrait, ça va chercher dans les combien votre engin ?

— Je l'ignore, il est fourni par le patron. Alors, ce M. Cadeilhan ?

— Le René il en a tellement marre des flics et des reporters qu'il a déserté son logement. Il s'est réfugié dans l'épicerie Foulon où turbine sa dulcinée, c'est au 42, boulevard de Clichy. Motus ! S'il apprend que c'est moi qui vous ai orienté il va me frotter les oreilles.

Pélagie Foulon manifesta quelque réticence à laisser Victor garer son vélo à l'intérieur de sa boutique.

— Appuyez-le au mur, entre les cageots de choux et de patates. Qu'est-ce que vous voulez ?

— M'entretenir avec M. René Cadeilhan.

— C'est pas le dernier salon où l'on cause, ici, c'est une épicerie ! Au fond, du magasin, indiqua-t-elle d'une voix rogue. Il fait le joli cœur auprès de cette mollasse de Catherine, heureusement que Colette a du cœur à l'ouvrage !

Victor longea les rayonnages. Un géant roux devisait en compagnie de deux jeunes femmes, l'une, brune, épanouie, potelée, l'autre, blonde, le visage hâve, qui lui dédia un sourire.

— Mesdames. Monsieur Cadeilhan ? Je suis journaliste, je sais qu'on vous a déjà harcelé, je n'en aurai que pour quelques secondes.

— *Le Passe-partout, Le Gaulois, L'Éclair,* les flics, ça devient fastidieux ! Ne m'objectez pas que ma renommée a ému le midi de la France et que vous bossez au *Petit Provençal* !

— René, intervint la blonde, laisse-le abattre sa besogne, réponds à monsieur, tu plastronnes d'être le point de mire.

— Merci. Mademoiselle… ?

— Colette Roman.

— C'est vous qui avez nettoyé l'inscription et le dessin tracés devant votre boutique ?

— Comment le savez-vous ?

— C'était notifié dans *Le Passe-partout*. Le commis a témoigné.

— Oui, c'est moi. J'ai trouvé cela amusant, j'ai bien souligné à Mme Foulon que c'était une erreur de les effacer, mais elle n'a rien voulu entendre.

— Vous souvenez-vous des termes exacts de ce graffiti ?

— Oui, je l'ai même recopié. Minute.

Elle ouvrit un tiroir et tendit une feuille à Victor qui lut :

> *Le temps n'a pas le temps*
> *De faire du sentiment*
> *La maison ne fait pas crédit*

— Et moi, alors ? dit René Cadeilhan, qu'est-ce que je pourrais vous communiquer que je n'aie pas rabâché aux autres ? La date de la bataille de Marignan ? 1515.

Catherine et la brunette pouffèrent, tandis que Victor dévissait le capuchon d'un stylo et s'apprêtait à prendre des notes au dos de la feuille fournie par Catherine.

— Je rédige un article pour *L'Écho de Paris,*
dit-il. Ce qui m'importe, c'est votre impression
personnelle. On a appréhendé un homme, un dessinateur à la craie, on l'a inculpé de deux homicides. Il
me semble qu'on a été un peu vite en besogne.

— Ah, enfin, en voilà un qui cogite. Je suis de
votre avis. On a coffré un lampiste à cause d'un bâton
de craie bleue abandonné sur le lieu du dernier crime.
N'importe qui a pu le placer là intentionnellement,
ce bout de craie, je l'ai souligné aux cognes, mais
ils s'en battent la paupière ! Trop contents de tenir
un délinquant à fourrer en cellule ! Firmin Cabrières,
c'est un rêveur, un doux dingue qui s'imprègne de la
vie de nos rues. Quand le ciel est morose, il l'égaie
de couleurs vives. Quand son humeur vire au noir,
il est la proie de visions pessimistes et il les traduit
par des tableaux morbides. De là à occire des inconnus, y a une marge !

— Je suis d'accord, confirma Colette Roman,
Firmin est du genre pacifique, hein, Catherine ?

— Elle a raison, renchérit la brunette, il est plutôt
gentil, Firmin.

— Est-il obsédé par le temps ?

— Lequel ? Celui qu'il fait ou celui qui passe ?

— Tu es demeurée ou quoi ? La chronologie, les
montres, les pendules, les jours, les mois ! s'exclama
Colette, visiblement agacée.

— Silence, les filles, intima René. Firmin
Cabrières, pas que je sache, monsieur, mais j'en
connais un qui nous bassine, avec les datations. Et
lui, on ne lui donnera jamais le bon Dieu sans confes-
sion ! Je l'ai fichu à la porte du *Cabaret du Néant*
avant-hier soir, notez que ce n'était pas la première
fois. Il m'a menacé de son couteau !

— Qui est cet autre ?

— Louis Barnave, un vieux toqué porté sur la bouteille. Il est persuadé que la Terre va être désintégrée par une comète dans dix jours, tout ça pour des inepties colportées par des almanachs qui n'ont rien de scientifique. Le *Cabaret du Néant*, où je suis employé, a eu l'idée de détourner cette prédiction alarmiste pour se faire de la réclame, voilà le topo.

— C'est d'un mauvais goût ! riposta Colette Roman. Il y en a qui prennent cette annonce au premier degré, vous vous rendez compte de leur étroitesse d'esprit ! C'est ignoble de plaisanter avec ces choses !

— Oh là là, si on ne peut plus rigoler, surtout que la vie est une lutte de chaque instant. Louis Barnave, il y croit dur comme fer, il raconte que la disparition du genre humain ne sera pas une grande perte et que le temps en a plein le dos d'être évalué en heures de labeur pour les pauvres et de profit pour les nantis.

— Ce Louis Barnave, où puis-je le dénicher ? demanda Victor.

— Vous avez le choix entre les bougnats, les marchands de vins, les beuglants, et la clique des mastroquets de la Butte. Il suffit de quadriller les parages et d'agrafer les habitués, y en aura bien un qui remettra ce type vêtu d'une houppelande marron, elle tiendrait debout sans support vu qu'elle est raide de crasse. Attention, v'là l'dragon !

Mme Foulon, le chignon de travers, surgit d'un pas de sergent-major.

— C'est pour ça que je vous paie, mesdemoiselles ? Y a du monde qui s'impatiente. Vous, le croque-mort, allez monter la garde dans votre cimetière et que je ne revoie pas votre cador déposer ses déjections sur mon trottoir, sinon c'est la fourrière !

Catherine s'approcha de René et l'embrassa ostensiblement sur les joues.

— Oh ! dit sèchement la veuve Foulon avec le rire d'une personne qui n'est pas dupe des hypocrisies, ce jobard de rouquin n'a pas besoin de vos mignardises. Ajustez votre tenue, fainéante, et allez servir du beurre. Quant à vous, le bicycliste, si vous n'achetez rien, je vous prierai de quitter les lieux, on bûche, ici !

— Il est journaliste, murmura Colette.

— Journaliste et libraire, je possède une collection exhaustive de manuels sur les règles du savoir-vivre dans la société moderne, chère madame, voici ma carte, je me ferai un plaisir de vous conseiller.

Puis Victor s'adressa à Colette Roman qui contractait ses lèvres pour refréner son rire.

— Mademoiselle, pesez-moi trois cents grammes de pralines et deux cents grammes de biscuits roses de Reims.

— Tiens, ça me revient, dit René Cadeilhan, Louis Barnave, il me semble qu'il a son quartier général chez *Bouscarat*, place du Tertre.

Victor avait confié sa bicyclette aux soins de Mme Ballu, la concierge de la rue des Saints-Pères, en évitant de se montrer à la librairie. Il sirotait un verre de sancerre, assis au fond du mastroquet sis rue Bonaparte, les globes dépolis des lampes à gaz baignaient la salle d'une lueur blafarde. Joseph, essoufflé, prit place à sa table sur laquelle il jeta *Le Passe-partout*.

— Je me suis arrêté au kiosque à journaux. Renaud Clusel se questionne sur les symboles dispersés autour des cadavres, d'ici qu'il découvre leur signification il n'y a qu'un pas !

— Et après ? Il ne démasquera pas le vrai coupable pour autant !

— Il en pense quoi, Valmy ?

— Il se rengorge, il tient son meurtrier.

— Quel imbécile ! Il n'a aucune preuve tangible contre Firmin Cabrières.

— Qui sait ?

— Alors on laisse tomber ? Satisfait ?

— Vous n'êtes jamais satisfait, Joseph, toujours négatif.

— Qu'avez-vous appris pendant que je me coltinais les ventes à la librairie ?

— J'ai cuisiné un acteur nommé Arnaud Chérac, il en pince pour Charlina Pontis et est soulagé de la mort de son rival. Il m'a confirmé avoir entendu une dispute entre Robert Domancy et un inconnu. Vous notez ?

— Et comment !

— Cela s'est passé à la Comédie-Française, dans la loge de Robert Domancy qui était très en colère. L'inconnu a enjoint Robert de se calmer. Ensuite la clé a tourné dans la serrure et Chérac s'est éclipsé, mais il a entraperçu une silhouette masculine. Ce n'est pas tout.

Victor extirpa une feuille de papier de sa poche.

—Cet après-midi, à l'épicerie Foulon, une des vendeuses m'a remis ça, c'est la copie d'une inscription à la craie tracée devant le magasin.

Joseph sourit en lisant :

> *Le temps n'a pas le temps*
> *De faire du sentiment*
> *La maison ne fait pas crédit*

— Amusant. Ç'a été écrit avant ou après l'arrestation de Firmin Cabrières ?

— À déterminer. La patronne l'a fait disparaître. Rendez-moi le papier, j'ai griffonné des noms au dos. Un type, serveur au *Cabaret du Néant*, René Cadeilhan, m'a signalé un vieux bonhomme obnubilé par le temps, Louis Barnave. Il faut le retrouver, vous allez vous en charger, il honore de sa personne un bistrot de la place du Tertre : *Bouscarat.*

— La Butte, le maquis, c'est dans mes cordes, j'irai demain.

Une petite femme délurée accosta Joseph et lui demanda l'heure. Celui-ci allait consulter sa montre quand Victor lui immobilisa le poignet et désigna à la fille la grosse pendule au-dessus du comptoir. Sans insister, elle haussa les épaules, leur décocha un regard de dédain et s'éloigna vers un autre client.

— Qu'est-ce que ça signifie ? s'étonna Joseph.

— Excusez-moi de vous chercher des poux, mais vous êtes d'une naïveté ! C'est une prostituée à l'affût d'un gogo. Vous buvez quelque chose ?

— Mince ! Kenji m'a alloué une heure, il va me sonner les cloches !

L'unique solution : déménager à la cloche de bois.

Raphaël Soubran se félicita de posséder un minimum de biens. Il vivait en meublé, sa garde-robe, enrichie de quelques bouquins et ustensiles de cuisine, emplissait deux valises. Du passage Verdeau à sa nouvelle résidence, rue du Faubourg-Poissonnière, il n'y avait guère loin. Il s'était présenté aux concierges deux jours auparavant et les avait séduits en les gratifiant d'invitations pour le théâtre du Gymnase.

Il gravit les étages jusqu'à sa chambre sous les toits où ronronnait un poêle à charbon, où son lit était fait et sa table garnie d'un pichet de vin, d'un saucisson et d'un demi-bâtard. Il était en sécurité.

D'où venait alors cette inquiétude ancrée en lui depuis que ce journaliste blond aux cheveux paille l'avait interrogé après le spectacle ? Pourquoi s'intéressait-il à Robert Domancy ? Taraudé par le doute, Raphaël Soubran s'était attaché aux faits et gestes de Charlina Pontis et de cette niquedouille d'Arnaud Chérac. Découvrir qu'ils s'entretenaient avec un bicycliste qui semblait issu de *Voici des ailes*[1] *!,* un roman sportif et coquin lu l'année précédente, avait ravivé son angoisse.

Il perçut un bruit dans le couloir. Si c'était eux ?

Il entrebâilla sa porte, rassuré de voir le ballet des habitants du sixième. C'était le domaine des domestiques et des bonnes, que fréquentaient aussi des représentants de parfums frelatés, des débitants nocturnes de fanfreluches, une diseuse de bonne aventure et même un écrivain public passant ses nuits à rédiger des compliments rimés destinés aux anniversaires. Raphaël Soubran arpenta le boyau étroit, se fit connaître de tout un chacun, noua une relation prometteuse avec une soubrette piquante prénommée Antoinette qu'il se promit d'attirer dans ses draps. Puis il alla se boucler en attendant de se rendre au théâtre.

— Les cloches ? N'y en a point, de cloches, marmonna Louis Barnave.

Installé chez *Bouscarat,* à sa table qui faisait l'angle du comptoir, armé de ciseaux et de colle, il s'évertuait à exécuter un montage animé en carton

1. Roman de Maurice Leblanc traitant des bienfaits de la bicyclette et de la gaudriole, paru en 1898 chez Ollendorf.

coloré de l'horloge astronomique de la cathédrale de Strasbourg. Il avait mis de côté la tourelle des poids et se concentrait sur le carrousel des jours et des divinités tutélaires qui les caractérisaient. Le Soleil : dimanche, la Lune : lundi, Mars : mardi, Mercure : mercredi, Jupiter : jeudi, Vénus : vendredi et enfin son préféré, Saturne : samedi, matérialisé en train de dévorer ses enfants, le plus beau symbole du temps qui consume ce qu'il crée.

— Qu'est-ce que tu fous, Barnave ? s'enquit un poivrot loqueteux.

— Ah, fiche-moi tranquille ! Et garde-toi de poser ton godet poisseux sur mes images. Faut qu'je place les quatre âges de la vie devant la mort qui égrène les heures sans jamais s'arrêter, et pis faut pas qu'j'oublie le sablier. C'est important ça, le sablier.

— Elle est rien moche, la mort. T'es bituré, Barnave, remarqua le garçon de café.

— J'n'ai pas liché une goutte, nom de v'là ! Pour réaliser c't'œuvre d'art, on n'doit pas trembler. Toi, le loufiat, va voir là-bas si j'y suis ! Merde ! Y a du peuple, ici, j'me tire. Sous peu vous n'jacterez plus, vieilles choses !

— T'es malpoli, Barnave.

Louis Barnave regroupa soigneusement les différentes pièces de sa maquette, les rangea dans un carton à dessin qui provenait d'une poubelle de rapin et sortit du bistrot.

Il escalada un lacis de ruelles bordées de jardinets en friche où du linge effiloché pendait sur des fils de fer rouillés et s'affala sur une marche vermoulue. La contemplation des successions de toits où les bleus, les gris et les mauves se mêlaient subtilement le rasséréna. Les murs craquelés, les balustres aux armatures de fer rongées par les intempéries donnaient à ces masures un air de mystère tragique. De la buée tiède nimbait les bouches d'égout. Des chiens efflanqués marquaient leur territoire. Louis Barnave se cala sur la langue un bonbon à la menthe dégoté au fond de sa poche, se baissa, ramassa un journal sur le pavé et se mit à lire.

« Non de v'là ! Je rêve ! Incriminer Firmin Cabrières de deux meurtres raffinés ! Le juger susceptible d'avoir élaboré autour de ces deux cadavres un rébus lié à Saturne, lui qui tombe tout droit de la lune ? Quel est le crétin qui a pondu cet article, que je lui fasse bouffer son papier ? »

Louis Barnave sauta sur ses pieds, il ne décolérait pas.

« Saturne ! Qu'est-ce qu'il y pige à Saturne et son anneau, ce barbouilleur de bitume ? ressassait-il en peinant sur les escaliers de la Butte. En fait d'anneau, le Firmin, il devrait en porter un dans le nez, pareil à ceux des ours de foire ! Comme s'il y entravait quelque chose, à Cronos, qu'a dégueulé une pierre refilée par sa bourgeoise, une satanée gonzesse casée par son fiston Zeus à Delphes où les Grecs avaient ouvert une officine de voyance ! Firmin, il s'y intéresse autant que le loufiat de chez *Bouscarat* se passionne pour le théorème de Pythagore ! Sont donc bouchés à l'émeri, les cognes ? Un illuminé qui dessine des crocodiles en train de danser la polka piquée, pourquoi pas la mazurka ? Moi, moi, je sais ! »

Sa déambulation à travers les baraques du maquis sema une jolie pagaille. Des poules tricotaient des pattes en caquetant, un âne se lamenta, une vieille en laissa choir son chaudron. Un doigt enfoncé dans une narine, un gamin au pantalon tirebouchonné avisa

156

cet épouvantail en houppelande qui fonçait vers lui. Louis Barnave pila.

— Tu veux le mien ? braillant-il.

Le gamin, apeuré, se protégea le visage du coude.

— Pour ta gouverne, morveux, le temps ne s'incline pas devant nous mais nous devant le temps ! proféra-t-il, soudain apaisé.

Affolé, le gosse parvint à hocher le menton et accepta avec répugnance un bonbon sucé.

Déjà, le vieux repartait en agitant les bras. Derrière le Sacré-Cœur, il cracha sur le « Restaurant de l'abri Saint-Joseph », tira la langue au mur galeux troué des balles du 18 mars 1871 contre lequel les communards fusillèrent les généraux Thomas et Lecomte. Rue du Mont-Cenis, il fléchit le genou face à une bicoque décrépite, domicile d'Hector Berlioz plus de soixante ans auparavant, et fredonna le *Dies irae*, cinquième mouvement de la *Symphonie fantastique,* la seule œuvre classique qu'il connût, puis il reprit son errance.

La lame d'un couteau refléta un rayon de soleil égaré entre deux nuages.

CHAPITRE X

Dimanche 5 novembre

Clarisse Lostange s'enferma dans son cabinet de toilette et, des épingles plein la bouche, brossa énergiquement ses longs cheveux grisonnants. Quand elle eut fini d'échafauder son chignon, elle s'adressa un sourire triomphal dans un miroir assiégé d'angelots dorés. Cette quadragénaire potelée, sociable, très soignée, inspirait confiance et sympathie. Mais si l'on s'avisait de solliciter la protection de cette âme charitable, on était transpercé par une griffe de panthère qui vous clouait au sol et l'on ne visait qu'un seul but : sauver sa peau.

Clarisse Lostange occupait boulevard Bourdon, au deuxième étage sur rue, un bel appartement hérité d'un époux décédé dix ans plus tôt, où le luxe consistait en une foule de bibelots coûteux. Probablement fût-elle demeurée solitaire si son frère cadet n'avait eu recours à sa bienfaisance.

En avait-il fallu du courage, à Eusèbe Tourville, pour prier sa sœur de l'héberger ! Sa participation active à la grève des facteurs de la recette principale de Paris, rue du Louvre, le 18 mai précédent, l'avait privé de travail et de ressources, donc de logement, parce que ses collègues et lui revendiquaient pour la première fois dans l'histoire des Postes une malheureuse augmentation de salaire. Sur ordre du sous-secrétaire d'État aux Postes et Télégraphes, Léon Mougeot, l'armée avait été réquisitionnée afin de distribuer le courrier. S'étaient ensuivies vingt-sept révocations, dont celle d'Eusèbe Tourville.

S'il était reconnaissant à sa sœur de l'avoir pris en charge, il digérait mal l'amertume que lui coûtaient ses propos incisifs. Elle se complaisait à le critiquer. Il n'avait pas su mener sa barque, il exerçait une profession minable qu'il avait bêtement perdue, il n'avait pas été capable de se dégoter une épouse, mais cela ne valait-il pas mieux, inapte qu'il était à entretenir une famille ! Il ne comptait tout de même pas sur elle pour élever ses enfants ? Ah oui, fichtre, elle oubliait cette Anaïs, cette pimbêche de téléphoniste pressée de le plaquer dès sa mise à pied, la belle affaire ! Après ce flux de semonces, Clarisse se tressait d'élogieuses couronnes. Elle adorait se décerner des certificats de « meilleure mère si la Providence lui avait accordé des enfants », de « sœur la plus prévenante », de « maîtresse de maison hors pair ». Eusèbe avait-il l'audace de l'interrompre d'une timide question, elle le muselait d'une réflexion blessante. Mais si elle interrogeait son frère, elle n'écoutait jamais sa réponse et reprenait la litanie de ses réprimandes.

Eusèbe Tourville était prisonnier. Chaque soir sa sœur le fixait d'un regard moqueur et d'un geste délibéré déposait les clés de l'appartement au fond d'un vase chinois. C'était un rite signifiant que s'il désirait sortir, il en passerait par son assentiment ou son refus. Eusèbe Tourville déchiffrait clairement ses pensées : « Tu te crois libre, mon pauvre Eusèbe. Tu n'as pas la moindre chance. » Il lisait l'amusement sur son visage affable.

Mais Eusèbe ne s'amusait pas. Privé de tabac, d'apéritif, de journaux, de courses de chevaux, il dépérissait. Avant cette maudite grève, le dimanche, dès le matin, il filait à Longchamp, quand ce n'était pas à Auteuil ou à la Croix-de-Berny. Il empruntait le train, mêlé aux nuées du populaire, aux bookmakers, aux palefreniers, aux pickpockets. Sur les pelouses, mail-coaches, breaks et fiacres déversaient leur cargaison de gentlemen et d'élégantes. Il aimait cette atmosphère enfiévrée et la comparait à celle d'une salle de casino. Il gagnait rarement, mais quand c'était le cas, son gain lui permettait de combler Anaïs de menus cadeaux pour se l'attacher davantage. Quel plaisir d'assister au défilé des jockeys et des chevaux devant les tribunes, de sentir son cœur palpiter lorsque le starter ordonnait le départ. À présent, macache ! Il était captif, sans le sou, recueilli par humanité. Cependant, à force de ruse, il avait réussi à conserver le reliquat de sa dernière paie : vingt francs, au chaud dans la doublure de sa redingote. Depuis son emménagement, il ravalait son orgueil et se contentait de suivre les allées et venues du boulevard à travers les vitres closes.

Ce jour-là il eut le réveil mauvais. Il éprouva l'impérieuse nécessité de respirer les odeurs de la ville. Juste une évasion de quelques heures loin de cette harpie qui l'empoisonnait à feu doux. Après tout, que risquait-il ? Un sermon ? Il l'encaisserait sans broncher. Les yeux embués de sommeil il se souvint brusquement que c'était le jour d'arrivée de la nouvelle bonne, la troisième en six mois. Enfin, l'instant propice à une fugue avait sonné !

Il s'habilla à la hâte. L'oreille collée au battant de la porte il entendit un branle-bas, des voix confuses. Le concierge traînait un bagage dans le vestibule, sa sœur pilotait la soubrette de pièce en pièce et lui indiquait l'ouvrage.

— Voici votre chambre, annonça-t-elle.

Eusèbe Tourville ne put retenir un ricanement. La prétendue chambre n'était qu'un étroit réduit éclairé par un châssis débouchant sur un boyau de cuisine, meublé d'un lit de fer avec deux matelas en galette, d'une chaise de paille et d'une penderie déglinguée.

— Ne perdons pas de temps, ma fille, allumez le poêle, signifia sa sœur sans aménité. Vous ne penserez qu'à votre ouvrage, pas de roman à l'eau de rose ou autres niaiseries. Lire abîme la vue et l'on casse la vaisselle !

Eusèbe Tourville en profita pour tourner sans bruit le loquet du salon. D'un geste vif il renversa le vase, cueillit les clés et fourra une minuscule statuette en biscuit dans sa poche, il la monnaierait au brocanteur de la rue d'Aligre.

« La probité tient à la dispense de besoins », songea-t-il sans l'ombre d'un remords.

— Venez voir où se serrent les serpillières et le balai. Et je vous défends bien d'ouvrir les fenêtres ! Un rhume est vite attrapé !

— Oui, Madame.

En trois pas silencieux Eusèbe atteignit la porte palière.

— Pour servir à table vous passerez un tablier blanc. Vous êtes vêtue comme l'as de pique ! Voilà une toque grotesque et une robe trop moulante. Je vais visiter votre malle.

— Oui, Madame.

Déserter, enfin ! Eusèbe Tourville bondit dans l'escalier, abandonnant avec jubilation sa sœur et son ilote.

Lorsqu'il parvint à la place de la Bastille, il ne fut pas peu fier d'avoir échappé à la vigilance de sa geôlière. Elle avait évoqué le souvenir d'Anaïs et tout naturellement ce fut vers elle que le guida le premier omnibus qu'il emprunta. Le véhicule était à moitié plein, il repéra une place dans le fond, près de la vitre. Il allait en prendre possession quand une secousse le projeta contre l'opulente poitrine d'une dame qui poussa les hauts cris.

— Maniaque ! Satyre ! Elle est forte, celle-là !

— Pardonnez-moi, dit-il en soutenant l'œillade complice d'un passager.

Tête basse, les jambes en coton, il rebroussa chemin et se tint près de l'escalier de l'impériale. Il n'eut que vaguement conscience de la présence de la personne à son côté et se concentra sur l'animation des Boulevards.

— Billet s'iou plaît !

Eugène Tourville sursauta. Il eut un mal fou à extirper une pièce de la doublure de sa redingote, s'excusa auprès du conducteur flegmatique et demanda un aller jusqu'à la station Javel.

La traversée de Paris lui prit plus d'une heure durant laquelle il tenta vainement d'aligner ses idées, mais sa situation lui parut sans issue. Il descendit non loin de la rue Gutenberg et se précipita vers un bâtiment tout en brique et ciment. Là était installée une fraction des services téléphoniques. La personne assise à son côté lui emboîta le pas, le regarda s'éloigner et alla se poster sous l'auvent du bureau des omnibus.

Les surveillantes reconnurent Eusèbe, s'étonnèrent de ne pas l'avoir croisé depuis si longtemps et l'autorisèrent à accéder à l'une des salles rectangulaires dont les demoiselles occupaient le milieu. Ainsi que ses compagnes, Anaïs, une maigrichonne châtain au visage aplati, était coiffée d'un récepteur en aluminium et passait son temps à introduire la fiche d'un double cordon dans la cavité correspondant au numéro d'un des quatre-vingts abonnés la contactant, sur les six mille que comptait le central. Elle établissait ensuite la communication avec le numéro d'ordre du bureau requis, Wagram ou Opéra par exemple, qui à son tour la faisait suivre. L'opération exigeait plusieurs minutes. Grâce à Anaïs, Eusèbe savait pourquoi les numéros téléphoniques se composaient de cinq chiffres. Si l'on voulait le 134-28, le 1 était le numéro du bureau, le 28 celui de l'abonné classé dans la 34e centaine. Eusèbe appréciait l'ingéniosité de ce système. Il avait été fier qu'une femme aussi intelligente qu'Anaïs s'intéressât à lui.

Il lui toucha l'épaule et dégagea ses oreilles.

— Ben d'où tu sors ? J'ai cru que t'avais émigré pour l'Amérique. Je n'ai pas le temps de causer, voyons !

Elle réajusta son casque. De nouveau, il lui effleura l'épaule.

— Mme Dupré m'a dit que ta voisine de droite pouvait te remplacer quelques instants.

— Quoi ? J'entends que couic.

— Enlève ce machin.

À contrecœur, elle le suivit au bout de la salle où se tenaient les surveillantes.

— Ce n'est pas ma faute, je suis au chômage, et en plus j'ai des ennuis, mais tu me manques, je serais comblé si on recommençait à se fréquenter…

Elle fronça le nez avec dédain.

— Nous autres, ici, on ne s'amuse pas à mener des grèves. J'empoche dix francs par jour pour cent cinquante-huit jours de travail par an, c'est une position privilégiée, même si une fois par semaine je dois marner de sept heures du matin à neuf heures du soir. Tous les quinze mois je serai augmentée de cent francs jusqu'à ce que je perçoive dix-huit cents francs mensuels, et j'aurai une bonne retraite. Tandis que toi, t'es sur une voie de garage, monsieur zéro, quoi !

— Je m'en tirerai, je te le jure, et nous pourrons envisager de…

— Assez ! Les promesses, j'en ai mon content. Je veux du concret. Hervé est comptable, il a des égards, lui.

Elle lui tourna le dos et alla se rasseoir.

Lorsque Eusèbe Tourville quitta le bâtiment la mine déconfite et l'échine voûtée, la personne embusquée sous l'auvent du bureau des omnibus pensa qu'il eût été facile de l'aborder, n'eût été la survenue inopinée d'un fardier qui boucha la rue Gutenberg et empêcha la rencontre. Quand l'ex-facteur redevint visible, il grimpait déjà dans un second véhicule. Souffrait-il du démon des voyages ? Pas d'hésitation, il fallait le pister dare-dare. Cette deuxième équipée les conduisit dans le Ier arrondissement, à l'hôtel des Postes, qui occupait un vaste quadrilatère compris entre les rues du Louvre et Étienne-Marcel. Patienter à l'extérieur, cela devenait lassant. Le froid mordait, il allait neiger. Heureusement, une guérite se dressait près de la sortie des tilburys et des fourgons des facteurs ambulants d'où l'on avait une vue panoramique.

Les grillages qui, dans les autres postes, protégeaient les bureaux avaient été supprimés, ce qui permettait au public de parler plus facilement avec les employés. Spacieuse, très claire, la salle principale était un lieu accueillant où l'on avait mis à la disposition des clients des tables et des banquettes pour qu'ils rédigent leur correspondance.

Eusèbe se dirigea vers un guichet en bois patiné où reposait une balance derrière laquelle une préposée oblitérait des enveloppes avec une machine Daguin.

— Bonjour, Martine, Gérard est là ?

— Toi ! Fais-toi transparent, sinon on va te virer fissa, les supérieurs n'arrêtent pas de t'accommoder à la sauce piquante en affirmant que t'étais un des meneurs !

— Il est où, Gérard ?

— Dans le fond, aux pneumatiques.

Cet ensemble de tubes parcourus de curseurs acheminés par déplacement d'air, encore une invention qui enthousiasmait Eusèbe. Le réseau, placé dans les égouts, reliait les bureaux télégraphiques. Il s'imagina minuscule, propulsé sous le sol de la ville à la vitesse de six cents mètres la minute. Jamais Clarisse ne le localiserait.

— Alors, c'est moi qui suis le bouc émissaire ? demanda-t-il à son ami qui enfournait une trentaine de lettres à l'intérieur d'un curseur...

Depuis un quart d'heure, la personne en faction sous la guérite s'était tapie à côté des portes du grand bâtiment et cherchait Eusèbe Tourville des yeux au milieu des innombrables visages qui défilaient.

Là, c'était lui, bras dessus bras dessous avec un de ses copains. La personne qui avait escorté Eusèbe Tourville à son insu eut un geste d'humeur. À deux reprises, son plan avait été contrecarré, c'était raté, il fallait se résigner à repousser l'exécution du projet. Cela impliquait une diligence peu compatible avec les exigences quotidiennes. Délicat à mettre au point. Délicat, mais réalisable.

Des chalets à touche-touche qui n'avaient rien de suisses surplombaient la rue Caulaincourt et lançaient leurs escaliers d'un buisson à l'autre. Même desséchés, les arbres calmèrent la peur de Louis Barnave. La nuit précédente, aucun fêtard n'avait réclamé son assistance, et il eût joui d'un sommeil réparateur sans la persécution d'un cauchemar récurrent. Un poignard trouait le brouillard, pointait vers lui sa lame et s'enfonçait lentement dans sa gorge. Il essayait de crier et s'éveillait, aphone, en sueur, le palais en feu. Il dépassa le bosquet où le caricaturiste Charles Léandre effectuait quelquefois des battues dans le maquis. Les habitants protestaient contre ces chasses aux matous, aux limaces ou aux tortues orchestrées d'olifants et de pétoires inoffensives.

Louis Barnave regagna le lacis de la Butte. Rue Cortot, il pénétra dans l'étable d'un nourrisseur qui, pour quelques sous, lui vendit un gobelet du lait d'une de ses vaches. Il s'engagea plus avant dans la venelle bordée de palissades couvertes de graffiti. « Nini aime Gaston », « Les cognes sont des tartes », « Prépare-toi à enfiler une cravate de chanvre, Léonard », « La fin du monde est pour demain », « Philibert est un cornichon », telles étaient quelques-unes des inscriptions gravées dans le bois noirci, sous les cimes des arbustes dominant les murs fendillés.

Une suite de raidillons le mena place du Tertre où il mit le cap sur *Bouscarat*.

Dix minutes plus tôt, Joseph s'y était risqué. Il espérait rencontrer le vieil original qui hantait le *Cabaret du Néant* et avoir avec lui une conversation au sujet de sa marotte, le temps. Un homme à la mise élégante occupé à boire des chopines en solitaire émit une exclamation.

— Bigre ! N'est-ce pas là Joseph Pignot, le célèbre romancier ?

— À qui ai-je l'honneur, monsieur ? s'enquit Joseph, flatté. Mais pardon, vous ressemblez à Maurice Laumier !

— Je suis cet illustre imbécile. Asseyez-vous.

— Un imbécile ? Allons donc ! N'êtes-vous pas propriétaire d'une galerie où le gratin court admirer la peinture moderne ?

— Seulement gérant, mon cher. Oui, je suis devenu un type respectable, c'est exact. Mais quel guignon ! J'ai perdu tous mes anciens amis et leurs successeurs ne valent pas tripette. Tuile suprême, je vais être papa.

— Excellente nouvelle ! Les enfants, c'est une bouffée d'air pur, j'en ai deux, croyez-moi sur parole.

— J'aurais préféré respirer plus longtemps un air moins pur. Nous serons bientôt à égalité, Mimi va accoucher de jumeaux à ce que prétend la sage-femme. Me voici prisonnier du beau rêve que je convoitais, une existence rangée, un compte en banque garni, une famille. Et on appelle ça le bonheur ! Du chiqué. Le destin m'a infligé les menottes, terminée la rigolade.

— Vous traversez une phase pessimiste, ça ne durera pas, rien ne dure. Prenez ces deux infortunés saignés impasse du Cadran, ils avaient la vie devant eux. À propos, pourrais-je m'entretenir avec un certain Louis Barnave ? On m'a assuré qu'il fréquente cet établissement.

— Vous avez une chance de cocu.

— Iris m'est fidèle, bien que vous l'ayez jadis courtisée.

— Vous vous méprenez, c'était une métaphore. Il se rue vers nous, le bonhomme obsédé par les comètes. Je vous abandonne, je ne supporte guère ses prophéties.

— Il en a une trogne, on jurerait un ruffian.

— Foin de vos feuilletons, c'est juste un ange gardien, un minus en somme.

En deux temps trois mouvements, Maurice Laumier sortit de chez *Bouscarat* au moment où Louis Barnave s'y échouait.

Joseph attendit qu'il se fût affalé sur une chaise pour se présenter. Un regard ombrageux sous des sourcils touffus le jaugea rapidement. Lame repliée, un couteau fut posé sur la table.

— Je n'osais envisager la possibilité de lier connaissance avec vous, monsieur Barnave ! Je ne suis pas persuadé que l'univers atteindra son terme le 13 de ce mois, frappé par un astre vengeur. M'autorisez-vous à vous offrir une consommation et à échafauder des hypothèses en votre société ?

Ce langage ampoulé accentua l'hostilité de l'ange gardien.

« Encore un pisse-copie. Gaffe à ce qu'on leur dit à ceux-là, ils vous embobinent avec des questions oiseuses et s'ils ne dénichent rien de croustillant, ils inventent des craques pour débiter leur canard. »

— Me permettez-vous de vous parler sans ambages et de m'asseoir là ? insista Joseph.

— Propriété privée, grogna Barnave. J'n'ai rien à vous divulguer de sensationnel, j'suis amnésique.

— On raconte que vous colportez des histoires à donner le frisson, la fin du monde…

— C'est des bobards. Y a une paye que c'est la fin du monde ! Zyeutez autour de vous. Auparavant, ici, paraît qu'il y avait la mer. Et qu'est-ce qu'ils font depuis des lustres ? Ils construisent un chou à la crème pour prier le bon Dieu de les avoir sauvés des Prussiens et maintenant c'est la comète ! Mais elle s'en fout, la comète, elle va son train. Si m'en croyez, il n'y a qu'un truc pour vous requinquer, c'est le pinard !

Le sourire de connivence sur le visage enthousiaste de l'inconnu eut raison de sa défiance.

— Comment vous connaissez mon nom ?

— C'est mon ami le peintre Maurice Laumier qui me l'a révélé.

— Il ferait mieux de tenir sa langue, le barbouilleur. Si c'est vous qui douillez, ça biche. Un grand café arrosé d'une rasade de gnôle. Et deux tranches de pain tartinées de beurre et non de saindoux.

Le garçon acquiesça de loin, il redoutait cet énergumène. Joseph s'installa, narines pincées afin de ne pas humer le fumet que dégageait la houppelande encrassée.

— Ben et vous, qu'est-ce que vous pompez ? Vous n'allez tout de même pas faire flanelle ?

Joseph hésita. L'alcool avait sur ses esprits un effet dévastateur.

— Un banyuls.

Louis Barnave garda un silence réprobateur, puis il se pencha et approcha son visage de celui de Joseph.

— C'est un remède d'apothicaire, ça va vous ruiner la santé !

— Euh… Un Picon-fraise ?

Louis Barnave renifla.

— Un apéritif de gonzesse ! Vous avez tort, faut en profiter avant de vous balader dans les vallées de l'ombre de la mort et c'est pour bientôt ! Hé, le loufiat, affole-toi ! Un mêlécasse pour ce quidam, c'est plus approprié à un homme, à condition que ça soye pas noyé dans le sirop !

Le garçon livra la commande et fila. Joseph trempa à peine les lèvres dans son breuvage.

— Alors, mon prince, qu'est-ce qui vous pousse à tailler une bavette avec moi ?

— Le bruit court que vous vous réjouissez de l'échéance ultime, monsieur Barnave. De quel forfait Saturne s'est-il rendu coupable à votre encontre ?

— Saturne ? Cré-vingt Dieu, c'est pas un de mes potes ! Il m'a pourri l'existence. S'il avait pris le temps de prendre son temps, tous les gens qui m'étaient chers ne seraient pas en villégiature boulevard des allongés.

Une veine se gonfla sur son cou. Il tapa du poing sur la table, saisit son couteau, déplia la lame et la planta dans le bois.

— Qu'on en finisse et que cette humanité de mollusques qui trimbale sa peau dans l'espoir d'épater les voisins avant de les étouffer, eh ben, qu'elle crève ! Vive le 13 ! Plus y aura de victimes, plus je me tiendrai les côtes. Quoi ? Qu'est-ce qu'y a ? C'est mon surin qui vous fait peur ? Mais mon surin, il est inoffensif en comparaison des mitrailleuses et des canons ! La guerre, ça dépote. Dites-moi, monsieur le fouineur, avez-vous jamais enfoncé une baïonnette dans l'estomac d'un ennemi ?

— Jésus-Marie-Joseph, non !

— Ne prononcez pas ces noms à la légère, je suis pointilleux sur la religion.

— Je voulais juste…

— La ferme ! Vous n'êtes qu'un blanc-bec, vous n'avez jamais étripé qui que ce soit, moi, si. Eh ben, je peux vous l'affirmer, c'est facile, on s'y fait très vite. On braque, on charge, et hop, le gars d'en face va becter les pissenlits par la racine et sans vinai-grette ce doit être amer !

Louis Barnave récupéra son couteau et s'en servit pour se curer les ongles.

— Qu'vous y croyiez ou non, j'm'en cogne ! conclut-il, très attentif à la progression d'un cafard le long d'une tuyauterie.

Joseph exploita cette trêve pour vider le contenu de son verre sous la table.

— On remet ça ? proposa Louis Barnave, la prunelle étincelante. Bistouille et pain beurré ?

— Pour vous, oui. Moi, ça ira.

— Chouette, votre obligé, jeune homme. Je vais tenir une cuite maousse et rentrer chez moi avec des souliers à bascule, comme ça je sauterai en marche dans mon pucier et j'oublierai ce cloaque ! Vous allez casser votre pipe en chœur et moi, je danserai sur vos cadavres !

Joseph sentit le sang lui monter aux joues. Ce type le menait en bateau, il fallait le coincer tout en douceur, il fallait que Victor le voie, qu'il se rende compte. Il lâcha la première idée qui lui passait par la tête :

— J'espère en tout cas que vous serez dispos demain soir, je vous invite à m'accompagner au *Cabaret du Néant*.

La suspicion crispa de nouveau les traits de Louis Barnave.

— Pourquoi justement au *Néant* ? Ça serait-y un traquenard de René Cadeilhan ?

— Cette allusion me réduit à quia.

— Pouvez pas causer français comme tout le monde ?

— Un de mes amis et moi éprouvons l'envie d'explorer ce lieu dont vous êtes un fidèle. Nous redou-tons de nous y hasarder, vous seriez notre cicérone.

— Votre quoi ?

— Notre guide et protecteur. Il y a déjà eu deux morts dans le quartier, agressés par un certain Firmin Cabrières. Ce monstre a peut-être des comparses.

— Un assassin, le Firmin ? Foutaises ! Ces crimes-là ça exige un peu plus de doigté et de matière grise que n'en possède ce mariolle. Dessiner, c'est une chose, trucider, une autre ! Mais entre nous, le *Néant*, c'est de la frime.

— Je n'en doute pas, mais mon ami et moi sommes bon public. Et puis nous contemplerons de visu l'affiche qui fait jaser.

— C'est qu' j'travaille, moi, le soir !

— Vous travaillez où ?

— Partout où la bibine coule à flots, j'suis ange gardien.

— Si je ne me trompe, on boit sec au *Néant*. Ça va chercher dans les combien d'escorter un soûlographe à son domicile ?

Le visage de Louis Barnave se détendit. Il parut comprendre ce que Joseph visait à obtenir de lui.

— Vous pourriez faire d'une pierre deux coups. Je vous paie, et si vous trouvez un client, vous doublerez votre salaire, insista ce dernier.

— Ce sera cinq balles. La moitié maintenant.

Joseph s'exécuta.

— Topez là, mon prince, demain soir, cochon qui s'en dédit. Seulement radinez-vous à l'heure parce que sinon on me refoulerait, j'ai mauvaise réputation au *Néant*.

Il repoussa son bol.

— Ce café m'emporte la gueule ! Encore merci, je suis calé, aujourd'hui au moins je me brosserai pas le ventre ! Au fait, c'est quoi, votre nom ?

Joseph lui remit un bristol. Louis Barnave l'empocha ainsi que son couteau et tituba jusqu'à la porte qu'il claqua derrière lui. Le garçon alla ostensiblement la rouvrir en s'éventant avec un menu.

— Dame ! Faut aérer, ça fouette.

Joseph opina et régla l'addition. Il avait hâte de narrer cet entretien à Victor qui serait sûrement d'accord avec lui : l'ange gardien était nanti des qualités requises pour constituer un parfait criminel.

Gérard, le préposé aux pneumatiques, s'était envolé depuis plus d'une heure, pourtant Eusèbe Tourville ne se résignait pas à regagner l'appartement de sa sœur où le guettait un triste couple, le Devoir et le Reproche. D'avance il subissait les remontrances que réciterait Clarisse, le dîner qui lui alourdirait l'estomac pendant qu'elle le traiterait de sournois et de médiocre, le repli au sein d'une chambre envahie de meubles massifs prêts à fondre sur lui et à le broyer.

Aussi s'éternisait-il dans le petit bar de la rue du Louvre où son ami et lui avaient savouré une absinthe. La chaleur dispensée par l'alcool l'engourdissait, il observait les évolutions discrètes des serveurs au milieu des boiseries et des cheminées bourgeoises. Deux Italiens bavardaient avec force gestes, un journaliste rédigeait fébrilement sa copie. Une grosse dame croulant sous des bijoux de pacotille dignes d'un capitaine négrier louchait vers tout mâle susceptible de s'amouracher d'elle.

— Une autre verte, monsieur ? s'enquit un garçon.

Eusèbe Tourville refusa, s'acquitta de la note et affronta l'extérieur.

Un crépuscule humide intensifia sa mélancolie. D'une démarche incertaine il se frayait un chemin parmi le flux des employés anxieux de se terrer dans leurs tanières. Était-il le jouet d'une hallucination, ou la silhouette d'une femme trottinant devant lui s'affaissait-elle soudain à terre ? Il s'empressa, l'aida à se relever, lui-même près de choir.

— Aïe ! Ma cheville… Une entorse, zut, il ne manquait plus que ça ! s'exclama-t-elle sans un remerciement.

— Appuyez-vous à moi, il y a un banc.

— Il s'agit bien de me la couler douce ! On m'attend, figurez-vous.

— J'essaie simplement de vous soulager.

À la lueur d'un réverbère, il distingua un visage encadré de cheveux bruns sous un bibi à fleurs. Elle n'avait guère plus de trente ans. La rudesse de ses traits était atténuée par la sensualité de sa bouche.

— Excusez-moi. Vous êtes fort aimable. Je vais me débrouiller seule.

Elle se laissa néanmoins mener jusqu'au banc.

— Vous boitez. Désirez-vous un fiacre ?

— C'est que… je crains de n'avoir pas assez d'argent sur moi.

— Soyez sans inquiétude, je réglerai la course. Vous allez loin ?

— Boulevard de Clichy.

— Je vous propose de vous y déposer, puis je garderai le véhicule.

— Je ne saurais consentir.

— Je comprends votre prudence, cependant n'interprétez pas mon offre comme une tentative de flirt, je suis serviable et sérieux.

Elle l'examina et émit un rire moqueur.

— Sérieux, ça oui, vous l'êtes ! Je ravale mes scrupules et mes alarmes.

Une voiture jaune de l'Urbaine conduite par un cocher à redingote mastic et haut-de-forme blanc

174

ralentit à leur niveau. La lanterne bleue éclaira la jeune femme, à présent beaucoup moins rétive.

Sitôt qu'elle fut recroquevillée au coin de la banquette cannée, elle plaqua ses souliers sur les briquettes de chauffage installées l'hiver dans les voitures publiques.

— Ça tempère la douleur, dit-elle.

Malgré l'odeur confinée, mélange de tapis poussiéreux et de cuir moite, Eusèbe Tourville éprouvait une joie jugulée en lui depuis longtemps. L'aventure l'avait saisi au collet.

— Nous reverrons-nous, au cas où vous auriez des problèmes ?

— Quel genre de problèmes ? Vous ne manquez pas de toupet ! Notez toujours votre adresse.

Il noircit à grand-peine la page d'un carnet.

Le fiacre les secouait, surtout quand le macadam se muait en pavé, et leur arrachait des sourires gênés en les projetant l'un contre l'autre. Eusèbe rêvait de baisser les stores et d'embrasser sa compagne, mais n'osait pas. Il croisait les doigts pour que la course ne finisse jamais. Hélas, une demi-heure plus tard ils abordaient le IXe arrondissement.

Lorsque le fiacre s'immobilisa, la mère Anselme discutait avec Hilaire Lunel et la veuve Foulon sur le seuil de l'épicerie. Sur le trottoir opposé, ils aperçurent une femme qu'ils nommèrent en même temps bien qu'elle leur tournât le dos :

— Catherine !

Elle donnait le bras à un inconnu qui l'escorta jusqu'à sa porte devant laquelle ils conversèrent un instant, puis l'homme se dirigea vers le fiacre.

— Ben ça alors, pincez-moi et je serai convaincue de ne pas avoir déliré. Quelle coureuse ! Le René Cadeilhan, il va sentir pousser ses cornes !

— C'est peut-être un parent éloigné, suggéra la mère Anselme.

— Éloigné ou proche, qu'importe. Si le René apprend la chose, il bottera le train du bonhomme ! assura Hilaire Lunel.

— Faudrait qu'il le débusque. Bah, ça lui fera les pieds, au Cadeilhan, son chien persiste à accumuler des offrandes sur mon trottoir, un de ces quatre je vais prendre un billet de parterre, et bonjour l'hôpital ! répliqua la veuve Foulon en haussant les épaules.

CHAPITRE XI

Victor ne résista pas au plaisir de parcourir le parc Monceau où de rares nourrices poussaient des landaus en cette journée presque hivernale. Il se rappelait avec nostalgie une incursion en 1889 dans ces parages où il suivait Tasha qu'il n'avait pas encore conquise. Il gagna la rotonde, ancienne barrière de Chartres, sur le boulevard de Courcelles, et n'eut aucune difficulté à remonter la rue de Phalsbourg puis la rue Cardinet jusqu'au boulevard Malesherbes où se dressait le lycée Carnot. Il pria le portier de prévenir le proviseur qu'un journaliste du *Passe-partout* souhaitait lui poser des questions.

— Vous tombez mal, répondit le portier. M. le proviseur, qui soit dit en passant a déjà accordé une foule d'interviews à ces messieurs de la presse, est auprès de sa femme alitée. Revenez une autre fois.

— Pourriez-vous me noter son adresse ?

— Certes, mais faudrait-il que j'en eusse envie, rétorqua l'homme en se claquemurant.

Déçu, Victor stationnait sur le trottoir, cherchant une manière de s'introduire dans la place.

— Psst ! Monsieur ! souffla-t-on dans son dos.

Il avisa un adolescent d'une quinzaine d'années, les cheveux en bataille, les joues piquetées de taches de son.

— Je suis un élève de Charles Tallard. C'est à son sujet que vous êtes là, non ? Je suis Guillaume Massabiau.

— Pourquoi n'êtes-vous pas en classe ?

Guillaume Massabiau servit à son interlocuteur le premier bobard venu qui traduisait son vœu le plus cher.

— C'est rapport à mon père, il est décédé hier, crise d'apoplexie.

— Je suis désolé, mon garçon, repartit Victor, surpris qu'un orphelin manifestât si peu de tristesse. Puisque le proviseur de votre lycée est absent, sauriez-vous m'indiquer où demeurait votre maître ?

— Ça non, en revanche il lézardait dans un café de la rue Jouffroy, le *Domisiladoré*. Il s'y divertissait avec Wilfred Fronval, un vieux libidineux champion de dominos.

Victor remercia l'adolescent, qui semblait bien renseigné sur les habitudes de son professeur, et s'étonna soudain qu'il ne portât pas un brassard de deuil.

Guillaume Massabiau le regarda partir.

— Que le diable te patafiole, Charles Tallard ! Ça t'apprendra à m'avoir tyrannisé et fait renvoyer trois jours.

Le *Domisiladoré* s'apparentait davantage à un cabaret qu'à un débit de boissons. Sur sa devanture peinte en rouge vif voletaient des portées noires couvertes de doubles croches et de clés de sol. Des harpes, des flûtes, des guitares et des trompettes jaunes occupaient le moindre espace libre de cette décoration. Afin que nul n'en ignorât, sous le nom du bistrot était tracée cette profession de foi :

Toi qui entres te désaltérer en ce lieu
Sache que l'art musical y est l'égal d'un dieu.

Dans la salle, de petites proportions, trois hommes isolés sirotaient un digestif. Un appétissant arôme de riz et de crustacés chatouilla les narines de Victor. Il se tassa derrière la vitre et héla un garçon en tablier bleu. L'individu, en dépit d'une cinquantaine marquée, arborait une allure juvénile due à ses cheveux paille coiffés en toupet et à sa jovialité. Il se déplaçait un accordéon en bandoulière.

Qu'est-c'qui passe ici si tard,
Compagnons de la Marjolaine,
Qu'est-c'qui passe ici si tard,
Gai, gai, dessus le quai ?

— Je vous demande pardon ?
— C'était une façon rythmée de vous avertir que si vous êtes en quête d'un repas, chou blanc !
— Tant pis, je me contenterai d'un vermouth cassis, concéda Victor dont l'estomac protestait.

Buvons un coup, buvons-en deux,
À la santé de ces messieurs !

rétorqua le serveur.
— Cornélius, chante plutôt à ce client tardif :

J'aime la galette, savez-vous comment ?
Quand elle est bien faite, avec du beurre dedans !

lança une voix haut perchée.

Une forte femme à la tignasse rouge vêtue en Bretonne jaillit de la cuisine. Elle n'avait pas l'intention de se priver de ce séduisant pékin à la fine moustache et à l'œil qui frisait.

C'était Anne de Bretagne, duchesse en sabots

fredonna-t-elle, plantée devant Victor. D'un ton soudain belliqueux, elle le provoqua :
— En quel ton ? Allez, allez !
— Euh…
Tentatrice, elle insista :
— Si vous me donnez le ton, une consommation offerte… Tendez l'oreille :

Revenant de ses domaines…

« Alors ?
— En *do* mineur, proposa Victor.
— Perdu.

… avec ses sabots dondaine

s'égosilla à son tour Cornélius.

— Dois-je comprendre que vous allez me préparer des crêpes ? s'informa Victor d'un ton morose.
— Hors de question, gracieux gentilhomme ignare, vous êtes dans le palais de Dame Tartine, dite Caroline Montoire, dont le grand-père maternel était originaire de Douarnenez mais les ancêtres paternels de Séville, olé !

L'amour est enfant de bohème
Il n'a jamais jamais connu de loi…

acheva-t-elle en modulant cette affirmation sur un mode suraigu. Puis elle fonça vers sa cuisine.

— Emma Calvé est un microbe à côté d'elle, souligna Cornélius.

Ses doigts caressèrent les touches de l'accordéon.

— Ma patronne va vous régaler d'une portion de paella, c'est un honneur réservé à ses hôtes de marque.

Les trois autres clients soupirèrent avec résignation. Cinq minutes ne s'étaient pas écoulées que Caroline Montoire revenait, un plat enveloppé d'un torchon dans les mains. Cornélius dressa le couvert et l'assiette de Victor fut emplie de paella et son verre de vin vermeil.

— Pour ne point déroger à une vieille habitude, je trinquerai avec vous, décréta la patronne s'asseyant face à Victor. À la vôtre. Est-ce le hasard qui vous a conduit ici ?

La bouche pleine, Victor déglutit avant d'expliquer avec un maximum de courtoisie.

— Votre café attire irrésistiblement l'attention. Pourtant, l'honnêteté me contraint à vous avouer que…

— Tatata, je le conjecturais !

La destinée, la destinée, la rose au boué !

chantonna-t-elle.

— Je suis journaliste, je rédige un article concernant Charles Tallard qui, sans doute l'avez-vous lu, a été assassiné.

— Malheureux jouvenceau ! Qu'allait-il fabriquer à Montmartre ?

Quand l'âme fuit le corps
Elle murmure en s'envolant :
« Je m'en vais te quitter
Mon pauvre corps pour bien
longtemps… »

— Un de ses élèves a eu l'obligeance de m'indiquer votre établissement et de m'informer qu'il y côtoyait un certain Wilfred Fronval.

Caroline Montoire se leva sur-le-champ, indignée.

— Il ne vous a pas menti ! J'avais beau lui décocher mes plus noires œillades, au marchand de timbres à la retraite, il s'obstinait à traîner ses guêtres chez moi. Un inverti ! La honte du genre masculin ! brama-t-elle en grimaçant.

Cornélius égrena sur son instrument une ritournelle en manière de diversion. Son expression égrillarde incita Victor à songer que le sieur Fronval lui était plutôt sympathique.

— Je cherche néanmoins à le joindre.

— Ce n'est pas moi qui vous prêterai la main, j'ignore son domicile. Il s'est évanoui dans la nature, preuve qu'il a la conscience lourde. *Kenavo*, les dominos. *Terminado* le déjeuner, je ferme, ouste ! Réglez la note à Cornélius.

Désappointé, Victor déposa sa carte de visite sur le comptoir, au cas où Wilfred Fronval reviendrait. Satisfait du généreux pourboire, Cornélius lui fit un clin d'œil.

— Je sais où crèche M. Fronval, chuchota-t-il. 17, rue Ampère, deuxième étage droite.

Victor hocha le menton, en signe de reconnaissance.

Jamais Wilfred Fronval n'avait été atteint d'une telle aboulie. La faim seule l'avait arraché à ses pénates, il avait assumé la corvée du ravitaillement en rasant les murs et s'était dépêché de se calfeutrer chez lui. Tout juste s'il avait eu la force de ranger sur une étagère les légumes, la baguette et les œufs fourrés dans son filet.

Ces efforts accomplis il s'était morfondu une demi-heure sur son divan avant de contempler une série de timbres espagnols à l'effigie d'Isabelle II datant de 1851. Il était particulièrement fier de posséder enfin une planche du six reales bleu et rêvait d'acquérir une série rarissime comportant une erreur, l'introduction d'un cliché de deux reales dans une planche analogue.

Mais l'excitation s'éteignit rapidement dès qu'il se remémora le sort affreux de Charles Tallard. Que n'avait-il été plus audacieux ! Sans aucune chance d'enjôler le jeune professeur, il aurait dû se confier à lui, être plus explicite, quitte à être humilié par un refus direct. Au lieu de s'effacer, il eût été bon d'insister et d'avoir une conversation au cours de laquelle il lui aurait livré ses problèmes et ses obsessions. Il se révoltait à l'idée que la mort avait fauché celui qu'il aimait tant sans qu'il ait compris que lui, Wilfred, le vénérait et le plaçait sur un piédestal que nul geste déplacé n'eût renversé.

Égorgé comme un vulgaire animal au fond d'une impasse ! Quel être avait été assez vil pour perpétrer pareille horreur ? Et si on l'accusait, lui ? Si on le dénonçait à la police en soulignant ses goûts amoureux ? La patronne du *Domisiladoré* le haïssait, elle était capable du pire. Par bonheur, Cornélius éprouvait de l'attirance à son égard, sans doute parce qu'ils étaient du même bord. Aurait-il le courage de contrer sa patronne ?

On frappa, son cœur tressauta. La main de la justice, déjà ? Il entrebâilla, étudia l'homme affable qui, soulevant un chapeau informe, le rassura d'un sourire.

— Monsieur Fronval ?

Wilfred acquiesça.

— Le serveur du *Domisiladoré* m'a fourni votre adresse. Je me nomme Victor Legris, je suis journaliste, et je m'intéresse à l'entourage de Charles Tallard, dont vous étiez l'ami. Souffririez-vous de m'accorder quelques minutes ?

Après une légère hésitation, le passage fut libéré. Victor fut prié de s'asseoir sur un divan submergé de coussins. Il eut du mal à caser son dos et croisa les jambes afin de conserver l'espace conquis.

Wilfred Fronval repoussa avec délicatesse une mèche de cheveux argentés et reboutonna son gilet.

— Je ne vous serai pas d'un grand secours. Charles Tallard habitait à côté, c'est ainsi que nous nous sommes liés, nous disputions parfois une partie de dominos au café, et, quand son métier – un sacerdoce – lui octroyait une récréation, nous feuilletions ensemble mes classeurs de timbres.

— Vous êtes collectionneur ? demanda Victor, feignant une vive curiosité envers un hobby qui l'ennuyait profondément.

— J'ai longtemps exercé ce négoce au marché des Champs-Élysées, et bien sûr j'ai sauvegardé les plus belles pièces. Auriez-vous envie de parcourir mes albums ?

— Volontiers, un autre jour. Charles Tallard avait-il selon vous une raison d'aller nuitamment à Montmartre ?

Wilfred Fronval se gratta la joue et profita de ce moment de réflexion pour inventorier les charmes de ce visiteur inattendu. Les sublimes yeux noirs ! Quelle moustache élégante ! Et combien ces rides qui se creusaient sur son front dès qu'il parlait ajoutaient à sa séduction !

— J'ai été le premier étonné qu'il se fût commis dans ce quartier licencieux. J'ai d'abord pensé qu'il allait rejoindre une maîtresse. Puis je me suis souvenu de son péché mignon : les courses de chevaux, et je me suis dit qu'un informateur réservé lui avait proposé un rancard pour lui communiquer des tuyaux sur de prochaines courses. Il se rendait souvent à Longchamp.

Victor tressaillit. Les courses de chevaux ! Il avait totalement oublié le renseignement d'Augustin Valmy relatif à un donneur de conseils. Il lui avait peut-être livré la solution sur un plateau, comment avait-il pu être si négligent ?

— Qu'y a-t-il, monsieur Legris, s'inquiéta Wilfred Fronval, vous êtes indisposé ?

Victor pris son souffle pour répondre.

— Je viens de… Ma femme va s'impatienter et… Charles Tallard pariait gros ?

— Oh non, des sommes modiques, il espérait bénéficier d'une aubaine qui lui eût permis d'arrondir ses fins de mois, son salaire était plus que médiocre. Ne jugez-vous pas indigne que ces professeurs éminents à qui l'on délègue l'éducation de notre jeunesse soient aussi mal rétribués ?

— Si, évidemment. En dehors des courses de chevaux, quelles étaient ses distractions ?

— Vous devenez indiscret, monsieur Legris, remarqua Wilfred Fronval avec une moue affectée.

Devait-il tirer parti de cette question et gratifier son hôte d'une déclaration limpide ? Que risquait-il ? Une gifle ? Il en avait subi d'autres, quand il était jeune. Seulement, l'âge avait accru sa timidité, il avait perdu tout crédit en lui-même. Il se contenta de se positionner à l'extrémité de sa chaise et de frôler le genou de Victor.

Celui-ci se rétracta au milieu des coussins. Il était au courant des penchants du marchand de timbres et, en dépit de la sympathie qu'il lui inspirait, voulait échapper à une conjoncture équivoque. C'était la première fois qu'un homme lui adressait un hommage aussi direct et, malgré son manque absolu d'inclination vis-à-vis de ses congénères, il ne pouvait refréner une pointe d'orgueil. Souhaitant clarifier la situation, il se leva :

— Je vous suis très reconnaissant de m'avoir reçu, je m'empresserai de vous contacter si les courses hippiques s'avéraient être l'explication de la fin tragique de M. Tallard. Mon épouse se languit en bas, je lui ai promis une visite à la pâtisserie Gloppe, et quand ces dames ont une idée en tête...

Wilfred Fronval se força à rire en homme qui a l'habitude du sexe opposé. Il reconduisit Victor et, lorsqu'ils échangèrent une poignée de main, il éprouva la violence d'un plaisir assorti de regret.

De nouveau seul, il retomba dans son apathie. Si la mort le saisissait là, sans crier gare, il lui tendrait les bras. Il était fatigué, tellement fatigué !

Victor et Joseph dînaient comme convenu dans une brasserie de la place de Clichy.

— Jadis il y avait un cadran solaire dans cette impasse. Victor, vous m'écoutez ?

— J'ai omis de vous montrer ceci. C'est l'inspecteur Valmy qui me l'a confié il y a quelques jours, elle était dans les vêtements de Robert Domancy, lisez.

Payer le « donneur de conseils » pour les gains d'octobre à Longchamp. R.D.V. bistrot Butte.

— Valmy vous a refilé un détail capital et vous ne m'avez rien dit ! Bravo, s'exclama Joseph.

— C'est en interrogeant Wilfred Fronval que ça m'est revenu.

— Vous êtes vraiment tête en l'air, si ça se trouve ce marchand de tuyaux c'est Louis Barnave. Moi, je suis certain que ce type a des choses à cacher. Les propos qu'il m'a tenus hier n'étaient certes pas dénués de bon sens, mais leur ambiguïté m'a mis la puce à l'oreille. Et la façon dont il tripotait son couteau, me lorgnant par au-dessous, des menaces plein la bouche ! Bien sûr, vous, ça ne vous effraie pas plus que ça !

— Vous me l'avez déjà raconté, Joseph, commenta Victor en s'escrimant contre un steak trop cuit.

— Dites tout de suite que je suis gâteux ! Vous allez juger par vous-même quand nous affronterons le bonhomme, dans une demi-heure !

— Jusqu'à preuve du contraire, le coupable est sous les verrous et se nomme Firmin Cabrières, alors je me questionne sur l'utilité qu'il peut y avoir à courir deux lièvres à la fois.

— Abondance de biens ne nuit pas, et deux lièvres valent mieux qu'aucun lièvre, grommela Joseph en examinant une automobile. Au fait, qu'est-ce que c'est, un « donneur de conseils » ?

— Je l'ignore. C'est l'heure de défier le *Néant*. Garçon, l'addition !

La nuit tombait, combattue par les devantures où palpitait la lueur jaune du gaz. Ils s'engagèrent sur un boulevard de Clichy encombré de badauds. Un joueur d'orgue de Barbarie leur barrait le passage, aussi durent-ils se risquer dans le flot tumultueux des véhicules. Aussitôt, des cochers déversèrent sur eux des chapelets d'insultes. Des automobiles plus affolées que des oies cacardèrent.

— Un jour viendra où les rues regorgeront de ces mécaniques nauséabondes, grogna Joseph. Tiens, voilà Gnafron et son bâton ! Il espère nous imposer sa discipline !

Un gendarme à bicorne blanc, noir, jaune les rappelait à l'ordre de son sifflet à roulette.

Remontés sur le trottoir, ils se heurtèrent à des tables couvertes de bocks.

— Du vent, la valetaille !

Un serveur qui se hâtait, un plateau en équilibre sur la paume, leur enjoignit de déguerpir. Ils longèrent un alignement de verrières appartenant à des cités d'artistes et atteignirent l'ancienne barrière Blanche. Là, entre deux bâtiments aux fenêtres enrichies de vitraux, tournaient les ailes flamboyantes du Moulin-Rouge. Des noceurs se bousculaient aux portes de ce temple païen d'où fusaient des clameurs et des beuglements de cuivres. Joseph s'arrêta, tenté de se mêler aux fêtards, mais Victor l'entraîna au milieu des dîneurs à prix fixe et des dames de petite vertu. Il leur fallut tailler leur route à travers des groupes de militaires, des marchands de coco et des familles nombreuses avant de rejoindre l'entrée du *Cabaret du Néant*.

— Nous devrions rédiger notre testament, qu'en dites-vous ?

Victor jeta un regard interloqué à son beau-frère. Redoutait-il les conséquences de cette nouvelle enquête ou était-ce la perspective de tutoyer les morts dans un caveau de pacotille qui le tourneboulait ?

— Je n'en conçois pas l'urgence.

— Mais supposez que la collision se produise réellement le 13 ?

— En ce cas, inutile de vous préoccuper de vos héritiers.

À peine Victor eut-il proféré ces mots que Louis Barnave surgit auprès d'eux.

— Si vous m'soutenez et qu'on adopte la couleur muraille, on les dupera plus facilement.

Chacun agrippa une manche de la houppelande d'une main réticente quoique gantée. Ils marchèrent résolument vers les deux ordonnateurs de pompes funèbres qui gardaient les portes.

— Hé ! Si tu te figures m'abuser, Barnave, tu t'enfonces le doigt dans l'œil ! rugit René Cadeilhan.

Un pourboire bâillonna ses scrupules et ceux de son collègue.

Le trio avait franchi le barrage, mais René Cadeilhan revint à la charge.

— Toi, Barnave, tu restes à l'écart, tu ferais tomber raide un régiment de cancrelats.

— Ben quoi, c'est une odeur de circonstance, non !

— Peut-être, mais c'est mauvais pour le commerce. Et ce soir la salle d'intoxication est pleine. Va te poser sur le tonneau qu'est sous le lampadaire funéraire.

— Vous parlez d'un décor, c'est pire que les Catacombes, gémit Joseph. Des cercueils en guise de tables, et ce lustre bricolé avec des tibias, ravissant éclairage, on parierait que tout le monde est frappé de peste bubonique. Vous avez vu Barnave ? Il est vert.

— Soyez les bienvenus et choisissons votre sarcophage. Celui-ci, à côté de ces dames, fera l'affaire, casez-vous, leur intima René Cadeilhan en décochant une œillade à sa bonne amie Catherine Louvier.

Celle-ci s'esclaffa et poussa sa compagne du coude.

— Serre-toi contre moi, Colette, y a du linge.

Joseph souleva son chapeau.

— Mesdames, j'ai déjà eu l'honneur de faire votre connaissance.

— Où ça ?

— Vous m'avez gentiment renseigné l'autre jour à l'épicerie Foulon. Voici mon associé, M. Victor Legris.

— Oui, je me souviens de vous et de vous aussi, monsieur Legris. Enchantée, Colette Roman, dit la blonde, et voici ma camarade, Catherine Louvier. Nous n'aimons guère cet endroit, mais René a tellement insisté... René est le serveur qui vous a placés, lui et Catherine sont fiancés. Au fait, avez-vous déchiffré le sens du message tracé par Firmin Cabrières au seuil de notre épicerie ?

— Non, mademoiselle, nous...

— Que nous vaut la présence d'un journaliste de *L'Écho de Paris* en ce lieu mal famé ? Seriez-vous sur une piste ? dit Colette en fixant Victor d'un air ironique. Et vous, monsieur l'associé, l'êtes-vous également ?

— Pas exactement, je suis feuilletoniste, avez-vous lu...

— Joseph, vous ennuyez Mlle Roman, intervint Victor, qui ajouta d'un ton désinvolte : Vous connaissez le bonhomme assis en retrait sur un tonneau ?

— Louis Barnave ? Qui ne le connaît pas ! C'est un brave type, un peu fêlé, je vous l'accorde. Avant, il était cocher de fiacre, il travaillait rue Ordener pour la Compagnie des omnibus, il a eu la poisse, on l'a licencié. Depuis, il gagne sa croûte en jouant les anges gardiens, le comble pour un poivrot ! Il colporte que la fin du monde se produira lundi prochain. Il faut le comprendre, c'est le chagrin, il en veut à la terre entière, sa femme et sa gamine sont mortes du botulisme, alors les épiciers il ne les

190

porte pas dans son cœur. Au début, il m'effrayait, il restait planté des heures devant la boutique, les clients faisaient un détour, désastreux pour le négoce. Ah, le nombre de fois où je suis allée aux flics pour qu'ils le fassent décamper ! Un soir, je l'ai trouvé effondré au bord du trottoir, la tête sur les genoux, il pleurait, ça m'a émue. Finalement je l'ai apprivoisé. Quand je peux, je lui donne de quoi améliorer son ordinaire, quelques rondelles de saucisson, une entame de jambon, un croûton de fromage, des broutilles, quoi. On ne peut pas qualifier ça de vol, de toute façon ça finirait à la poubelle ou dans la panse du chat. Seulement, motus, Mme Foulon l'ignore, si elle savait, elle en ferait un pataquès et je perdrais ma place.

— Il y a longtemps que vous êtes employée chez elle ?

— Trois ans. Pourquoi ces questions ?

— La police soupçonne Louis Barnave d'être le complice de Firmin Cabrières, à cause des dessins sur le bitume.

— Personne ne l'a vu agir, non ? On n'accuse pas les gens à la légère !

— Firmin Cabrières, vous le connaissez bien ?

— Dame, à force de le voir décorer les trottoirs du quartier, on noue des relations amicales. Parfois, il venait faire quelques achats pour la mère Anselme, une vieille femme qui a des difficultés avec ses six étages. Il me racontait le Tonkin. C'est un garçon prévenant, il…

— Chut ! Taisez-vous, le spectacle va commencer, dit Catherine. Surtout, messieurs, ne vous frappez pas, ce sont des illusions, le genre de trucs qui ressemblent à ceux que ma mémé m'emmenait voir au théâtre Robert-Houdin quand j'étais mouflette, leur souffla Catherine.

Ils subirent avec répugnance la première épreuve, qui consistait à avaler une boisson dans laquelle on leur soutint qu'avait craché un cuistot tuberculeux. Une nausée empêcha Joseph d'effleurer son verre. Tandis que Victor se forçait à boire, Louis Barnave ingurgita coup sur coup deux grenaches.

Ils quittèrent leurs chaises paillées pour visiter le caveau des trépassés où les avaient précédés quelques consommateurs et plusieurs squelettes. Un prêtre en soutane se mêla à eux et, d'un ton compassé, discourut sur la mort.

— Mes chères sœurs, mes chers frères, un jour vous emprunterez l'issue fatale qui nous permet l'accès au tribunal divin. Seule, désolée, apeurée, votre âme comparaîtra et rendra compte de son passé. Gare aux pécheurs !

Un des squelettes claqua des dents, imité par Joseph.

— Y a autant d'justice là-haut qu'ici-bas, je présume. L'inégalité est reine ! J'me plaindrai au Créateur. Ses juges ne m'impressionnent pas plus que ceux qui m'ont viré ! mugit Louis Barnave.

Il y eut des rires. Agacé par cet olibrius qui compromettait sa prestation, le prêtre enfla la voix afin de décrire les mille et une tortures physiques destinées aux damnés. Il comblait ainsi le goût immodéré de l'assistance pour l'horreur.

— Ben là, mon gars, j'te suis plus. Puisqu'on sera canés, on n'aura plus de corps, alors remballe tes supplices. Non mais, on jurerait un inquisiteur, et moi tu sais c'que je lui gueule au Saint-Office ?

— Boucle-la ou tire-toi, chuchota le prêtre, exaspéré.

Joseph et Victor s'évertuèrent à calmer Louis Barnave.

— J'm'en tape, de ces racontars. Les tartempions mordront incessamment la poussière. Ensuite, ça va lui bousiller des siècles, au grand architecte, d'examiner ces milliers de casiers judiciaires !

Secoué de colère, l'ecclésiastique pointa l'index vers un mur où, grâce à un ingénieux artifice, se dessina peu à peu une scène de bataille illuminée d'une lueur phosphorescente. Le tableau s'anima, des épées furent brandies, des membres valsèrent dans un flot de sang. Joseph émit un couinement. Les reflets d'un incendie embrasèrent cette vision où ce ne furent plus des soldats mais des squelettes qui se combattaient. Ils formèrent une ronde autour d'une guillotine devant laquelle un bourreau obligea une reine couronnée d'un diadème à s'agenouiller. Un des squelettes actionna un levier, le couperet tomba avec un sifflement, la tête au diadème roula dans un panier. Les squelettes amorcèrent une danse macabre, suivis de seigneurs, de paysans, de guerriers, vite, de plus en plus vite. Joseph ne put en supporter davantage et se sauva comme un dératé.

— Enfin, quelle mouche vous a piqué ? On vous avait prévenu, ce ne sont que des mirages, fruit de quelque lanterne magique copiée sur celle de Robertson[1] ! Georges Méliès obtient dans son studio de Montreuil des résultats bien supérieurs à cette mascarade.

1. En 1798, à Paris, un certain Robertson terrifia les spectateurs avec son fantascope. Assis dans le noir, le public avait vraiment l'impression d'assister à des apparitions surnaturelles de spectres et de squelettes.

Essoufflé, Victor avait rattrapé son beau-frère sur la chaussée du boulevard où il courait au risque d'être écrasé.

— C'était effarant.

— Quand je pense que vous écrivez des histoires fantastiques où il est principalement question de meurtres ! Et notre homme, où s'est-il éclipsé ? C'est malin, nous n'avons enduré ces tribulations que dans le but de le confondre ! Réservez votre anxiété au retour à la maison, quand il vous faudra expliquer comment vous avez meublé la soirée. Quelles fadaises vais-je réciter à Tasha ?

Dissimulé parmi les chalands du trottoir opposé, Louis Barnave observait les deux partenaires héler un fiacre. Le blond qui l'avait abordé chez *Bouscarat* y grimpa, le brun au feutre mou s'éloigna à pied en direction du boulevard de Clichy. Louis Barnave étreignit son couteau au fond de sa poche.

— À très bientôt, les poteaux, mes respects à ceux qui vous ont envoyés, le terme de leur existence arrive aussi, à ces abrutis de la Compagnie des omnibus ! On va voir ce qu'on va voir !

Victor s'acheminait en sifflotant vers son domicile. Il n'était pas mécontent des renseignements soutirés à la vendeuse de l'épicerie Foulon. Ainsi, Louis Barnave avait été viré de son poste à la Compagnie des omnibus. Pour quel motif ? Était-ce avant ou après son deuil ? Cherchait-il à régler des comptes ?

Venant du bout de la rue Pigalle, faiblement éclairée de loin en loin par des réverbères, un individu de taille moyenne se glissait le long des façades avec une souplesse féline. Sa démarche véloce semblait entravée par un pardessus nettement trop large. Il croisa Victor alors qu'il s'apprêtait à bifurquer rue

Fontaine. Brusquement, l'individu opéra une volte et, tirant de sa manche un foulard qu'il tint solidement par les deux extrémités, le jeta autour du cou de sa proie. Puis il se retourna rapidement et fit basculer Victor. Surpris par la violence de l'attaque, celui-ci battit l'air de ses bras. Le foulard l'étranglait, il tenta de s'en débarrasser mais ne fit que se griffer avec ses ongles, il ne pouvait émettre le moindre son. Plus il résistait, plus l'asphyxie s'accentuait. Il perdit l'équilibre et, à demi évanoui, s'affaissa sur le macadam tandis que des mains expertes le fouillaient.

Derrière le comptoir de sa boutique un boulanger charpenté comme un lutteur de foire avait assisté à la scène. Il se précipita.

— Hé ! Vous là-bas ! Arrêtez !

L'individu se redressa vivement, appliqua un coup de pied de zouave au creux de l'estomac de sa victime et disparut en courant.

Le boulanger ramassa le chapeau de Victor et l'aida à se remettre debout.

— Il vous a fait mal, monsieur ?

Victor, à moitié groggy, titubait, la gorge endolorie.

— Vous êtes blessé ?

— Non, non, ça va.

— Vous saignez, là, à la gorge. Appuyez-vous sur moi. Il vous a volé quelque chose ? Votre portefeuille ? demanda le boulanger en le guidant vers sa boutique.

Victor se tâta.

— Mon portefeuille… Je l'ai.

— C'est vous, monsieur Legris ? Ben ça ! Il a failli vous étouffer, cet enfant de salaud ! Il vous a fait le coup du père François ! Votre main, faut soigner ça.

— Merci, dit Victor.

— Il n'y a pas de quoi ! Vous avez vu son visage ?

— Non, ça s'est passé trop vite. Je pourrais me croire le jouet d'un mauvais rêve si mon larynx ne témoignait de la réalité, articula Victor d'un ton rauque.

— Venez boire une lampée de la mirabelle de ma tante Agnès, ça vous remettra d'aplomb. Et consultez un médecin.

— Je vais rentrer à la maison, murmura Victor.

— J'appelle mon mitron et je vous accompagne.

— Non, monsieur Barnier, mon épouse… Elle se ferait du souci… Je vous prie de garder ça pour vous, promis ?

— Je comprends, entre hommes… Vous devriez quand même porter plainte, ce quartier est devenu un repaire d'escarpes. De Saint-Ouen à Saint-Lazare, ils sont partout, quelle engeance !

— Je n'y manquerai pas, monsieur Barnier.

Victor enroula son mouchoir autour de sa main. Il était inquiet et soulagé. Cette agression inattendue servirait de prétexte à son retour tardif.

Victor pénétra sans bruit dans l'appartement. Tasha lisait, blottie dans un fauteuil, les jambes repliées sous elle. Il songea qu'il l'aimait plus que tout au monde et qu'il allait encore lui mentir.

Elle releva la tête, son sourire se figea.

— Victor ! Qu'est-ce que qui t'arrive ? Tu es tout pâle. *Bojemoï*, ta main ! Tu saignes !

— Une chute à l'entrée de la cour, on n'y voit goutte.

« Pourvu que le boulanger tienne sa langue ! » pensa-t-il.

— Ta veste est fichue. Ta gorge, ces égratignures…

— Je me suis cogné contre la fontaine. J'ai besoin d'un verre.

Elle était angoissée. Elle se remémorait avec dégoût l'odieux comportement de Boni de Pont-Joubert. Et si son épouse Valentine avait divulgué sa tentative de viol ? Si Victor… Elle nettoyait sa blessure, il plaisantait, se montrait léger, badin, comme toujours, mais elle avait perçu dans sa voix un imperceptible changement qu'elle eut du mal à interpréter. Elle connaissait suffisamment son mari pour le savoir incapable de taire longtemps un secret. Tôt ou tard, elle serait fixée.

Elle lui confectionna des pansements et décida de chasser ses alarmes.

— Et maintenant, dodo. Que veux-tu que je t'apporte ?

— Ton désir drapé d'une chemise de nuit en dentelle, transparente si possible.

Elle parvint à rire en lui ôtant ses vêtements.

CHAPITRE XII

Mardi 7 novembre

Le déroulement d'une vie tient souvent en une succession d'infimes incidents. Si, ce matin-là, le concierge du 28, boulevard Bourdon, malade depuis une semaine, ne s'était pas senti assez rétabli pour ouvrir sa loge à un coursier porteur d'une lettre. Si Clarisse Lostange ne s'était pas levée aux aurores afin de trier les bibelots alignés à l'intérieur d'une vitrine et ne s'était pas aperçue de l'absence d'une modeste figurine en biscuit. Si elle n'avait pas accusé de vol la nouvelle domestique incontinent congédiée… Si ces faits ne s'étaient pas produits à la suite, peut-être la fatalité se fût-elle tenue quelque temps encore à distance d'Eusèbe Tourville.

Il s'éveilla avec le plaisir d'avoir dormi profondément, ce qui était devenu rare, et de s'être perdu dans les méandres d'un rêve érotique dont il était le héros, sans qu'il pût retracer en lui les traits de l'élue ni les épisodes de leur idylle. Presque aussitôt il avait perçu les glapissements de sa sœur et les pleurs de la bonne. Sa béatitude évanouie, il s'était habillé à contrecœur et avait marché vers le lieu de l'algarade, la salle à manger, comme s'il se rendait à l'abattoir.

— Vous êtes renvoyée, ma fille ! Je préviens le concierge, vous disposez d'un quart d'heure avant qu'il monte se charger de votre malle !

— Voyons, Clarisse, il faut lui accorder un préavis.

« Un record, se réjouit-il, elle ne l'aura hébergée qu'une journée ! »

— Un préavis, à une voleuse ? Tu divagues ? Ah, je vois, monsieur est un agitateur, monsieur veut rénover le monde, comme s'il n'évoluait pas assez vite, le monde !

— Qu'a-t-elle dérobé ? demanda-t-il en jetant un coup d'œil à la rouquine bien en chair secouée de sanglots.

— Ma bergère à houlette en porcelaine !

— C'est pas moi, madame, je vous le jure sur le crucifix !

— Malheureuse, ne prononcez pas en vain ce mot, vous seriez damnée ! Quittez mon toit et estimez-vous chanceuse que je n'alerte pas la police.

Eusèbe toussa. Impossible d'avouer que la bergère à houlette en question reposait dans la poche de son veston à carreaux et qu'il comptait la revendre dans la journée car, la veille, il avait renoncé à rallier la rue d'Aligre.

Privée de défenseur, la bonne fourra ses maigres biens dans sa malle que le concierge hissa sur son épaule à peine quinze minutes plus tard. Il s'apprêtait à emboîter le pas de la fille toujours en larmes lorsqu'il se souvint de la lettre.

— Ah, monsieur Tourville, j'ai oublié de la confier à Mme Lostange, qui s'est attardée en bas à narrer ses déboires à Mme Vergeois, normalement je ne vous l'aurais remise qu'à midi avec le courrier, parce que vous comprenez cette satanée sciatique limite mes ascensions dans les étages, mais autant profiter de l'aubaine…

Ce fut ainsi qu'Eusèbe Tourville réceptionna la missive le convoquant à un rendez-vous qui allait infléchir le cours de son existence.

Il lut et relut le message. Quel veinard il était ! En somme, tout cela résultait de son chapardage, responsable du départ de la bonne. Le concierge eût-il lambiné jusqu'à midi, Clarisse se serait hâtée de décacheter l'enveloppe de son frère, et adieu veau, vache, cochon, couvée, comme l'avait si admirablement écrit La Fontaine ! Quelle prose charmante, l'endroit et l'heure étaient insolites, la rencontre n'en aurait que davantage de piquant.

Eusèbe Tourville boutonna son veston et se coiffa d'un melon. Où sa sœur avait-elle dissimulé ses gants ? Tant pis, il s'en dispenserait.

Il pêcha les clés au fond du vase chinois, les empocha et fila d'un pas martial vers la porte tirée au même moment par sa sœur. Bouche bée, elle le fixa d'un œil torve avant d'éclater.

— Tu aurais l'audace de me lâcher en pareille circonstance ! Je te somme de rester, ton rôle est de me soutenir et de m'assister dans la quête d'une domestique à la hauteur !

— Mon rôle ? J'ai assez joué les seconds couteaux ! Je veux être la vedette. J'étouffe ici, il me faut de l'oxygène faute de quoi je vais expirer sur ton plancher en crachant mes bronches. Et qui nettoiera les saletés ? Toi, ma chère, puisque tu es privée d'esclave !

— Eusèbe ! Tu deviens fou !

— Écarte-toi ou je t'estourbis !

— Tu me menaces alors que le même sang coule dans nos veines !

— Veux-tu que je vérifie cette assertion grâce à une lancette ? Des taches supplémentaires sur le parquet ?

— Faux frère !

— Sœur Anne, tu ne me verras revenir qu'à l'aube.

— Tu peux toujours te frotter pour franchir le seuil de ce logis !

— Ne t'inquiète pas pour moi, le sésame est en ma possession.

Lorsque Clarisse Lostange plongea la main dans le vase chinois et ne brassa que le vide, Eusèbe Tourville était déjà en route vers la rue du Faubourg-Saint-Antoine. Il allait flâner rue d'Aligre. Si, comme il le prévoyait, le brocanteur n'ouvrait que ce tantôt, il lanternerait dans le marché couvert Beauvau. Inutile de se hâter, puisqu'il lui faudrait meubler les heures jusqu'à minuit.

Il dépassa le lavoir, se heurta à l'écriteau « Rue barrée » installé là pour une réfection de la chaussée. Une population excentrique avait surgi des pavés et investi la voie interdite aux véhicules. C'était une occasion que ne négligeaient jamais les camelots. Les ménagères, les traîne-savates se pressaient devant des étals de fortune. Eusèbe joua des coudes et se planta face à un marchand qui vantait les bienfaits de la médecine végétale.

— Mesdames et messieurs, pourquoi gaspiller votre bel argent chez le docteur et le pharmacien ? Je ne viens pas vous débagouler des coquecigrues, non, je m'adresse aux quidams intelligents et je leur dis : souffrez-vous de rhumatismes, d'ankylose, d'embarras d'estomac, avez-vous reçu un coup déterminant une meurtrissure ? Gargarisez-vous avec quelques tasses de ma tisane miracle. Approchez, la vue ne coûte rien. Voici un remède efficace, c'est le taminier des Alpes. Je suis le seul sur la place de Paris à débiter cette précieuse racine !

Le bonimenteur foudroya du regard son voisin de droite qui s'époumonait :

— Avez-vous des dents cariées, êtes-vous atteint de fluxion, de névralgie dentaire ?…

Eusèbe Tourville se faufila au premier rang sans remarquer qu'une silhouette le talonnait.

— Mon produit n'est pas un attrape-nigaud, il possède réellement la vertu de guérir. Deux sous le paquet.

— Tu parles, Charles, c'est juste du gingembre râpé ! lança un titi.

Légèrement écœuré, Eusèbe Tourville, la silhouette qui le pistait toujours collée à ses basques, se dirigea vers un cercle formé autour d'un homme assis sur une chaise paillée, les yeux bandés, flanqué d'un individu coiffé d'un haut-de-forme.

— Venez consulter le voyant, venez savoir ce qu'il adviendra de vos affaires d'intérêts. Préparez vos quatre sous, on ne rend pas de monnaie. Vous, monsieur.

Eusèbe Tourville, ainsi désigné, ne résista pas à la tentation. Avec un sourire confus, il alla prendre place auprès du voyant. Celui-ci psalmodia :

— Vous avez l'esprit noble et le cœur généreux. Vous serez en butte aux envieux, mais vous triompherez de leurs embûches. Prochainement vous ferez un voyage qui sera le résultat d'une lettre.

Ragaillardi par ces prédictions optimistes, Eusèbe tendit ses vingt centimes.

Lorsqu'il quitta le brocanteur, le marché remballait. Il plia soigneusement le billet de dix francs que lui avait rapporté la vente du biscuit de Sèvres et s'apprêtait à gagner la rue du Faubourg-Saint-Antoine lorsqu'il s'entendit héler :

— Eusèbe ! Ça alors !

— Alfred ! Ben qu'est-ce que c'est que cette machine ? T'as touché le gros lot ?

— Mais non, bêta, c'est mon nouvel équipement, monte donc, je vais te balader.

La silhouette pila en voyant Eusèbe s'asseoir dans l'automobile. Alfred haussa la voix afin de couvrir les bruits de la circulation :

— Je termine ma tournée, où veux-tu que je t'emmène ?

— À Montmartre, je dois voir quelqu'un.

La silhouette s'adossa à un réverbère avec un vif soulagement.

— Je suis rudement content de t'avoir rencontré rue d'Aligre, grâce à toi je sais maintenant ce qu'est le progrès, décréta Eusèbe Tourville.

Il était échoué dans un café de la rue Steinkerque près d'Alfred, un de ses anciens collègues qui exerçait à présent son métier de facteur en voiture à pétrole. Cette innovation était due à M. Mougeot, et, bien que le sous-secrétaire d'État aux Postes et Télégraphes fût responsable de son renvoi, Eusèbe admettait que l'initiative était heureuse. Ce Mougeot n'avait-il pas inventé des boîtes aux lettres baptisées « mougeottes » qui facilitaient grandement le travail ?

— Les gens déposent leur courrier dans les boîtes vingt minutes plus tard qu'autrefois, un avantage non négligeable en ce qui concerne les fonctionnaires des ministères publics. Le service s'effectue sans encombrement, cela nous donne des ailes, dommage que tu ne puisses en profiter, nota le chauffeur. Si tu t'excuses en bonne et due forme, peut-être te doteront-ils d'une bicyclette.

Après le départ d'Alfred, l'ex-facteur tomba en extase au pied de la Butte : il découvrait un Paris ignoré. Il tâta sa poche, rassuré d'y palper les dix francs du brocanteur. Il se sentait riche et libre. Manger un morceau dans un troquet, observer les passants, lécher les vitrines et, enfin, au mitan de la nuit, embouquer le cul-de-sac où son rêve deviendrait réalité.

C'était l'heure où, la journée faite, les immeubles bondés débordaient d'essaims d'enfants, d'apprentis, d'ouvrières, d'hommes qui rejoignaient les estaminets pour y disputer une partie de cartes.

Dans un renfoncement propice, un rassemblement encerclait un trio de musiciens. Une voix s'éleva :

— Demandez la dernière nouveauté, dix centimes ! Qui en veut ? Dépêchez, mademoiselle, ne faisons pas attendre la société ! Tout le monde a son petit format ? Oui ? Alors, premier couplet, avec ensemble !

Le violon attaqua, suivi de la guitare, et le soliste entraîna l'assistance :

Vous êtes si jolie
Ô mon bel ange blond !
Que ma lèvre amoureuse en baisant votre front...

Eusèbe Tourville chantonnait la romance de Paul Delmet, il avait le sentiment d'être propulsé dans un pays lointain dont il était tenu de décrypter les us et coutumes. Il se remit en marche. Au bout de la rue Norvins, il dépassa le Moulin de la Galette, avec ses chevaux de bois, ses balançoires, son caboulot, et gagna le Moulin-Neuf d'où le plus étonnant point de vue sur la ville s'offrit à lui. Au sud, il contempla le Paris de pierre, de fer, de bronze et d'or, baigné d'une brume mordorée. Au nord, nimbés de lourds panaches issus d'usines, s'abaissaient Clignancourt et la banlieue industrielle qui courait de Clichy à Aubervilliers. Il resta là, immobile, empli d'une paix absolue. La nuit tombait, les allumeurs de réverbères démarraient leur tournée. À pas lents, presque à regret, il descendit vers l'effervescence du boulevard de Rochechouart où l'impasse du Cadran prenait sa source.

Depuis quelque temps, Raphaël Soubran ressentait la désagréable impression d'être l'objet d'une constante surveillance. À la lisière de ses sourcils, il lorgnait les vitrines des magasins afin d'y surprendre une présence suspecte. Ces tentatives se soldaient par un échec, cependant, impossible d'établir la preuve qu'il ne fabulait pas. Il en était venu à raser les murs, à se retourner sans cesse et, quitte à souffrir d'un torticolis chronique, à modifier brusquement son itinéraire. Il avait à plusieurs reprises embrassé un lampadaire et un platane.

Ce soir-là, il se jeta dans le hall du meublé tel un naufragé à la dérive. Sans un salut aux concierges qui le jugeaient sympathique quoiqu'un tantinet fêlé, il entama l'escalade des étages. Au cinquième, une peur panique l'envahit, il se plaqua contre la rampe et céda le passage à un débitant de romans à deux sous qui n'hésitait pas à s'aventurer dans les combles pour proposer ses idylles sirupeuses aux servantes avides d'échapper à leur servage.

Antoinette n'était pas encore libérée de ses obligations au premier, où elle s'efforçait de satisfaire les caprices d'une bourgeoise dépressive dont le mari passait seize heures sur vingt-quatre dans les profondeurs d'un ministère. Dommage, un intermède érotique l'eût détendu. Il s'écroula sur son lit, trop las pour ôter ses chaussures, et ferma les yeux. Une répétition orageuse avait gâché son après-midi. Le régisseur fulminait, l'auteur mangeait son chapeau, la costumière sanglotait, quant aux acteurs ils commettaient bévue sur bévue, si bien que le directeur les avait menacés d'annuler la représentation. Au sortir du Gymnase, Raphaël avait éprouvé une vive émotion en croyant identifier Charlina Pontis à un carrefour. Il s'était précipité sur une jeune femme aguichante qui l'avait gratifié d'une magistrale paire de gifles. Perdait-il la raison ?

Le boyau sur lequel débouchaient les mansardes virait à gauche vers les latrines communes. C'était là que, telle une araignée sournoise, s'embusquait la chiromancienne. Elle fondit sur lui, il étouffa un cri. Âgée, voûtée, la mère Fatalitas lâchait rarement sa proie.

— Trois sous, beau blond, et je te dévoile ton avenir. Oh, la jolie menotte ! Je m'en souviens, que du bonheur, mais je n'ai jamais zyeuté l'autre, allons, décontracte-toi, je ne vais pas te boulotter, j'ai passé l'âge doré de la gaudriole. Fais voir.

Elle s'empara de la main gauche de Raphaël.

— Ben qu'est-ce qui m'a fichu une ligne de chance pareille ? Elle est coupée à mi-parcours. Tu vois cette croix, là ? Les ennuis te guettent, mon poulet. Comédie, tragédie. Sois sur tes gardes.

— Allez au diable, à la fin, vieille sorcière ! s'écria-t-il en se délivrant.

Il galopa jusque chez lui et poussa le verrou.

— Et mes trois sous ? brama la mère Fatalitas en tambourinant à la porte.

— Aux calendes grecques, vieille pythie !

À bout de nerfs, il noya deux patates dans une casserole d'eau, son dîner du soir. Il se tranquillisa en fumant un ninas face à la croisée entrebâillée. Il devait se calmer, se changer et regagner le théâtre. La soirée promettait d'être longue, il avait du pain sur la planche.

Avant d'aller se coucher, Pélagie Foulon avait chargé Colette Roman de dresser la liste des denrées à commander aux fournisseurs.

— Et n'oubliez pas d'éteindre en partant, au prix où est le gaz ! conseilla-t-elle en bâillant.

Colette adorait être seule dans la boutique. Cela lui évoquait son enfance, la vieille maison de ses parents, le hangar au fond du jardin auprès duquel clapotait un ruisseau où sa mère battait le linge familial. La mousse savonneuse se figeait en flaques grisâtres. Colette prétendait qu'il s'agissait d'œufs à la neige. Elle s'inventait des histoires, devenait marchande de gâteaux magiques à l'intention de ceux qui se montraient généreux envers les gamins de pauvres et acceptaient de leur offrir un jouet. À cette époque, elle rêvait de posséder non une poupée mais un cerceau de bois muni d'une peau tendue ceinte de grelots. « T'as pas mieux à faire que de bayer aux corneilles ? Viens plutôt m'aider à tordre les draps ! » la houspillait sa mère. Elle accourait, enfouissait son visage dans le lin humide fleurant le frais.

Elle dévissa un gros flacon d'eau de Cologne, le huma, s'en versa une goutte sur l'index, en humecta ses temps, puis elle inspecta les rayonnages. On allait manquer de conserves de légumes, elle inscrivit sur une ardoise : *Petits pois, choucroute, asperges, flageolets. Cinq paquets de sucre, sel, cacao, tapioca, phosphatine, café, miel.* Les pots de confiture de fraises remportaient un franc succès, ainsi que les bocaux de fruits au sirop. Il faudrait également se ravitailler en pommes de terre, carottes et choux. Sans omettre un breuvage mis à la mode par les Anglais, le thé. Surtout éviter les feuilles séchées de la marque Gunpowder additionnées d'excréments de vers à soie !

Elle avait récemment lu dans un journal cette constatation d'Alphonse Karr : « L'épicier qui empoisonne un consommateur est condamné à l'amende, le consommateur qui empoisonnerait un épicier serait infailliblement guillotiné. »

Elle ouït un grattement à la porte de la cour. L'ombre de l'ange gardien se découpa dans le chambranle.

— Entrez sans bruit.

Louis Barnave se glissa dans le magasin. Malgré sa houppelande, il était gelé et ressentit le bien-être immédiat de la chaleur émanant d'une salamandre. Colette disparut dans la réserve et revint lui fourrer un sac de toile entre les mains.

— T'es rien brave, ma belle. J'suis à sec, je me désaltère à crédit, mais mon estomac crie famine.

— Vous n'aviez qu'à garder vos sous pour manger au lieu de les boire.

— Même si je le voulais, ce serait perdu d'avance. Cette habitude me colle à la peau depuis que mes chéries sont mortes. Heureusement que c'n'est pas ici qu'on l'a achetée, cette tambouille avariée, sinon j'aurais tout cassé ! Tu sais, j'n'ai avalé que du rince-cochon, c'est pour ça que mon sang se caille, j'ai besoin de briffer.

— Moins fort ! La patronne loge au-dessus. Je vous ai préparé du jambon, deux harengs saurs, un morceau de camembert.

— Ça assoiffe, les harengs saurs !

— Contentez-vous-en, la mère Foulon comptabilise le moindre gramme de nourriture.

— D'ici une semaine, elle tirera un trait sur ses livres et bénéfices, ce sera la fin des haricots. Adieu la vie, adieu la caisse enregistreuse ! N'empêche, si j'étais un nabab, je célébrerais l'apothéose de la comète avec une bouteille de roteuse !

— Ne dites pas de bêtises. Allez, ouste ! Attendez avant de vous risquer sur le boulevard, des fois elle épie, je l'ai surprise à vider un vase de nuit sur la tête de mioches qui jouaient à saute-mouton !

— La vieille bique... Euh, ça me gêne de t'avouer ça, mais je crois que j'ai chopé des bébêtes, marmonna-t-il en se démangeant la barbe. T'aurais pas un truc pour les exterminer ?

— Des poux ! glapit-elle. Manquait plus que ça ! C'est le pharmacien qui s'occupe de ces bestioles. Ici on n'a que du Phénol Bobœuf, frictionnez-vous toujours, c'est un désinfectant antiseptique. Et ne me touchez pas.

Louis Barnave s'éclipsa, lesté comme un mulet. Colette patienta quelques minutes, puis elle obtura les vitrines avec les contrevents et remonta le boulevard de Clichy. Elle fit soudain un pas de côté. Tapie sous la tente d'une boucherie, elle observa Louis Barnave. Ses lèvres ébauchèrent un sourire, elle connaissait la cachette où il entreposait son stock de vin.

Inconscient d'être l'objet d'une surveillance, le bonhomme avait sorti une fiole et tétait au goulot.

« Une veine que je me sois dégoté un asile contre la pépie, parce que ses harengs saurs vont me dessécher les amygdales. Là où j'ai planqué mes litrons, aucun arsouille ne me les barbotera. »

Il se mit en marche et entonna *La Ravachole*[1].

Eusèbe Tourville cherchait sa boîte de cigarillos lorsqu'il entendit des crissements en provenance du monceau de gravats accumulés au fond de l'impasse. Déconcerté, il recula et s'efforça de percer la pénombre. Il était trop tôt pour que ce soit la personne qui lui avait fixé rendez-vous. Il tourna la tête vers le boulevard de Rochechouart où régnait l'animation des soirées de bamboche, puis il alla se poster sous l'immeuble de quatre étages qui dominait un réverbère à la flamme défaillante. On eût dit que quelqu'un avait frappé à la porte de l'intérieur. Un locataire qui tentait de d'ouvrir ?

— Vous êtes bloqué ? cria-t-il sans obtenir de réponse.

Bientôt, le silence lui pesa et il tendit la main vers le loquet. À ce moment précis, cela recommença et se prolongea en un martèlement soutenu qui cessa brusquement.

Si la loge du concierge était obscure, une applique à gaz papillotait dans le vestibule de l'immeuble. La porte vitrée permettant d'accéder à l'escalier était entrouverte. Sur les murs écaillés se dessinait une résille compliquée. Eusèbe comprit qu'il s'agissait de l'ombre de la rampe en fer forgé.

Un violent fracas résonna dans l'impasse, suivi d'une bordée de jurons. Eusèbe bondit à l'extérieur et se dirigea vers l'extrémité du cul-de-sac. Un homme

1. Chantée sur l'air de *La Carmagnole.*

210

plus massif qu'un ours était assis sur un monticule et contemplait des éclats de verre.

— Enfer et damnation ! Un demi-setier pour le roi de Prusse, c'est bien ma chance. La faute à ce sac et à ce Phénol, j'ai pas trois mains, ça m'éreinte, ce fourbi !

Alors qu'Eusèbe rejoignait ce curieux citoyen, celui-ci s'affala sur le dos et demeura inerte. Un relent de vinasse se dégageait de sa houppelande maculée. Boursouflé et rouge, son visage était à moitié mangé par une barbe hirsute. De toute évidence, il était ivre mort.

En proie à la colère, Eusèbe secoua le corps affaissé. Autant essayer d'éveiller une bûche. Il fouilla ses poches, ses doigts se fermèrent sur un objet métallique et froid qu'il examina à la lueur du réverbère. Un couteau. Par bonheur, il était replié. Sans le lâcher, Eusèbe retourna auprès de l'ivrogne. Il était presque minuit, cet imprévu désagréable allait gâcher son rendez-vous. Aussi, quelle idée de l'avoir convoqué dans ce bas-fond ! La séduisante boiteuse se serait-elle jouée de lui ? L'ironie de son sort accrut sa fureur. Il décocha un coup dans les jambes du poivrot, qui émit un grognement.

— Vas-tu remuer, bougre d'ivrogne ?

Une grêle de claques s'abattit sur le torse et les bras de l'homme tandis qu'il reprenait vaguement conscience et clignait des yeux.

— De quoi ? T'as fini de m'asticoter, moustique ?

— Je vous somme d'aller cuver votre alcool ailleurs ! J'attends une demoiselle, vous souillez le paysage, s'insurgea Eusèbe qui, à croupetons derrière lui, l'attrapa sous les aisselles et le hissa jusqu'à un muret contre lequel il l'adossa.

Cette manœuvre rendit à l'homme quelque lucidité. Il considéra Eusèbe et aboya :

— T'essaie pas à piquer les boutanches de Barnave, vingt dieux, c'est ma cave à bibine ici !

Eusèbe se redressa prudemment, ce quidam était enragé. Louis Barnave avisa ce que l'inconnu serrait dans sa dextre.

— Ma parole, c'est mon eustache ! Tu m'as volé mon eustache, ver de terre ! Aboule immédiatement !

Sourcils froncés, l'épave se releva par étapes, un bras accusateur pointé vers Eusèbe qui, apeuré, lui livra le couteau. Au passage, Louis Barnave lui agrippa le poignet.

— Ah ! Je fais tache dans le décor, hein ? Ben tu parles d'un chouette tableau ! Des ruines grouillant de rats, c'est à ça que ressemblera Pantruche[1] et pis la France, et pis le globe entier ! Mais au centre, sous l'écorce du monde si tu vois ce que ça signifie, c'est déjà pourri jusqu'à la moelle ! Mais oui mon gars, pourri ! Et ton ambulante itou elle est pourrie !

— Ce n'est pas une… C'est une jeune fille de bonne famille.

Louis Barnave expectora bruyamment aux pieds d'Eusèbe.

— D'accord, et moi je suis le pape. Écartez-vous, monseigneur, je libère le terrain de ma présence peu reluisante. Eh oui, j'ai des lettres, moi, j'ai lu des livres, moi ! Je ne méprise pas les misérables écrabouillés par la roue du destin, moi !

L'homme tordit le poignet d'Eusèbe qui tituba et, d'une allure mal assurée, descendit l'impasse où il s'immergea dans la nuit.

1. Sobriquet attribué à Paris par le populaire.

Quelques secondes plus tard, encore sous le choc, Eusèbe perçut des gloussements ou des sanglots en provenance du rez-de-chaussée de l'immeuble. Il laissa s'écouler un instant avant d'oser s'y hasarder à nouveau. Cette fois, aucune lumière ne brillait dans le vestibule. Il tâtonna jusqu'à la porte menant à l'escalier et distingua une forme recroquevillée sur les premières marches.

— Qui êtes-vous ? Vous êtes malade ? chuchota-t-il.

La forme se mit debout et vint à sa rencontre, agitant un cylindre évoquant un gourdin. D'une pression, le bâton se scinda en deux parties, révélant à l'extrémité de l'une d'elles une lame acérée. Eusèbe discerna un faible éclat en même temps qu'une voix assourdie articulait :

— L'heure de ton ultime voyage a sonné.

CHAPITRE XIII

Mercredi 8 novembre

Emportée le long du trottoir par un souffle froid, une coquille d'huître émit un son de castagnette. Les lourds sabots d'un percheron résonnèrent sur la chaussée déserte, les roues d'un fardier empli de planches grondèrent à leur suite, sans que remuât l'homme aux yeux clos qui retenait mollement les rênes. Un porteur d'eau se dirigea vers la Butte, ployant sous le faix de sa « course », un bâton recourbé chargé de deux seaux clapotant. Une marchande de pommes, un vitrier, un ramasseur de mégots se croisèrent avec indifférence, chacun rêvant de faire fortune et d'échapper à sa besogne. Un mitron, les mains dans les poches, tira la langue à un camelot constellé de médailles de la basilique, de chapelets et de cartes postales. Tous deux évitèrent de justesse le jet d'un arroseur municipal. La ville émergeait de sa torpeur et s'évertuait à réchauffer ses artères en y projetant des gagne-petit dont le labeur et les cris culbuteraient les fantômes de la nuit.

Plongé dans un demi-sommeil, Hilaire Lunel soulevait les contrevents protégeant les vitrines de l'épicerie Foulon et il s'interrompit pour se gratter la barbe. En dépit d'une douleur diffuse au bas du dos, il parvint à se redresser. Il repéra aussitôt le croquis maladroit, un pendu accroché à une potence, et l'inscription, tracée sur le trottoir à la craie blanche :

> *Mon cœur n'a pas le temps*
> *De mesurer le temps !*
> *Liquidation totale.*

Il se rua à l'intérieur de la boutique où la patronne et Colette Roman achevaient de ranger les marchandises réceptionnées à l'aube.

— Madame Fou… Fou… lon ! bégaya-t-il. Y en a une autre !

— Une autre quoi ? répliqua vertement la veuve.

— Une autre menace !

— Mon Dieu ! s'écria l'épicière. C'est le diable en personne qui me persécute ! Colette, mes sels, vite ! J'ai mes vapeurs !

Colette courut chercher un flacon d'eau-de-vie caché sous le comptoir. Mme Foulon téta bruyamment le goulot, s'essuya d'un revers de main et brailla :

— Effacez-moi cette saleté ! Mais avant, recopiez tout, je veux que la police comprenne que je suis victime d'un détraqué !

Colette s'exécuta et, après avoir reproduit dans un carnet le dessin et le texte, s'activa à quatre pattes, une éponge et une cuvette à côté d'elle.

— Je deviens folle, grommela la veuve en regagnant sa caisse enregistreuse.

Elle aperçut Hilaire Lunel occupé à se goinfrer de dattes.

— Où y a d'la gêne n'y a pas d'plaisir ! Quel culot ! Vous feriez mieux de livrer ses commissions à Mlle Sembatel ! Ma parole, c'est une conspiration, liquidation totale, vol de marchandises, on souhaite ma ruine !

Le commis avala posément une dernière bouchée et s'empara d'une liste sur le comptoir. Il garnit un panier de légumes et de fruits avant de sortir sans un regard à son employeuse.

Sur le boulevard de Clichy roulaient quelques omnibus et se toisaient des ménagères honnêtes et des cocottes épuisées par leur travail nocturne. Hilaire se baissa pour récolter un numéro froissé d'*Auteuil-Longchamp* qu'il fourra dans la poche de sa redingote. Boulevard de Rochechouart, il montra le poing à Toutou, le voleur de chiens, dont il redoutait toujours qu'il ne ravisse Aristote, le cador de René Cadeilhan. Il entra dans une boulangerie, acheta le pain de Mlle Sembatel et ne résista pas à l'impérieuse envie d'un croissant doré. Enfin, il embouqua l'impasse du Cadran.

Penchée à sa fenêtre, Aude Sembatel le guettait depuis un moment, inquiète de ne pas le voir arriver, car ce matin-là il devait lui monter non seulement ses courses mais aussi une baguette. Elle salivait à la perspective d'accompagner son café au lait d'une tartine croustillante.

— Mais qu'est-ce qu'il fabrique ? Le voilà parti sous le réverbère !

Hilaire avançait à pas mesurés en direction d'une vision bizarre. Avait-il trop arrosé sa chicorée avant de prendre son service, ou étaient-ce bien deux bottines jaunes qui dépassaient de l'immeuble au fond de l'impasse ? Alors qu'il approchait du bec de gaz, la réalité se confirma. Semelles usées, cuir craquelé, verni écaillé. Cependant, les bottines jaunes n'étaient pas vides. Elles comprimaient des pieds, eux-mêmes reliés à des jambes recouvertes d'un pantalon brun et surmontées d'un tronc engoncé dans un veston à carreaux, le tout allongé sur le carrelage du vestibule. Un melon avait roulé jusqu'à une porte vitrée derrière laquelle se profilait un escalier. Drôle d'endroit pour dormir. Ce type tenait-il une muffée ? Difficile de l'affirmer, il reposait de trois quarts, un bras au-dessus du visage.

— Hep, monsieur ! Besoin d'aide ? souffla Hilaire.

Il se courba et remarqua le ruisselet foncé auréolant la tête de l'individu.

Il lâcha son panier dont le contenu s'éparpilla au sol. Refoulant un haut-le-cœur, il se contraignit à s'agenouiller. Une odeur chimique imprégnait le corps, un désinfectant ? Sous ce remugle perçait une exhalaison douceâtre qu'il nomma avec horreur lorsqu'il déplaça le bras raidi et découvrit la plaie béante à la base du cou.

— Du sang ! On l'a zigouillé !

Le premier réflexe d'Hilaire avait été de fuir. La curiosité le disputant à l'effroi lui permit de constater que des éléments étrangement familiers rehaussaient cette scène macabre. Une faux miniature était dressée sur le torse de l'homme. Près de lui étaient disposées trois grosses pierres enveloppées de tissu blanc, une clepsydre. Un crocodile en peluche et un sachet contenant des épis de blé et des graviers noirs.

Hilaire banda les jarrets, de crainte de basculer en arrière. Étreignant la baguette comme un talisman, il reprit non sans peine la posture verticale. Ce veston à carreaux ne lui était pas inconnu. Où donc l'avait-il croisé ?

Hypnotisé par le cadavre, il effectua un lent repli vers l'impasse. Rouage après rouage, son cerveau reprenait sa vitesse de croisière. Il exécrait l'autorité, soit. Mais là, pas question de se dérober, il n'avait d'autre choix que d'avertir les flics. Le suspecteraient-ils ? Peu importait. La compassion envers la victime. La probité. Le devoir, ces préceptes que les bonnes sœurs et le curé de l'hospice des Enfants trouvés de Riom lui avaient enfoncés dans le crâne à coups de férule balayèrent ses réticences. Hilaire refusait néanmoins de porter seul le poids de cette démarche, après tout il n'était que le subalterne d'une épicière qui se targuait de fournir la table de deux députés. Qu'elle endosse cette pénible mission.

Les idées qui se bousculaient en lui se dispersèrent sous l'apparition d'un souvenir précis. Le veston. Il se rappelait. C'était le frère jumeau de celui du type qui avait raccompagné Catherine Louvier à son domicile.

Toujours en vigie à sa fenêtre, Aude Sembatel vit avec stupéfaction Hilaire Lunel galoper vers le boulevard, serrant contre sa poitrine la baguette de pain comme si sa vie en dépendait.

— Et mes commissions ? s'époumona-t-elle.

Renaud Clusel se limait les ongles en s'interrogeant sur l'utilité de sa présence au commissariat du XVIIIe. À cette heure matinale il eût pu se prélasser dans son lit au lieu d'infliger à son postérieur un banc de bois inconfortable. La veille, il avait tenté de convaincre ses parents de la pertinence de sa vocation. Son père l'écoutait d'une oreille distraite en tripotant ses bésicles. Sa mère ne s'intéressait qu'au plastron et à la cravate à élastique de son rejeton et, pendant qu'il lui vantait la grandeur du journalisme, elle rebâtissait à sa façon cet assemblage complexe.

Abattu, Renaud avait gagné sa chambre qu'il avait quittée aux aurores.

Qu'espérait-il, après ces heures au cours desquelles il avait vu défiler des escarpes et des prostituées ? Était-ce là le but de tant de nuits blanches ? Découragé, il s'apprêtait à renoncer quand une dame revêche au chapeau de travers et un pékin parcheminé déjà rencontré chez la demoiselle Sembatel se ruèrent dans l'étroit réduit enfumé.

— Le commissaire ! ordonna la dame d'un ton tranchant.

— M. le commissaire n'est pas là, je suis son secrétaire, que lui voulez… mâchouilla un jeune homme endormi aux cheveux calamistrés, tassé derrière un bureau.

— Branle-bas de combat ! Le fou au crocodile a frappé derechef, vous êtes payé pour assurer la sécurité des Parisiens, non ? le coupa la dame.

Émoustillé, Renaud Clusel se coula jusqu'à elle.

— Madame, mes hommages. Se serait-il produit un autre meurtre impasse du Cadran ?

— Dans le mille, jeune homme. C'est mon commis que voici qui vient de se cogner dedans. Eh bien, parlez, Hilaire, ces messieurs sont avides de savoir de quoi il retourne ! Et puis filez-moi cette baguette !

— Minute, papillon. Vos noms, âge, profession et *tutti quanti*.

— Foulon Pélagie, veuve, épicière au 42 boulevard de Clichy. L'âge, vous pouvez vous brosser. Lunel Hilaire, célibataire, soixante-deux ans, livreur, salarié à l'épicerie Foulon, même qu'il a semé les légumes de Mlle Sembatel que je vais lui retenir sur son salaire.

— Lunel Hilaire… Il est venu témoigner chez nous, constata le secrétaire en feuilletant son registre. Oui, c'est ce nom, à propos d'un dessin à la craie tracé sur le seuil de votre épicerie, madame Foulon.

— Eh ben ça fera deux fois, c'est défendu ? jappa Pélagie Foulon. Vous êtes dur de la feuille ou quoi ? On vous dit qu'il y a un cadavre impasse du Cadran, c'est l'effet que ça vous fait ?

— Si je comprends, monsieur Lunel, vous avez assisté à un crime ?

— Mais non ! Il l'a trouvé refroidi, explosa Pélagie Foulon. Vous n'allez pas oser soupçonner d'homicide cette vieille baderne d'Hilaire ? L'épouse de votre commissaire est une de mes clientes, non mais !

Elle arracha à pleines dents un morceau de baguette et se mit à mastiquer afin d'apaiser son indignation.

— Laissez s'exprimer votre commis, je vous prie.

— Dans l'entrée d'un immeuble. Allongé… Une faux, un croco… des ca… cailloux blancs et… des machins dégoûtants, comme avec les deux premiers qu'étaient décrits dans les journaux.

Après avoir débité ce qui pour lui était un long discours, Hilaire Lunel jeta un regard désolé à la baguette amputée et caressa sa barbe filandreuse.

Pélagie Foulon déglutit et s'exclama rageusement :

— Mon commis a de la gelée de groseilles dans la tête, quand il la remue ça fait floc ! Le mieux serait d'aller sur place pour le constat.

Une porte claqua, signalant l'arrivée du commissaire. Mis au courant de la situation, il leva les yeux au ciel. De quelle faute s'était-il rendu coupable dans une vie antérieure pour que le sort s'acharnât ainsi contre lui ? Il lui faudrait alerter la préfecture, contacter ce maniaque d'inspecteur principal. Son nom ?

Ah oui, une bataille napoléonienne, mais laquelle ?
Il pointa un doigt comminatoire vers Renaud Clusel.

— Vous, le chroniqueur de chiens écrasés, motus !
D'ailleurs c'est réglé, on vous emmène avec nous.

Une heure plus tard, dans la cabine téléphonique
d'une brasserie de la place Pigalle, Renaud Clusel
dictait le fruit de ses observations à la rédaction du
Passe-partout. Au bout de la ligne, une secrétaire ne
cessait de répéter :

— Moins vite, moins vite !

— Je reprends. Le troisième égorgé de l'impasse
du Cadran est un homme de vingt-cinq à trente ans.
Ainsi que les précédents défunts, son corps était
entouré des attributs de Saturne, c'est-à-dire du
Temps. Il avait été délesté de son portefeuille si bien
que rien n'a permis de l'identifier...

« ... hormis un trousseau de clés auquel était
fixée une étiquette mentionnant : C. Lostange,
28, boulevard Bourdon. Ce troisième assassinat
plonge la police dans le désarroi. Le commissaire principal Valmy aurait-il incarcéré un
innocent ? Sauf s'il jouit du don d'ubiquité, il
semble malaisé à un prisonnier de se trouver
à la fois dans une geôle et sur les lieux d'un
meurtre. Espérons que nos limiers de la préfecture appréhenderont rondement le criminel qui
sème la terreur dans le XVIII⁰ arrondissement. »

Joseph replia *Le Passe-partout.* Il venait de lire
la une à son beau-frère fraîchement débarqué dans
la librairie, à cheval sur sa bicyclette en cette fin de
matinée pluvieuse.

— Patatras ! Les conclusions de ce cher commissaire principal Valmy s'écroulent ! Je le savais, j'avais
raison, le vrai coupable court dans la nature, Firmin

Cabrières est blanchi ! C'est Louis Barnave, l'assassin ! Penser que nous aurions pu mettre un terme à ses forfaits si nous avions neutralisé le bonhomme au *Cabaret du Néant* !

— Vous avez détalé plus rapidement qu'un lièvre !

— Dites que je suis un trouillard, de vous, rien ne m'étonne.

— Allons, Joseph, si on ne peut plus plaisanter… Décidément vous êtes hypnotisé par cet amoureux de la dive bouteille.

— Cause toujours. Si ça se trouve, c'est lui qui vous a agressé. Votre main, ça va ? grommela Joseph en considérant le bandage de Victor.

— Ça va, merci.

Joseph se renfrogna. Victor profita de l'absence de Kenji, qui le lui interdisait, pour allumer une cigarette. Avec un regard de reproche, Joseph alla ostensiblement entrebâiller la porte.

— L'attitude de ce bonhomme est louche, enchaîna Victor, je vous le concède, mais nous ne détenons aucune preuve à son encontre. Je n'ai pas distingué les traits de mon assaillant, mais je sais qu'il était plus petit que Barnave.

— Et que vous ! Vous auriez pu l'expédier au tapis !

— Il m'a surpris par-derrière, je n'ai rien vu. Oh, et puis zut ! Les suspects ne manquent pas : Charlina Pontis, Raphaël Soubran, Arnaud Chérac… Nos précédentes enquêtes ont souvent été trop hâtivement menées et nos solutions se sont révélées erronées, c'est pourquoi il est indispensable d'obtenir des certitudes. On peut aussi présumer que Louis Barnave et Firmin Cabrières sont complices : l'un aurait tué une troisième victime pour innocenter celui qui moisit en cellule. Même lieu, mise en scène identique.

Joseph allait protester lorsque Ichirô Watanabe fit son entrée.

— Bonjour. Mori-*san* est-il disponible ?

— Non. Une vente aux enchères à l'Hôtel Drouot.

— Quel dommage ! J'aspirais à lui faire part de statistiques qui le passionneront. J'ai récemment appris qu'on nous raccourcit la chevelure d'environ un centimètre par mois entre les âges de cinq et de soixante ans. Au total cela équivaut à six mètres soixante. Franchement, messieurs, je juge plus satisfaisant de ne pas avoir à coiffer ce système pileux à chaque réveil ! Imaginez votre épouse, Legris-*san*, et vous, Pignot-*san*, quels chignons majestueux ! Vous vous êtes blessé, Legris-*san* ?

— Il s'est étalé en rentrant chez lui ! aboya Joseph. Monsieur Watanabe, vous nous rendriez un immense service en surveillant la boutique. Legris-*san* et moi recherchons un ouvrage précieux enfoui au sous-sol.

— Votre honoré serviteur. Excusez mon audace, Legris-*san*, vous abrégez votre existence en inhalant de la fumée, l'être humain n'a aucune parenté avec une locomotive.

L'interpellé avait déjà disparu dans l'escalier du sous-sol et Joseph adressa un geste d'impuissance au Japonais.

— Quel raseur ! marmotta Victor. Je suppose qu'il est préférable de ne pas s'élancer presto boulevard Bourdon, la police et la presse doivent cuisiner ce ou cette C. Lostange. En revanche, je suis volontaire pour un saut boulevard de Clichy, je parie que je récolterai des échos inédits auprès du commis d'épicerie.

— Vous me faites faux bond ? Ah non, alors ! Ichirô machin chose va me tenir la jambe toute la matinée, quel cadeau ! Vous êtes en forme, pour un blessé !

— Votre tour viendra, je vous le promets, la visite à C. Lostange vous sera réservée. D'avance je vous remercie de m'éviter un laïus sur les méfaits du tabac.

Ils ne se doutaient pas que l'amateur de statistiques, descendu en catimini à mi-étage du sous-sol, n'avait pas perdu une miette de leur dialogue.

— Éteignez votre cigarette, dit Joseph, inquiet qu'un incendie n'embrasât les volumes.

— Alors, vous avez déniché cet oiseau rare ? s'enquit d'un air matois Ichirô Watanabe, accoudé à la cheminée.

Victor se faufila vers l'extérieur. La pluie redoublait, il renonça à sa bicyclette. Joseph répliqua :

— Hélas non. Je vous citerai Mori-*san* : « Un livre parmi ses frères se camoufle mieux qu'au milieu de la neige un œuf. »

Pareille à un vaste poulailler, l'épicerie bruissait de caquetages. Cabas au bras, les commères du quartier se délectaient de mots savoureux : meurtre, carotide incisée, tueur fou, épiant les réactions de la veuve Foulon, soupçonnée d'avoir partie liée avec l'auteur de ces actes abominables.

— Elles vont encore me lorgner longtemps par en dessous, ces fouineuses ? marmonnait Pélagie Foulon, fort mécontente de la tournure que prenaient les événements.

Apercevoir Victor accentua son humeur maussade.

— Quelle surprise, monsieur le libraire ! Il est midi, nous fermons dans une demi-heure.

— J'ai parcouru le journal et j'aimerais m'entretenir avec M. Lunel.

— Hilaire est malade, figurez-vous. Cette histoire lui a tourneboulé les nerfs, il a les gambettes en pâté de foie et les entrailles en corde à nœuds. Et puis d'abord, à quel titre converserait-il avec vous ?

— Je suis libraire mais aussi investigateur privé, souffla-t-il à l'oreille de l'épicière qui encaissait avec un sourire commercial les emplettes de Mme Boboit, une cliente éprise de ragots.

La bouche en coin, Pélagie Foulon, sur qui le charme de Victor opérait de nouveau, lui conseilla :

— Patientez jusqu'à ce que ces pipelettes aient levé le camp.

Dès que l'épicerie fut déserte, ce qui ne tarda guère, Colette Roman ôta le bec-de-cane. Victor constata que Catherine Louvier manquait à l'appel.

— N'y avait-il pas une seconde jeune femme, brune si ma mémoire est exacte ?

— Bravo, vous avez un œil de lynx ! le félicita Pélagie Foulon. L'autre soir, Catherine est revenue d'une course en fiacre au bras d'un admirateur plutôt empressé attifé d'un veston à carreaux. La mijaurée, elle m'avait extorqué un congé sous prétexte d'une affaire de famille. Hilaire Lunel, qui est aussi observateur que vous – « et nettement moins séduisant », songea-t-elle –, m'a confié que le cadavre de l'impasse arborait une veste similaire.

— L'avez-vous conté à la police ?

— Certainement pas. Je tiens à garder mes pratiques, et si l'on apprenait qu'une de mes employées se compromet avec un futur macchabée… Vous serez discret, n'est-ce pas ?

— Je vous le jure.

— Et puis il y a ce salopiaud qui trace des inscriptions saugrenues devant ma boutique, et il ne peut s'agir, ainsi que j'en étais convaincue, du dessinateur à la craie puisqu'il est en taule ! On cherche à ruiner ma réputation.

Elle se tordait les mains de désespoir. Colette esquissa un mouvement afin de la rassurer, mais n'osa l'achever. Victor en déduisit que la patronne ne devait pas être commode envers son personnel.

— À quelle heure Catherine Louvier a-t-elle regagné son logis en compagnie de cet homme ?

— C'était en fin de journée, on avait allumé les réverbères, les volets étaient accrochés. Je ne l'ai vue que de dos sur le trottoir opposé mais j'ai reconnu son allure, à la Catherine ! Elle portait son bibi à fleurs et une jaquette longue de forme sac, un cadeau de son bon ami René. D'ailleurs mon commis et la mère Anselme qui taillaient une bavette avec moi confirmeront. Huit heures avaient sonné, parce que j'ai été retenue par Mme Gilet en quête de Cascara Alexandre, un élixir contre la constipation dont j'ai toujours un flacon sur moi.

— Curieux. Lundi, Catherine et Mlle Roman se trouvaient au *Cabaret du Néant*, marmotta Victor.

Pélagie Foulon renifla et se moucha bruyamment.

— Vous me décevez, ma petite Colette ! Fréquenter un cloaque de cet acabit, surtout que vous étiez souffrante et que je vous avais accordé un après-midi de repos !

— Après un grog et une sieste, je me suis sentie mieux et je n'ai pas souhaité désappointer Catherine avec qui j'avais rendez-vous vers huit heures trente. Son bon ami, René, qui est portier au cabaret, nous y a fait entrer gratis. Vous aurez confondu, madame Foulon, c'est banal, surtout à la tombée de la nuit et à cette distance.

— Je viens de vous expliquer que les becs de gaz fonctionnaient, je ne suis pas gâteuse, tout de même ! Si ce n'était pas Catherine, c'était son sosie, même bibi à fleurs, même veste, et elle se préparait à pénétrer dans sa maison. Une telle succession de coïncidences, c'est un peu corsé. Et puis vous m'embrouillez, na ! Je ne vous parle pas de lundi, moi, est-ce que j'ai mentionné lundi ? J'ai vu Catherine le dimanche.

— Vous êtes sûre ? Vous ouvrez votre magasin le dimanche ? s'exclama Victor.

— Mes pratiques mangent tous les jours, y compris le dimanche. Il n'y a pas de loi qui interdise d'ouvrir son commerce le dimanche ! Demandez donc à Hilaire, à la mère Anselme et à Mme Gilet.

— Où est Catherine ? interrogea Victor.

— Elle déménage, elle va séjourner chez M. Cadeilhan. Je ne veux plus d'elle chez moi tant que ce méli-mélo ne sera pas tiré au clair. Je l'ai avisée de se cloîtrer chez son bon ami. Avant de l'impliquer, je désire m'assurer que rien de fâcheux ne m'adviendra.

— Où loge-t-elle, s'il vous plaît ?

— C'est simple, l'immeuble en face, cinquième droite.

Victor prit congé. Il abordait le boulevard quand il fut rattrapé par Colette.

— Monsieur, en fin de compte, êtes-vous journaliste à *L'Écho de Paris* ou êtes-vous policier ?

— La vérité est que je suis libraire. Si l'occasion se présente, par goût du mystère, je m'amuse à débroussailler des énigmes criminelles, je crois vous l'avoir déjà dit, mademoiselle.

— Ne causez pas d'ennuis à Catherine, c'est une brave camarade, en aucune circonstance elle ne tromperait son René.

Ils profitèrent d'une accalmie de la circulation et franchirent la chaussée.

— Je vais la tranquilliser. Mme Foulon a-t-elle l'intention de la renvoyer ?

— J'en ai peur, elle redoute les cancans. Quant à la mère Anselme, elle est gentille mais plus myope qu'une taupe, alors quel crédit lui concéder ? En tout cas, il vaut mieux que Catherine évite de se montrer quelque temps.

— Hilaire Lunel, est-il fiable ?

— Sans conteste, seulement c'est un écorché vif et il prend parfois les vessies pour des lanternes.

Victor remercia Colette, dont le maigre visage au menton pointu lui inspirait confiance.

Non sans méfiance, Catherine Louvier avait accepté de recevoir Victor. Elle lui avait proposé un fauteuil de rotin, s'était assise dans l'autre, mais, incapable de demeurer immobile tant elle était furieuse, s'était presque aussitôt relevée. Elle papillonnait autour de son hôte, en proie à une exaspération croissante, s'arrêtant à chaque tour devant deux perruches en cage, à qui elle jetait quelques graines.

— Ce refroidi, inconnu au bataillon, je n'ai jamais vu sa binette ! Je n'étais pas à Paris dimanche !

— Je suis allée embrasser mon Zéphyrin à Joinville-le-Pont où il est en nourrice depuis six mois pour que je puisse travailler. René Cadeilhan est venu lui aussi, normal, c'est lui le père. Il va me marier et donner son nom à notre fils. Nous avons pris le train samedi soir, on a dormi dans un caboulot de pêcheurs des bords de Marne, *L'Ablette et le Goujon*, c'est facile à vérifier.

Victor se mordillait les lèvres en examinant la pièce pauvrement meublée. Des pots de fleurs et des plantes grasses égayaient le décor. La profusion de nippes semées sur les dossiers des chaises lui évoqua le laisser-aller de Tasha. Il imaginait la minuscule chambre à coucher, dont seul un coin de tapis était visible à l'angle d'un paravent, dans un état identique, le lit défait jonché de bas et de jupons.

— Où vous êtes-vous rendue après votre retour ?

— En altitude, cinquième droite. Je suis rentrée ici, pardi ! René et moi on est à la colle, mais jusqu'à la noce on reste chacun chez soi, ça épargne les médisances. On va être obligés de briser ce pacte puisque je n'ai plus de toit, cette peau de vache de Foulon m'a prévenue il y a deux heures, je dois décaniller. C'est elle qui me loue ce mouchoir de poche. Elle a la frousse.

— Pourquoi ?

— Est-ce que je sais ? La mère Anselme et Hilaire Lunel sont susceptibles de jaser, ils jurent leurs grands dieux m'avoir vue sauter d'un fiacre au bras d'un type que je ne connais ni d'Ève ni d'Adam, et comme la Foulon s'est gardée de le signaler aux cognes, elle craint d'être emmouscaillée. Tout ce tintouin à cause d'un veston à carreaux ! La barbe ! Rien qu'à l'idée de cohabiter avec Aristote j'ai des démangeaisons partout !

— Qui est Aristote ?

— Le cador de René, il perd ses poils et il pionce dans un tonneau qui sent la vinasse. Dites, ça vous dérangerait de me filer un coup de main ? Je vais rassembler quelques vêtements et les entreposer chez mon fiancé, il crèche à côté de l'impasse du Cadran, il se chargera de transporter le reste, mais si vous m'aidiez pour un premier voyage ce serait chic.

À peine Victor eut-il agréé qu'elle entassa dans des sacs, sans s'ennuyer à les plier, les habits cueillis au hasard.

Un quart d'heure plus tard, ils ahanaient le long du boulevard de Clichy puis du boulevard de Rochechouart. Des aboiements enthousiastes les avertirent qu'Aristote leur souhaitait la bienvenue. Victor manqua choir quand deux grosses pattes percutèrent son torse et il se dépêcha de talonner Catherine à l'intérieur du rez-de-chaussée dévolu à René Cadeilhan. Celui-ci fumait la pipe dans un modeste salon hermétiquement clos où à l'odeur du tabac se mêlait celle du chien, de pommes sautées aux lardons et de transpiration. Des dizaines d'albums en vrac sur des étagères ou par terre empiétaient sur l'espace vital.

— Vous collectionnez les timbres ?

— Non, les photos de famille. Je suis orphelin, je n'ai aucune parentèle même au troisième degré. Alors ça me réconforte de feuilleter l'histoire en images de parfaits étrangers, je leur invente des noms et je me persuade qu'ils sont liés à moi par les liens du sang.

Sur le point d'avouer qu'il était photographe, Victor se mordit la langue. Il espérait que d'autres pièces moins obstruées accueilleraient les possessions de Catherine.

— Ouais, ben tu vas faire tirer le portrait de Zéphyrin et en bourrer un album rien qu'à nous trois, déclara Catherine, qui ajouta : Hein, qu'on était à Joinville en fin de semaine ? Ce monsieur enquête sur Veston à carreaux, le rétamé de l'impasse. D'après cette gourde de Foulon, il paraîtrait qu'il me faisait la cour dimanche soir devant mon immeuble.

— Je vous connais, vous. Alors comme ça vous êtes flic, j'aurais dû m'en douter.

— Je suis journaliste, pas flic, précisa Victor.

— Vous enquêtez, c'est kif-kif. Oui, dimanche, on était à Joinville et je peux le prouver. Nous avons pris le train de retour à sept heures cinq parce que j'étais de service au *Néant*. J'ai conservé les billets. Ma Catherine, elle est grimpée dans son perchoir au quart avant minuit, je l'ai escortée, alors je ne pige pas comment la veuve Foulon l'a vue descendre d'un sapin à huit ! Je vais lui tordre le cou, à cette volaille teigneuse.

Aristote gronda. Victor se mit à l'abri d'un fauteuil. René Cadeilhan se révélait un assassin potentiel par entremise canine. Quant à Catherine, entre sept heures quarante-cinq et huit heures, aurait-elle eu le loisir de rejoindre un amant à une station de fiacres ? Dans quel but eût-elle conçu un tel plan ? Une voix lui soufflait que cela n'avait pas de sens, que ces deux là étaient hors jeu.

Agité par des questions sans réponses, il les quitta, gêné de leurs remerciements. Il fonçait dans le brouillard, ce qui lui valut les réflexions désagréables de passants bousculés. Il pila sous une horloge pneumatique et revint sur ses pas jusqu'à l'impasse. Le mot « cadran » clignotait en lui. Il avait vaguement entendu Joseph lui dévoiler l'origine de ce nom, sans y prêter attention. Cadran... Le temps... Seul un obsédé du temps eût été assez machiavélique pour choisir un lieu ainsi nommé afin d'y commettre des crimes. Un énergumène au cerveau hanté par l'écoulement des minutes. Joseph avait raison, Louis Barnave remplissait ces conditions.

— Ces trois victimes, on ne les a pas tirées au sort, je présume ? objecta Joseph enfin débarrassé d'Ichirô Watanabe.

— Je l'ignore, à moins d'établir formellement un point commun entre Robert Domancy, Charles Tallard et le troisième trucidé.

— Comment ?

Joseph se massa l'estomac mis à mal par le déjeuner de Mélie Bellac, saucisse de Morteau aux lentilles et aux choux.

— En ce qui concerne l'assassin, votre hypothèse est séduisante. Louis Barnave pourrait convenir, il m'a paru perturbé. Cependant, ne serait-ce pas le doter d'une suprême intelligence que de lui prêter un mobile ? Trois hommes frappés à l'aveuglette, une mise en scène ingénieuse et analogue évoquant Saturne, une vengeance contre le temps.

Joseph étouffa une éructation et secoua la tête.

— Trois timbrés par conséquent, parce que seuls des piqués auraient poireauté au bout de cette impasse lugubre au milieu de la nuit ! Moi, j'ai l'intuition qu'un fil d'Ariane les relie. Tant pis, je prends le risque d'aller cet après-midi au 28, boulevard Bourdon. Supposez que C. Lostange divulgue un pan de cet imbroglio, qui c'est qui dirait « merci Joseph » ?

Tiraillé entre une certaine admiration envers son beau-frère et l'agacement dû à sa vantardise, Victor évita de riposter. Des gargouillements internes l'attiraient vers la cuisine. Il s'engagea dans l'escalier en colimaçon.

— C'est ça, défilez-vous ! Ça vous écorcherait la bouche de m'encourager ! Bon appétit, un repas léger vous attend ! Saucisse de Morteau à la mode Mélie Bellac. Régalez-vous ! clama Joseph.

Après une des matinées les plus éprouvantes de son existence, Clarisse Lostange s'était réfugiée dans son appartement. Effondrée sur une ottomane, elle se remémorait les épreuves subies depuis que des coups avaient ébranlé sa porte aux alentours de neuf heures. La police, les questions à propos de son identité, l'annonce de la mort d'Eusèbe, l'interrogatoire, l'ordre de ne pas s'éloigner de Paris tant que les causes de l'assassinat ne seraient pas éclaircies. Enfin, le pire, la Morgue.

Au courroux dû au départ d'Eusèbe avait succédé l'inquiétude de ne pas le voir rentrer. Puis de nouveau la colère. Apprendre qu'il avait été égorgé l'avait sérieusement choquée. Le chagrin s'était mué en peur, puis en apitoiement sur elle-même désormais privée de son frère unique. La vision du cadavre l'avait horrifiée. Maintenant, ce qui montait en elle était un immense abattement, lié à une rancœur croissante à l'égard d'Eusèbe qui s'était évertué à la persécuter. Qu'il fût décédé était triste, qu'il eût été égorgé constituait une calamité. La police et les journalistes allaient la dépecer toute crue. Le qu'en-dira-t-on ferait son œuvre, on la fuirait comme une pestiférée, d'abord au sein de l'immeuble, ensuite dans le quartier. Serait-elle acculée à l'exil ?

On sonna. Elle serra les dents, encore un de ces charognards qui la traquaient. On insista. À pas de loup elle s'avança. La solitude la rongeait déjà. Si seulement elle n'avait pas congédié la bonne !

— Qui est-ce ? demanda-t-elle.

— Joseph Pignot pour vous servir, je suis détective privé, je m'intéresse à l'affaire de l'impasse du Cadran. Rien de ce que vous pourriez me confier ne sera répété aux flics ni à la presse, c'est un serment solennel.

Il y eut un long silence. Clarisse Lostange hésitait à s'épancher avec un tiers. Sur le palier, Joseph croisait les doigts dans l'espoir de s'être montré persuasif.

Un grincement les mit face à face. Soulagée de découvrir un jeune homme au visage avenant, Clarisse Lostange s'effaça. Joseph baisa la main de cette dame peu attrayante et la suivit dans une salle à manger où ils prirent place sur des chaises en vis-à-vis.

— Je serai bref, car je subodore que vous avez eu votre content d'émotions. *Le Passe-partout* a publié votre nom parce qu'il était écrit sur une étiquette attachée à un trousseau de clés trouvé dans la poche de la victime de la nuit dernière, à Montmartre. Êtes-vous apparentée à cet individu ?

Clarisse Lostange, dont les yeux secs et le maintien pondéré attestaient une douleur relative, hocha le menton.

— Je suis veuve, je me nomme Clarisse Lostange, je suis, j'étais, sa sœur. Il s'appelait Eusèbe Tourville, mon nom de jeune fille, précisa-t-elle, il était – il avait été – facteur. Je l'ai narré au commissaire et aux reporters qui rôdaient autour de lui, ce sera bientôt imprimé.

— Oh ! Je suis désolé !

— C'est aimable à vous. Mais il était prévisible qu'Eusèbe tournerait mal. Rien ne serait advenu s'il n'avait pas participé en mai à cette satanée grève socialiste responsable de son renvoi. Depuis qu'il était au chômage et que je l'avais hébergé par bonté d'âme, en dépit de la modicité de mes revenus, il n'était plus le même. Il refusait de sortir, il passait ses journées cloîtré dans sa chambre. Et puis soudain, pfft, il a filé hier comme un zèbre en emportant les clés, heureusement j'ai des doubles. Je ne l'ai pas revu, mon pauvre frère.

Joseph nota que sa peine semblait affectée et que l'appartement ne correspondait pas à un train de vie médiocre.

— A-t-il justifié son comportement ?

— Non, il m'a poussée sans ménagement afin de déguerpir au plus vite. Sans doute allait-il rejoindre son ex-maîtresse ou des mordus des courses, des dévoyés qui autrefois l'incitaient à miser sur des chevaux et à dilapider sa paie à Longchamp.

— Robert Domancy et Charles Tallard, peut-être ?

Joseph présumait qu'il touchait au but. Sa déception fut d'autant plus vive quand la veuve afficha une ignorance complète.

— Il ne m'a jamais présentée à ses relations, navrée, vous en savez plus que moi, monsieur. Quand je pense qu'il va falloir que je fasse changer les serrures...

Il lui laissa la carte de la librairie, au cas où elle se souviendrait de détails importants. Elle le reconduisit, les lèvres pincées, sans proférer un son.

De retour rue des Saints-Pères, Joseph relata à Victor ce qu'il avait récolté chez Clarisse Lostange.

— Des clopinettes ! Puisque nous ne sommes pas fichus de déceler un lien entre les défunts, on devrait privilégier la piste Louis Barnave, suggéra Joseph.

— Il y en a pourtant un, de lien. Domancy, Charles Tallard et Eusèbe Tourville fréquentaient les champs de courses, celui de Longchamp en particulier.

— Oui, bon. Vous me troublez, moi je me fie à mon instinct. Je suis sûr que Barnave joue un rôle non négligeable dans ces salmigondis mortels.

— Vous me parlez d'impression, pas de preuves.

— Ben justement, en interrogeant ceux qui l'ont côtoyé jadis, je vous démontrerai que je suis dans le vrai. J'assume cette mission périlleuse.

— Et qui va vous les fournir, ces renseignements ?

— Ses anciens collègues, pardi !

— Ces anciens collègues de quel corps de métier ?

— Vous figurez-vous que je sois un amateur ? Colette Roman vous l'a dit au *Cabaret du Néant*, il était cocher, rue Ordener, il a été flanqué à la porte. J'ai pris des notes sur mes genoux tandis que vous roucouliez mieux qu'une tourterelle.

— Un point pour vous ! Comment envisagez-vous de vous documenter ?

— Vous voulez que je vous gâche la surprise ?

Victor sourit pour montrer qu'il n'était pas dupe.

— Vous avez le crâne épais, hein ?

— Démêler son passé pourrait nous ouvrir de nouvelles perspectives. Il me fait peur, ce type.

— Vous, Joseph, peur ?

— Je n'y peux rien. Enfin, ce n'est pas lui qui me fait peur, mais ce qu'il serait capable d'accomplir encore, c'est un hargneux, je… Je lui ai donné notre bristol… Mince !

— C'est malin, bravo ! Si cela ne vous perturbe pas trop, c'est moi qui vais me rendre rue Ordener afin de vérifier votre théorie.

— Vous vous gaussez de moi !

— On s'amuse comme on peut, répliqua Victor.

Parmi les quarante-cinq établissements de la Compagnie générale des omnibus, celui de la rue Ordener était constitué de plusieurs bâtiments réservés les uns aux chevaux et aux palefreniers, les autres aux graisseurs de harnais, aux côtiers, aux chargeurs de fumier ou aux laveurs. Ce lieu empestait l'huile et le crottin. Dès qu'un omnibus était remisé, un charron l'inspectait, on le nettoyait et on se consacrait à la nourriture et aux soins des bêtes. Les travaux étaient effectués ponctuellement de manière qu'aucune tâche ne s'interrompît pendant la nuit. Aux aurores, véhicules et harnachements étaient derechef astiqués, on battait les coussins et on essuyait les glaces. Si bien qu'entre six et sept heures du matin, le cocher, apte à prendre les commandes, et le conducteur, muni de sa feuille de travail, monteraient à bord de leur voiture qui se mettrait en branle.

Pour l'instant, en fin d'après-midi, le chef de dépôt, assisté de piqueurs, veillait à ce qu'on détachât les chevaux. Des maréchaux marquaient avec un brin de paille la queue de ceux qui avaient besoin d'être ferrés, et un vétérinaire s'assurait que les animaux étaient en forme.

Victor erra au milieu de cette effervescence sans qu'on s'intéressât à lui. Il avisa un vieux relayeur occupé à chiquer.

— Pardon, monsieur, je cherche un nommé Louis Barnave.

L'homme cracha un jus brunâtre et se gratta l'occiput.

— Non, vraiment, je ne vois pas. Allez chez le chef de service, M. Nervin, dans le pavillon accolé à la sellerie, il compulsera ses livres.

Après avoir toqué, n'obtenant pas de réponse, Victor pénétra à l'intérieur d'un bureau encombré de dossiers. Un téléphone mural et une machine à écrire introduisaient dans ce secteur paperassier une touche de modernisme. Nonobstant ces innovations, porte-plume, crayon, taille-crayon et encrier alignés sur un buvard à portée de main, M. Nervin, le dos tourné à son visiteur, se livrait à un curieux exercice. À intervalles réguliers, il tendait le bras et refermait le poing sur un adversaire invisible.

Victor toussota, le chef de service pivota sur lui-même, embarrassé.

— Excusez-moi, je ne vous avais pas entendu.

— Un nouveau genre de lutte ?

— Ne l'ébruitez pas, je m'entraîne à attraper les mouches. L'hiver, on est tranquille, mais dès le printemps c'est l'enfer. Le dépôt est envahi de ces diptères, la faute aux chevaux. Un véritable fléau. J'ai beau avoir garni les fenêtres de mousseline, je suis submergé. Foin des tapettes, des insecticides et des pièges, la mouche résiste à tout. Que voulez-vous ?

— J'aimerais savoir si vos registres mentionnent un certain Louis Barnave, qui fut cocher d'omnibus. Je suis clerc de notaire délégué pour lui remettre un legs.

— Barnave, dites-vous ? Je vais examiner le volume des B. Bâcle, Badinet, Bagasse… Barnave, Louis, vous avez de la chance. Ce type a été renvoyé il y a quatre ans à la suite d'un accident sur l'omnibus AQ qui a fait un mort. Apparemment, il y a eu enquête. Barnave avait trop bu. Le conducteur et les passagers de l'impériale ont témoigné, leur identité figure dans le procès-verbal de la police.

— Je présume que vous n'en avez pas de copie ?

— Vous présumez juste !

— Cet accident, où s'est-il produit ?

— Voyons, voyons, marmonna M. Nervin en ajustant ses demi-lunes, à l'angle de l'avenue des Champs-Élysées et de la rue Pierre-Charron.

— Donc le constat a été établi par le commissariat de l'Étoile ?

— Je crois. Il vous faudra le contrôler, riposta M. Nervin, pressé de s'adonner à son passe-temps favori.

Victor allait être en retard.

— Cocher, gare du Nord, en vitesse !

« Il doit avoir pris un coup de vieux, songea-t-il. Quand l'ai-je rencontré ? En 91 ? Non, en 92, j'étais plutôt mal en point. »

Il tâta sa vieille cicatrice au côté droit, puis alluma une cigarette. Mais il était si nerveux qu'il fuma trop rapidement et fut pris d'une quinte de toux. Il abaissa la vitre du fiacre et jeta son mégot.

« Vais-je le reconnaître ? On prend de la bouteille en sept ans. Quel âge peut-il avoir ? La soixantaine ? Ah ! c'est contrariant au possible ! Il choisit bien l'occasion de réapparaître !... Comment consulter ce rapport de police ? Sans une accréditation, je n'y aurai jamais accès. Solliciter Valmy ? Hors de question. »

Le fiacre s'était rangé.

Bousculé par une foule bruyante et agitée, Victor s'élança salle des pas perdus. Le train était déjà en gare, les derniers passagers débarquaient des wagons. Sous un des piliers du quai, il distingua un homme cerné de valises qui parlementait avec un porteur. Il étudia la photo que Tasha lui avait confiée et la compara avec le voyageur.

L'homme, d'un port juvénile, portait une tenue sport, assortie d'une casquette à visière d'où s'échappaient des mèches argentées. Aucun doute, c'était lui avec sept ans de plus et pas un doigt de moustache. Victor s'avança. L'homme le regarda venir, mi-inquiet, mi-intrigué.

— Monsieur Pinkus Kherson ? hasarda Victor.

— Monsieur Legris ?... Êtes-vous mon gendre ?

— Oui. Bienvenue, dit Victor en lui serrant la main. Tasha n'a pu vous accueillir à cause de la petite. J'ai un fiacre. Djina nous attend rue des Saints-Pères, ensuite nous irons chez nous, rue Fontaine.

Installé à son bureau dans l'appartement, Kenji manipulait avec précaution un atlas des explorations de la « mission Pavie » de 1879, agrémenté de *Recherches sur la littérature du Cambodge, du Laos et du Siam.*

Le téléphone sonna dans le salon. Il entendit la voix de Djina suivie d'un silence. Il se leva et gagna subrepticement la porte entrebâillée. Détournée, Djina répondit :

— Dans dix minutes.

Il n'eut que le temps de se précipiter devant son livre. Elle était revenue et fouillait la penderie.

— Qui était-ce ? demanda-t-il d'un ton dégagé.

— Victor. Il m'appelle du *Temps perdu*. Il vient me chercher.

Il pirouetta sur lui-même.

— Il est arrivé quelque chose ?

— Non, c'est Tasha, elle désire me parler, c'est urgent.

— Tasha ? Je suis curieux de savoir ce qu'elle te veut, elle ne peut reporter ça à demain ? Ce n'est pas le moment, il fait presque nuit.

— En voilà une remarque perfide, il est à peine sept heures et mon chaperon de beau-fils ne me lâchera pas d'une semelle.

Elle passa dans la salle de bains, les pans de son peignoir flottaient autour d'elle.

— Pourquoi Victor ne monte-t-il pas ?

— Il est en bas avec un fiacre, dit-elle en surgissant habillée de pied en cap.

Elle déposa un baiser sur son front.

— Couche-toi, mon amour, tu as mauvaise mine.

— Si vous rentrez assez tôt, ma chère, sachez que je n'ai pas de sortie en vue.

Il compta jusqu'à vingt et se rua à la fenêtre. Son cœur fit un bond. Un troisième personnage accompagnait Djina et Victor, il se retourna, Kenji l'identifia aussitôt. Impossible que pareille infortune lui tombât dessus ! « Les absents sont toujours trop présents », médita-t-il avec amertume.

Djina jeta un long regard à Pinkus pour se rassasier de son souvenir avant de le considérer comme une vieille connaissance partie depuis des lustres. Elle avait pâli en découvrant sa silhouette familière sur le trottoir. Elle avala sa salive pour éviter de céder au vertige. Il se tenait immobile à côté de Victor qui semblait plutôt mal à l'aise. La lumière des becs de gaz creusait ses traits, ses cheveux avaient blanchi, il paraissait fatigué, mais il était aussi droit qu'autrefois.

— Bonjour, Djina, murmura-t-il, j'ai débarqué hier.

— Pourquoi ne m'as-tu pas écrit au lieu de passer par Tasha ?

— J'ai préféré qu'elle te prépare.

— Toujours audacieux. Quel âge a ton enfant ?

— Trois ans... J'ai longuement hésité à te l'annoncer, il aurait fallu obtenir ton approbation et...

Elle éclata d'un rire forcé.

— Mon approbation pour qu'il vienne au monde ? Un mâle, tu es ravi ?

— Ne sois pas cruelle, Djina, ce n'est pas ce que je voulais dire... J'ai appris que tu cohabitais avec M. Mori.

— Nous faisons plus que cohabiter.

— Il y a longtemps ?

— Écoute, tu nous as abandonnés il y a dix-sept ans, les filles et moi, tu n'as nullement besoin de tout savoir sur ma vie, je suis sûre d'ignorer de nombreux épisodes de la tienne. Je suis d'accord pour divorcer, cela ne posera aucune difficulté, Tasha s'est occupée des formalités. Où es-tu descendu ?

— Il va rester chez nous, intervint Victor. Le cocher s'impatiente, montez.

Le visage collé à la vitre, Kenji essayait de refouler l'émotion qui l'étreignait. Pinkus était de retour. Il avait envie de hurler. Qu'allait-il devenir si Djina le quittait ? Il ne savait plus où il en était. Qu'il avait été stupide de penser que cette embellie durerait *ad vitam aeternam* ! Son ressentiment se retourna contre Victor. Quel hypocrite ! Ils allaient dîner rue Fontaine. Pinkus s'extasierait sur sa petite-fille. Qu'allait-il lui offrir pour la séduire ? Une poupée ? Des jouets importés de New York ?

« Et moi ? Que suis-je pour cette gamine ? Le père adoptif de Victor, autant dire rien ! »

Il souleva le couvercle du piano. Un caprice de Djina qui voulait l'enseigner à sa petite-fille. Il ne savait jouer qu'avec un doigt. Il appuya au hasard sur les touches noires. Des réminiscences musicales lui traversèrent l'esprit, une mélodie simple et répétitive, une mélopée étrange issue d'une contrée lointaine. Il se laissa entraîner vers un paysage enterré dans un des recoins obscurs de sa mémoire. Il était si jeune ! Vingt, vingt et un ans... Une expédition avec ce botaniste anglais, John Cavendish, dont il était l'interprète. Un cimetière chinois enfoui sous la végétation luxuriante d'une île du Pacifique, la réception des autochtones dans un kampang et l'apparition de la ravissante Javanaise qui l'avait initié aux relations charnelles. Pati, sa chevelure piquée de fleurs, son rire, le grain de sa peau, le bouillonnement d'une rivière au pied du volcan Lawu-Kukusan… Quand il avait dit au revoir à Pati, il lui avait promis de revenir en sachant pertinemment qu'il mentait.

Il s'écarta de l'instrument. Il avait épuisé sa rage.

Victor se réveilla à l'aube et ne put se rendormir. Pinkus était installé dans l'atelier et, de peur de le croiser, il n'osa pas s'aventurer dans la cour pour rejoindre son labo. Les pensées tourbillonnaient dans sa tête, chassant toute velléité de sommeil. Il se leva et gagna la cuisine où il se boucla de justesse avant que Kochka n'entame sa litanie d'affamée. Comment accéder à ce compte rendu d'accident d'omnibus survenu quatre années auparavant ? Comment concilier ses escapades avec la présence de son beau-père ? Comment contenter Pierre, Paul, Jacques et conserver un chouïa de liberté ? Il ingurgita trois tasses de café, fuma cinq cigarettes et soudain, la réponse, lumineuse, lui apparut. Ragaillardi, il s'étira longuement. Non, Raoul Pérot ne lui refuserait pas cette faveur.

CHAPITRE XIV

Raoul Pérot avait soulevé les couvercles de ses boîtes sans enthousiasme. Un ciel poisseux attristait le quai Voltaire. Il était le premier bouquiniste ouvert et serait peut-être le seul à tenter sa chance. Il rangea le contenu de la toile verte qu'il avait charriée depuis la rue de Nevers où il partageait une mansarde et quelques meubles bancals avec sa tortue Camille. Les traités de philosophie acquis la veille allèrent rallier Érasme, Spinoza et Descartes. Il fit mine de s'absorber dans la lecture du *Sermon sur la mort* de Bossuet, le temps que s'éloigne en traînant la semelle l'Islandais doté d'un monocle et d'un gibus défoncé qui dilapidait ses journées à faire signer une pétition réclamant l'autonomie de son pays.

Faute de clients, Raoul Pérot espérait revoir une certaine demoiselle aux yeux verts. Elle se promenait un chat blanc sur l'épaule et s'attardait parfois à son étalage pour lui parler de sa collection de cafetières. Il avait potassé le sujet de manière à exposer ses lumières sur la caféolette, inventée en 1802 par

François-Antoine Descroisilles, et la cafetière en porcelaine créée par le chimiste Antoine Cadet de Vaux.

— Oh, moi, pourvu que ce soit décoratif ! rétorquait-elle invariablement.

Pendant qu'il réfléchissait à un moyen de la séduire, l'omnibus Clichy-Odéon tiré par trois flegmatiques chevaux pommelés cracha un voyageur au coin de la rue du Bac. Il ne reconnut Victor Legris que lorsque celui-ci eut traversé.

— Quelle bonne surprise ! Vous sauvez cette journée de l'ennui ! lança Raoul Pérot.

— Ce n'est pas au bouquiniste que je m'adresse, ni au poète qui publie ses vers sous le pseudonyme d'Isis, c'est à l'ancien commissaire du XIVe arrondissement, déclara Victor, qui avait été soulagé d'apercevoir la silhouette dégingandée, grands pieds, moustache à la Vercingétorix et habillement relâché, son ami depuis neuf ans.

— Vous omettez mes postes antérieurs, le VIe puis la Chapelle. Mais tout cela est loin, j'ai renoncé à la fréquentation des semeurs de troubles.

— Vous me rendriez pourtant un immense service en renouant l'espace de quelques heures avec cette profession.

Il lui résuma l'enquête dans laquelle Joseph et lui s'empêtraient de leur plein gré et formula sa requête. Raoul Pérot avait lu les journaux, et comme tout un chacun était intrigué par les objets disposés autour des cadavres. Mais, à l'annonce de l'intérêt que son ami portait à ces meurtres, il grimaça.

— Décidément, vous adorez les embarras. Pouce, je ne joue plus. L'an dernier, vous avez failli compromettre mes débuts dans ma nouvelle carrière en m'attirant dans une investigation hasardeuse. Si

Augustin Valmy réalise que je me suis acoquiné avec vous, pas de quartier !

Victor insista.

— Je ne vous dérangerai qu'une matinée, ensuite je vous promets de disparaître.

Après avoir renâclé, Raoul Pérot accepta de coopérer et ferma sans regret son étalage auquel nul promeneur n'avait prêté attention.

— Vous êtes têtu, Victor, et vous avez raison. Je viens de me rappeler qu'Anthénor Bucherol, un de mes ex-sous-fifres, a été promu secrétaire du commissaire de l'Étoile.

Anthénor Bucherol mesurait près de deux mètres. Eût-on négligé ce détail qu'une abondante chevelure rouge carotte eût signalé sa présence. Aussi, mal à l'aise dans sa carcasse, marchait-il courbé en deux, la tête prisonnière d'un melon d'où parvenaient toujours à pointer quelques boucles rebelles.

Après s'être assuré que le commissaire ne l'espionnait pas, il s'attaqua à une muraille de registres dressée au fond de son bureau étriqué. Triomphant, il brandit celui de l'année 1895.

— Je l'ai, monsieur Pérot ! Là, le 10 avril à cinq heures dix de l'après-midi, un petit garçon de cinq ans est tombé d'un véhicule de la Compagnie des omnibus, ligne AQ, et s'est tué. La voiture venait de marquer un arrêt sur les Champs-Élysées à la hauteur de la rue Pierre-Charron et redémarrait quand l'accident s'est produit.

— Comment se nommait la victime ? demanda Raoul Pérot.

— Florestan Nollet, 18, rue du Pont-Neuf. Il semble que le départ abrupt de l'omnibus, dû au fait que le cocher était en état d'ébriété, ait été responsable de la chute du gamin penché à mi-corps sur la rambarde de l'impériale.

— Vous permettez que je recopie la liste des passagers ? le pria Victor qui lisait par-dessus son épaule.

Il écrivit dans son carnet : Benodet François, Vatan Hubert, Domancy Robert, Frépillon Berthe, Crayolet Nadia, Trouville Eusèbe, Vergne Jean, Samuel Jacques, Tallard Charles, Mopral Denise, Duruty Lina, Nattier Nicéphore, Tirson Odile, Corsini Edmond.

— A-t-on noté l'identité du cocher ?

— Barnave Louis.

— Et qu'ont dit les témoins ?

— Que le garçonnet se livrait à des acrobaties périlleuses, et que la personne qui veillait sur lui – on ne spécifie pas qui – aurait dû intervenir, mais que rien ne serait arrivé sans le coup de fouet intempestif du cocher, qui a d'ailleurs aussi déclenché chez Mme Tirson Odile un hoquet fort long à se dissiper.

Le café *Au va-et-vient* était bondé, et Joseph ne cessait de protester contre les clients qui tentaient de s'approprier la chaise réservée à son beau-frère.

— J'en ai besoin pour mon pardessus ! s'exclama-t-il en l'arrachant des mains d'un lascar à moustache en croc.

— Y a des portemanteaux, espèce de roquet !

— Gare aux roquets, ils ont la dent dure ! Ah ! Victor, ce n'est pas trop tôt ! Occupez vite ce siège, ce monsieur veut nous le voler !

Le lascar les toisa et céda le terrain en bombant la poitrine.

Lorsque Joseph acheva de déchiffrer les gribouillis noircissant deux pages du calepin, il grommela :

— C'est Tourville et non Trouville qu'il faut lire, bien sûr. Je l'admets, vous avez vu juste : un lien unissait les trois assassinés, puisqu'ils étaient réunis dans l'omnibus AQ.

— Et l'on peut supposer qu'ils revenaient des courses de Longchamp. En ce qui concerne Charles Tallard, c'est Wilfred Fronval qui m'a fourni le tuyau. Clarisse Lostange vous l'a confirmé pour son frère Eusèbe.

— Et Robert Domancy ? Ah oui, le papier remis par Augustin Valmy.

— Précisément. *Payer le « donneur de conseils » pour les gains d'octobre à Longchamp. R.D.V bistrot Butte.* Le motif général de cet incompréhensible rébus prend vaguement forme. Trois amateurs de chevaux, dont le destin est lié à celui d'un cocher obnubilé par le temps. Il a perdu sa place suite à un accident qui a coûté la vie à un enfant. Est-ce la déposition des trois parieurs qui a provoqué leur mort ? Louis Barnave, s'il est réellement le coupable, va-t-il égorger d'autres passagers de l'omnibus AQ dans le but de se venger ?

— Le « donneur de conseils » n'a peut-être pas touché son salaire ? De là à vouloir se faire justice… Priorités : identifier ce type et situer ce bistrot sur la Butte. Mais plus urgent : rencontrer les parents du gosse, les Nollet, en espérant qu'ils n'ont pas déménagé. À mon grand regret cette mission vous incombe, Victor. Moi, je rentre dare-dare à la maison, j'ai l'autorisation de Kenji : j'ai promis d'emmener les enfants au Jardin des Plantes, maman sera de la partie, une réjouissance. Zut et zut ! J'ai horreur des galeries emplies d'ossements, de cailloux et de végétations grasses aux noms latins. Une purge, la nature ! Vive la ville !

— Roquet ! mâchonna le lascar alors qu'il le dépassait.

Joseph retroussa les babines.

Quand Victor fut aspiré par l'appartement, il déplora aussitôt d'avoir quitté les bourrasques étrillant la rue du Pont-Neuf. Sis au rez-de-chaussée d'un immeuble haussmannien, le logement jouxtait un magasin dédié aux articles de pêche où l'on proposait cannes à moulinet, flotteurs en liège, lignes sur plioir et hameçons à palette sous la haute capacité de Germain Nollet.

Une gouvernante raide comme un passe-lacet introduisit le visiteur dans un salon mauve de modestes proportions, aux rideaux tirés en dépit d'une matinée ensoleillée. Deux cheminées se toisaient, chacune surmontée d'une glace, chacune dotée d'une pendule de bronze. Elles épièrent l'intrus qui préféra attendre debout plutôt que de s'immerger dans un des sofas à larges accoudoirs et communiquèrent en morse :

— Quel est ce fouineur, *tic tac tac* ?

— Un trouble-fête, *tac tic tac*.

Victor eut l'imprudence de défier les pendules et aperçut son visage reflété à l'infini au milieu des trumeaux. Cette composition en abyme engendra un léger vertige. Il se hâta de gagner un angle occupé par un guéridon afin d'échapper à la prolifération de sa propre image.

Les aiguilles rongeaient lentement les cadrans, onze heures cinq, onze heures sept. À onze heures trente-deux, la gouvernante revint, les semelles de ses chaussures plates raclant le plancher.

— Mme Nollet vous recevra dans le salon d'apparat, annonça-t-elle.

Exacte réplique de celle où Victor avait patienté, la pièce, au bout d'un corridor, comportait elle aussi deux cheminées, deux pendules, et des fenêtres occultées de damas broché, ainsi que des fauteuils que complétait une table ronde en acajou recouverte d'une nappe de velours. Sur le tissu violet qui tapissait les murs étaient accrochées les photographies de tous les membres de la famille. Le père, moustache en guidon de vélo et pardessus à rayures, était suivi de sa digne moitié, la matrone en robe de laine qui examinait Victor de ses yeux noirs enfoncés tels des grains de raisin dans une blême figure écachée. Sous les portraits des parents, la progéniture Nollet au garde-à-vous inspectait à son tour l'étranger. Une fille poussée trop vite, maigre et gourmée, les cheveux coiffés en nattes, puis une autre plus courtaude et boulotte, vouée aux volants et aux dentelles, sans doute la chouchoute de sa mère. Un garçon revêche muni d'un cerceau et vêtu de l'inévitable costume marin. Une troisième fillette, aux anglaises nouées de rubans, l'ombre d'un sourire méprisant sur les lèvres, rabrouée au moment où le photographe actionnait son déclencheur et de ce fait un peu floue.

« Quelle ambiance agréable ! songea Victor. On jurerait qu'ils se rendent en chœur à un enterrement. Ils incarnent tout ce que je déteste, la respectabilité, le manque d'humour, le droit chemin, l'absence de rêve, l'ennui. »

Le souvenir de M. son père s'invita aussitôt. Les mâchoires serrées, il inspira profondément pour refouler une enfance brimée qu'il s'efforçait d'effacer de sa mémoire, pivota sur lui-même et demeura interdit à la vue d'un cadre ovale autour duquel on avait entortillé un crêpe noir. L'enfant qui le contemplait était différent des autres. Ses cheveux blonds frisés n'avaient pas été coupés et l'apparentaient à une fille. Il portait un gilet brodé et un pantalon court, et il riait. Victor ne résista pas à l'attraction de ce cliché pris sur le vif.

— On dirait qu'il va bouger, murmura-t-il.

— Mais que désirez-vous, à la fin ? aboya Mme Nollet. Votre carte mentionne que vous êtes libraire. Mon époux et moi ne lisons pas, faute de loisir. Nos enfants se contentent de leurs manuels scolaires qui sollicitent suffisamment leur cervelle.

— Excusez mon impolitesse, je comptais me présenter à vous plus tôt. Ce n'est pas en tant que marchand que je suis ici. J'aide un ami employé à la préfecture de police, son frère a été tué et, en conduisant notre enquête, nous avons découvert que ce jeune homme a emprunté l'omnibus d'où est tombé votre petit garçon, il y a quatre ans.

— Quatre ans et sept mois, paix à son âme, précisa Mme Nollet en se signant. Il se nommait Florestan. S'il était encore en vie, il aurait neuf ans, il serait là, entre notre cadette, Joséphine, et son aîné, Agénor. C'est lui que vous fixiez tout à l'heure. Quelle est la raison de votre visite ?

— Je m'interroge : le meurtre du frère de mon ami aurait-il un lien avec la mort de votre fils ?

— Ridicule ! C'était un accident, tragique, je vous le concède, mais un accident. Florestan était ce qu'on appelle en langage familier un mouton noir, insolent, turbulent, briseur d'assiettes. Mon époux et moi envisagions de le placer dans une institution. Il ne m'a causé que des tracas. Un accouchement très difficile, alors que les autres... Ah, mes chérubins ! soupira-t-elle tournée vers les photos de ses rejetons. C'était un bébé pleurnichard. Un mioche plus excité qu'une colonie de puces, toujours à galoper, à désobéir, à vous glisser entre les doigts, une savonnette ! Je suis débordée, mais je consens à un entretien, asseyons-nous, nous serons plus à l'aise.

Victor se résigna à couler au fond d'un des fauteuils tandis que son interlocutrice l'imitait en vis-à-vis.

— Et que s'est-il produit sur l'impériale de l'omnibus ?

— Il aura fait le fou, comme d'habitude ! Il aura escaladé la rambarde, il aura chaviré, cela ne nous a pas surpris, son père et moi, nous pressentions qu'il finirait mal. Eût-il vécu qu'il serait grimpé sur l'échafaud, une Gitane l'avait vu dans ma paume.

— Il ne voyageait pas seul, je suppose ?

— Bien sûr que non, sa nurse était censée le surveiller. Réfléchissez aux frais qu'il nous occasionnait ! Alors que ses sœurs et son frère ne bénéficiaient que d'un précepteur, il lui fallait une nounou particulière ! Il en a usé six, avant que nous engagions cette fille en janvier 1894. J'ignore pourquoi, mais elle avait l'heur de plaire à Florestan. Ou plutôt si, je sais : elle lui laissait la bride sur le cou et lui accordait ses quatre volontés !

— Son nom ?

— Il est gravé là, marmonna Mme Nollet en vrillant son index sur sa tempe. Lina Duruty.

— Lina Duruty avec un *Y* ?

— Oui, elle était d'origine basque, un trou perdu de la Navarre ou du Béarn. J'ai hésité, elle semblait fort jeune et ne possédait pas les compétences requises, elle avait été infirmière ou fille de salle à Bicêtre, un hospice pour la lie de la société. Elle nous a avoué être lasse de s'occuper de malades. Mais, a-t-elle ajouté, parmi eux on comptait beaucoup de marmots, aussi s'estimait-elle capable de veiller sur le nôtre.

Mon mari a gobé ses arguments sans sourciller, un joli minois ça l'émoustille, c'est un homme, assenat-elle comme si elle énonçait un mal incurable.

— Qu'est-elle devenue ?

— Nous l'avons renvoyée, évidemment. Quel emploi lui fournir, de toute façon ? Et puis sans sa négligence, notre fils serait peut-être vivant. Quand je pense que, ce jour-là, elle l'avait emmené se promener au Jardin d'Acclimatation et ne nous en avait pas avertis !

Elle se tourna vers le blondinet qui la narguait au milieu du crêpe noir.

— Vilain garnement, tu as saccagé le cœur de ta maman, parfaitement monsieur, ma famille en témoignera, la disparition de Florestan m'a valu trois rides sur le front et une mèche de cheveux blancs, et j'étais dans la fleur de l'âge !

Victor lutta contre le fauteuil qui s'était mué en ventouse et, au prix de contorsions douloureuses, parvint à se relever. « Il faudra que je consulte le Dr Reynaud, je commence à souffrir de rhumatismes. »

— Madame, je suis désolé d'avoir abusé de votre temps, il semble en effet que la présence dans le même omnibus de votre fils et du jeune homme tué impasse du Cadran ait été une coïncidence.

— Ce qui est limpide, c'est que tous deux ont subi un sort semblable, à quatre ans d'intervalle. Ah ! Nous sommes peu de chose… Pardonnez-moi, je vais seconder mon époux à la boutique. Vous aimez la pêche ?

— Le fruit, oui. Le sport, non.

— Dommage, nous avons le plus beau choix de pèse-poissons et d'épuisettes de la place de Paris.

Elle gloussa pendant qu'il baisait sa main.

Lorsqu'il fut de nouveau sur le trottoir, il huma avec délice l'air poussiéreux, tira de sa poche son calepin et un crayon et nota : *Lina Duruty. Bicêtre.*

Joseph et lui devraient-ils fureter dans ce lieu morbide avant de déchiffrer sur un vieux registre le nom d'une infirmière basque ? Il gagna le quai du Louvre.

Une impression de déjà-vu l'obligea à freiner devant un magasin d'antiquités qui exposait un buste d'Henri IV. Une chanson apprise dans son enfance lui revint en mémoire :

> *Vive le roi ! Vive Henri IV*
> *Vive le brave Béarnais...*

Il achoppa sur le mot « Béarnais », extirpa le carnet qu'il feuilleta jusqu'à la liste des passagers de l'omnibus. Là, c'était écrit noir sur blanc ! *Duruty Lina, nounou.*

Puis il pensa : « Charlina, Lina, consonance identique, serait-ce la même femme ? »

Il tenta de rassembler ses souvenirs.

« Depuis quand Charlina faisait-elle du théâtre ? L'accident s'est produit en avril 1895. On peut changer de vie en quatre ans. Retourner questionner l'amoureux transi.

« J'ai amplement le temps de passer à la Comédie-Française. Je dois avoir une conversation avec Arnaud Chérac. »

Grâce à l'accréditation d'Augustin Valmy, Victor fut autorisé à s'introduire dans la Comédie-Française où on lui dit qu'Arnaud Chérac se trouvait soit au foyer, soit dans les loges. Il emprunta l'escalier monumental dont chaque étage portait le nom d'un acteur ou d'une actrice jadis célèbre, Talma, Rachel. Si les paliers étaient ornés des bustes de divers auteurs dramatiques modernes, la galerie était consacrée à Beaumarchais, Alfred de Musset ou George Sand. « Dire que Scribe a été ovationné alors que le pauvre Nerval était boudé du public », songea Victor en atteignant le grand foyer. Deux énormes cheminées s'y faisaient face. Douze bustes, dont ceux de Molière, Corneille et Voltaire, décoraient les murs, ainsi que douze médaillons où figuraient en camaïeu bleu sur fond d'or des scènes fameuses du répertoire classique. Victor admira mais ne s'attarda guère, car l'acteur n'était pas en vue. De nouveau dans l'escalier, il pria un jeune homme pressé de lui indiquer le foyer des artistes.

— Désolé, monsieur, ce salon est interdit aux profanes.

Il fallut redescendre, errer un long moment, se perdre dans des couloirs avant de dénicher la loge où Arnaud Chérac achevait de se maquiller pour la représentation de *Froufrou*.

L'acteur était plongé dans une méditation morose, les yeux rivés à son abdomen quelque peu proéminent. Il regrettait de ne pas être une femme, non qu'il fût prêt à sacrifier sa virilité mais parce que ces créatures palliaient leur embonpoint avec le secours de leur corset. Il déplorait sa gourmandise, mais admettait que se goinfrer de meringues ou de babas au rhum le consolait de ses déboires amoureux. Une paume écrasée contre son ventre, il s'efforçait d'imposer à son profil la finesse qui récemment encore était sienne, et redoutait d'avoir à subir un costume étriqué. Un léger craquement le troubla, il fit volte-face et, nez à nez avec Victor, demeura bouche bée.

— Excusez mon intrusion. J'ai frappé, vous n'avez pas répondu.

— C'est que je répétais mentalement mes répliques.

— Je m'escrime à élucider un détail concernant Charlina Pontis. Mais si je vous dérange, je peux revenir.

La mention de ce nom avait touché une corde sensible. Arnaud Chérac retint Victor, dont il enviait la minceur,

— Restez, je suis très en avance, qu'est-ce qui vous turlupine ?

— Je voulais savoir si elle était actrice il y a quatre ans.

— En 1895 ? Elle débutait. Elle incarnait une soubrette muette dans *Gigolette* de Pierre Decourcelle et Edmond Tarbé lors de quelques soirées de gala exceptionnelles à l'Ambigu. J'étais un des figurants de ce spectacle. À la vue de cette coquette, je suis tombé sous le joug d'Éros. Hélas, elle voulait séduire Robert Domancy, que nous croisions dans les coulisses. Il espérait décrocher un rôle dans *Les Gaîtés de l'escadron.*

— Et avant 95, elle travaillait ?

— Vous m'en demandez trop.

Arnaud Chérac contempla ses souliers et, sans relever la tête, murmura :

— Ce que vous m'avez confié, l'autre jour, dans le jardin du Palais-Royal, était-ce la vérité ?

— Ravivez mes souvenirs.

— Qu'elle avait du sentiment pour moi.

— Eh bien, j'ai légèrement brodé…

— Des craques pour me tirer les vers du nez, hein ? Je ne vous garde pas rancune, la fin justifie les moyens.

— Je suis navré.

— Inutile de me plaindre, c'est mon lot. Une femme m'aguiche d'un sourire et j'imagine qu'elle en pince pour moi. Un fieffé imbécile ! Mais j'ai ma fierté, Charlina ne l'emportera pas en paradis.

— Vous paraissez avoir des griefs à son encontre. M'avez-vous dissimulé des faits essentiels ?

— Je vous ai menti. J'ai confirmé cette histoire de dispute qui aurait eu lieu dans la loge de Robert Domancy. Mais en réalité, c'est Charlina qui a manqué se faire assommer alors qu'elle y cherchait de l'argent.

— Minute, je ne vous suis pas. Qui aurait eu l'audace de la molester ?

— Je me trouvais dans le couloir quand j'ai entendu des éclats de voix, j'ai reconnu la sienne, j'ai voulu jouer le preux chevalier. Elle avait maille à partir avec un homme. J'ai forcé la porte, une ombre m'a bousculé et s'est enfuie. Charlina était écroulée sur le sol, hystérique. Elle avait une bosse au front. Je l'ai calmée, je l'ai interrogée. Elle m'a confessé leur trafic à elle et Robert, elle était envoûtée par ce fat au point de lui obéir en toutes circonstances. J'étais tellement toqué d'elle que j'ai juré de tenir ma langue. Quant à son agresseur, ce galvaudeux de Raphaël Soubran, il avait découvert le pot aux roses depuis un bout de temps et il les faisait chanter. S'il vous faut un coupable, voyez de son côté, je le soupçonne d'avoir estourbi Domancy.

— Quel genre de trafic ?

— Ils falsifiaient les recettes des établissements qui les rémunéraient. Permettez, je dois revêtir ma tenue de scène.

Arnaud Chérac contourna un paravent enjolivé de cigognes.

— De quelle manière ? s'enquit Victor, perturbé de voir les vêtements de l'acteur s'amonceler à ses pieds.

Arnaud Chérac éprouvait-il des penchants similaires à ceux de Wilfred Fronval ?

— Tous les soirs, les employés de l'Assistance publique, ceux qu'on nomme les « contrôleurs du droit des pauvres », inspectent la recette de chaque théâtre. Ils visent la feuille des locations, dépouillent et vérifient la boîte du contrôle et celle des ouvreuses, font le compte des billets invendus et prélèvent la somme qui revient à l'Assistance publique.

— J'ignorais cela, grommela Victor, les bras chargés d'habits qu'il jeta sur un fauteuil.

— De nos jours, les contribuables sont peu au courant des arcanes de l'administration, il faut soustraire la dîme d'une façon ou d'une autre, non ? Au début du siècle, ce pourcentage était perçu directement. Les spectateurs versaient à un guichet séparé dix centimes par franc, le tronc des pauvres en quelque sorte. J'ai conservé une affiche de la Comédie-Française où l'on lit :

> *Premières loges, 6 francs 60.*
> *Pour le théâtre, 6 francs.*
> *60 centimes pour les pauvres.*
> *Parterre, 2 francs 20.*
> *2 francs pour le théâtre.*
> *20 centimes pour les pauvres.*

« Aujourd'hui les deux guichets n'en font qu'un.

Tout en parlant, Arnaud Chérac essayait en vain de boutonner sa redingote.

— Je comprends. En quoi consistait cette supercherie ?

— Oh, elle était organisée sur une petite échelle, mais à la longue ça rapportait. Il leur suffisait de monnayer une dizaine de places sous le manteau pour amasser un montant de quatre à cinq francs par représentation. Multipliez ça par trois cents jours et deux théâtres, vous aurez une idée du bénéfice. L'impôt indirect, ils se le mettraient dans la poche. Robert Domancy subtilisait les billets, Charlina les écoulait.

Arnaud Chérac s'allongea sur le dos, retint son souffle et enfila un pantalon de serge gris beaucoup trop serré.

— J'ai conversé avec Raphaël Soubran qui m'a dévoilé une version un tantinet divergente de la vôtre. Il m'a assuré que Robert Domancy avait été surpris en train de voler dans la caisse.

— Des nèfles ! Jamais de la vie, il ment. C'est lui qui a mis un terme à cette arnaque en réclamant une grosse part du gâteau contre son silence, Avec ces gains il mise à Longchamp, c'est un fanatique des courses.

— Quoi ? Lui aussi ?

— Pourquoi dites-vous « lui aussi » ? s'écria Arnaud Chérac, osant enfin se montrer.

Victor étouffa un rire.

— Oh, comme ça, une boutade. Excusez-moi, mais vous avez oublié de fermer votre…

L'acteur baissa les yeux et rougit.

— Ma braguette. De deux choses l'une : ou j'ai pris trop de poids en un temps record, ou ce costume est destiné à un nain.

La nuit enveloppait le quartier sans que la lueur vacillante de deux ou trois appliques à bec Auer parvienne à la percer. Victor ruminait les confidences d'Arnaud Chérac, insoucieux de son itinéraire. Quand il réalisa qu'il avait quitté l'avenue de l'Opéra, il avait déjà atteint la rue des Petits-Champs. Il s'accorda une cigarette et longea la Bibliothèque nationale jusqu'à la station de fiacres place de la Bourse.

Le bruit, d'abord ténu, ne l'inquiéta pas. Il n'aurait su expliquer pourquoi il fut soudain persuadé que ce frôlement de semelles sur les pavés signifiait qu'il était suivi. Il opta pour la tactique la plus simple, s'arrêter, repartir en restant à l'écoute. Les pas avaient adopté sa cadence, pilant et démarrant au même instant que lui. Cette constatation le glaça. On allait l'attaquer. S'il survivait, peut-être porte-rait-il les stigmates de l'agression et arriverait-il en sang rue Fontaine. À l'effroi de Tasha succéderait la colère, elle comprendrait qu'il avait recommencé à enquêter. Ce qui n'était que soupçons se muerait en certitude. Elle exigerait le divorce, elle emmène-rait Alice. Il se laisserait dépérir. Cette succession de catastrophes tissée tandis qu'il balançait son mégot et l'écrasait sous son talon le détermina à l'action. Mieux valait affronter le danger. Il marcha droit sur l'ombre figée derrière lui, à demi cachée sous un porche, et l'agrippa au collet.

— Si vous comptez récidiver, je n'ai nulle inten-tion d'encaisser vos violences sans réagir et je jure de vous secouer si fort que la leçon vous sera profitable.

— La leçon ? Récidiver ? balbutia l'inconnu. Vous vous méprenez.

— Dans quel but cette filature ?

— J'attendais le moment opportun d'avoir une conversation avec vous.

— Qui êtes-vous ?

— Raphaël Soubran.

Victor resserra son étreinte.

— Vous vous apprêtiez à m'infliger le traitement de Charlina Pontis !

— Zut, c'est ce que je craignais, marmotta Raphaël Soubran qui se tortillait en pure perte. Cet idiot de Chérac vous a livré ses prétendues informations. Et vous l'avez cru !

— Ce que je crois est mon affaire ! Il ressort de ce récit que vous êtes, sinon un criminel, du moins un maître chanteur. Et sûrement un individu peu recommandable. Aussi, un conseil : octroyez-vous en tant qu'arsouille un congé, un long congé à la campagne, ou bien consacrez-vous exclusivement aux planches, en cas contraire l'humidité d'une cellule menace de briser une prometteuse carrière dramatique.

Raphaël Soubran se dégagea d'un soubresaut et prit son élan vers les galeries du Palais-Royal.

CHAPITRE XV

Vendredi 10 novembre

Helga Becker vivait une seconde jeunesse. Sous une apparence vieillissante elle éprouvait des émois qu'elle n'eût jamais crus concevables, sauf lorsque, au cours d'une brève adolescence romanesque, elle avait divagué au sujet du prince charmant. Cette fois, c'était différent. Cette fois, le corps y trouvait son compte. L'amour physique la transfigurait. « Est-ce grâce à la bicyclette que je suis restée aussi alerte ? s'interrogeait-elle. Ou Wilhelm est-il celui que j'espérais dans le secret de mon cœur ? »

Il lui fallait manifester sa fougue à ses semblables. Qui sinon Victor Legris, un autre adepte du vélo, était susceptible de partager cet entrain, sans que, pudeur oblige, elle envisageât de lui en révéler les causes ? « Penser que nous ne sommes pas encore mariés Willy et moi… Par bonheur, plus que trois semaines à patienter. »

Quelle ne fut pas sa déception de se heurter à Micheline Ballu subissant stoïquement les palabres de l'ex-professeur Mendole !

— M. Legris n'est pas là ? déplora Helga Becker.

— Il discute avec Joseph dans l'arrière-boutique, repartit aigrement la concierge.

Elle n'avait pas de sympathie envers l'intruse et se pencha d'un air troublé vers son interlocuteur.

— Enfin, puisqu'on n'est qu'à trois jours de la catastrophe, devons-nous oui ou non redouter une collision avec une comète ? Parce que moi, je ne me sens pas du tout prête à quitter ma loge, étant donné le boulot qui m'accable, ni même Alphonse, et pourtant Dieu sait s'il me mine les nerfs avec son linge à repriser ! mâchonna Micheline Ballu.

— Ma pauvre dame, supposons une comète dont la masse nébuleuse serait deux fois le volume du Soleil, comme celle de 1811. Vlan, elle tamponne notre planète ! La conflagration qui s'ensuivrait serait égale à un feu d'artifice tellement énorme que vous n'auriez plus à vous soucier de tirer le cordon ni de ravauder les vêtements de votre cousin. Mais rassurez-vous : le 13, notre bonne vieille Terre va simplement traverser un essaim de petits astéroïdes, elle s'en est déjà très bien sortie en 1799, en 1833 et en 1866. Avec un peu de chance, nous assisterons à une superbe chute d'étoiles filantes absolument inoffensive, expliqua l'ex-professeur Mendole.

— Pas de danger qu'elles dégringolent sur Paris ?

— Aucun. Nous survivrons. En revanche, nos descendants n'auront pas l'opportunité de voir s'éteindre le Soleil dans dix millions d'années. Il est probable qu'aux alentours de 2167, le globe étant peuplé de douze milliards d'habitants, une famine monstrueuse mettra un terme à l'espèce humaine. Dormez donc sur vos deux oreilles, vous avez deux cent soixante-dix ans devant vous.

— Mais moi, je n'ai pas toute ma matinée. Ne peut-on interrompre leurs conciliabules ?

Helga Becker désignait le libraire et son beau-frère.

— On peut, à ses risques et périls, riposta Micheline Ballu.

Les deux associés, conscients de l'attention qu'on leur portait, s'éloignèrent davantage.

— Raphaël Soubran est un hypocrite et un bluffeur, marmotta Joseph.

— Vous changez d'avis comme de chemise, tantôt le coupable est Louis Barnave, tantôt c'est le premier venu.

— Après ce que vous m'avez raconté, avouez qu'il y a de quoi s'embrouiller les méninges. Tous compromis ! Soubran joue aux courses, les trois égorgés s'y adonnaient aussi. Ils ont partie liée, et Barnave est dans le coup, forcément, puisqu'il était le cocher de l'omnibus AQ transportant ce beau linge.

— Soubran ne figure pas dans la liste des témoins.

— Il s'était sans doute sauvé avant la survenue de la police.

— Il n'a guère la carrure d'un meurtrier, c'est un maître chanteur doublé d'un lâche. Cette affaire est délicate, il y a trop de fils noués ensemble. Un fait tangible : la mort de Florestan Nollet. Le nom de sa nurse, Lina Duruty. Lina, Charlina, s'agit-il de la même personne ? En ce cas un lien serait établi entre l'actrice et Soubran. Le seul moyen de retrouver les antécédents de cette Lina Duruty, c'est de nous rendre à Bicêtre.

— Comment forcer l'entrée de ce château fort ?

— Gare ! murmura Victor en saisissant le premier livre qui se présenta à lui. Que pensez-vous de cette édition de 1704 des *Mémoires de messire Roger de*

Rabutin comte de Bussy ? N'était-il pas le cousin de Mme de Sévigné ?

— Quelle mouche vous… Oh ! souffla Joseph en apercevant Ichirô Watanabe, dont l'arrivée provoqua la fuite de l'ex-professeur Mendole et de Micheline Ballu.

Helga Becker souhaita le bonjour à cet homme qui, après tout, valait le libraire pour éprouver sa pétulance.

— Je détiens de nouvelles informations à transmettre à M. Mori, dit-il.

— Il est invisible. Confiez-les à ces messieurs, ils seront ravis, suggéra-t-elle.

Ichirô Watanabe contempla le tandem et secoua la tête.

— Ils méprisent les statistiques, ils ne font que pérorer. Dommage. Un économiste anglais a calculé qu'en douze mois il a prononcé onze millions huit cent mille mots. Que de paroles inutiles ! Il a aussi dispensé douze cents poignées de main, bien que cette pratique ne soit nullement répandue en Grande-Bretagne. À combien d'idiots n'a-t-il pas dit bonjour ! Cela serait un détail de plus à consigner dans un ouvrage qui passionnerait le public ! *Scripta manent*, assuraient les Latins.

Helga Becker tenta de gagner la rue, mais, anticipant son mouvement, Ichirô Watanabe l'accula à la table centrale. Impitoyable, il poursuivit sa litanie.

— Le corps humain contient du fer en telle quantité qu'il serait possible de façonner sept clous de belles dimensions en l'utilisant. Il est aussi garni d'assez de graisse pour couler six kilos et demi de bougies, d'assez de carbone pour obtenir près de dix mille crayons, et de suffisamment de phosphore pour préparer quatre-vingt mille allumettes. Ce n'est pas tout : nous contenons aussi vingt cuillerées à café de sel, cinquante morceaux de sucre et quarante-deux litres d'eau. Félix Potin n'a plus qu'à fermer boutique !

— C'est affreux ce que vous affirmez là : on ne va quand même pas exterminer nos semblables comme de vulgaires fournisseurs de denrées alimentaires ! bêla Helga Becker.

— Pourquoi pas ? On tue bien des millions d'animaux afin de combler nos estomacs ! La viande et le poisson sont hélas nos mets favoris.

Ce mot fit apparaître dans l'esprit de Joseph le visage d'un homme qui compensait sa calvitie par des favoris jaunâtres et drus.

— Si on s'adressait à Isidore Gouvier ? Il nous conseillerait, chuchota-t-il à l'oreille de son beau-frère.

— Bonne idée ! Filez lui téléphoner de l'extérieur, je me charge de ces surexcités.

Joseph s'exécuta sans barguigner, évitant de justesse Mélie Bellac qui s'en revenait des commissions et qui s'écria :

— *Piu, piu ! Totjorn viu*[1] *!*

Victor s'élança, les bras tendus vers les deux femmes et, les prenant par la taille, les fit virevolter.

— Quelle félicité de recevoir la visite des plus gracieux fleurons de leur sexe ! Mesdames, vous êtes aussi sémillantes que des colibris !

Peu accoutumée à un tel comportement, Mélie le repoussa avec indignation. Quant à Helga Becker, rose de joie, elle jubilait de ce compliment, preuve de la réalité de son intuition : l'amour embellit. Seul Ichirô Watanabe demeura maussade.

1. « Pi, pi ! Toujours vif ! » Proverbe limousin.

— Où s'est sauvé votre associé ?

— Auprès de sa femme adorée !

Isidore Gouvier avait donné rendez-vous à Joseph en fin de matinée à la préfecture de police. Bien qu'il ne travaillât plus officiellement au *Passe-partout*, il y était convié, ainsi que d'autres journalistes, à une remise de médailles à six charpentiers victimes en octobre d'un grave accident sur les chantiers de la future Exposition universelle.

Joseph jeta un trognon de pomme dans le caniveau avant de pénétrer dans les locaux dont il était à présent un familier. Au détour d'un couloir il trébucha contre un dandy contrarié qu'un godelureau agressât les plis de son costume de cheviotte.

— Monsieur Pignot ! Vous me cherchiez ?

— Non, monsieur Valmy, je suis invité au deuxième étage par Isidore Gouvier.

— Gouvier, Gouvier… Ah ! Le boiteux au cigare. Je ne supporte pas cette odeur qui imprègne les fibres des vêtements. Cet individu a traîné ses guêtres dans la maison. Mais à présent il est à la retraite, que fabrique-t-il donc ici ?

— Il préside une distribution de décorations à des ouvriers.

— Oui, je me rappelle, la glorification des classes laborieuses. Gouvier a collaboré au journal qui publie vos feuilletons, si je ne m'abuse.

— À l'occasion, Antonin Clusel lui commande des articles qui lui permettent de boucler ses fins de mois. Auparavant il a été agent de sûreté. Il doit sa démarche bancroche aux coups de pied d'un voleur à l'esbroufe qui lui ont esquinté le tibia. On l'a muté au Bureau des recherches dans l'intérêt des familles, ensuite il a rejoint l'équipe du *Passe-partout*, c'est un vieil ami, je l'ai connu en 89.

— Votre fidélité vous honore. Votre proverbiale curiosité aussi. Votre beau-frère et associé a dû vous narrer mes déboires.

— Justement, monsieur le commissaire principal, puisque j'ai le plaisir de vous rencontrer, ayez l'obligeance de m'éclairer. Où en êtes-vous ? Quel est votre avis au sujet du meurtre d'Eusèbe Tourville ? C'est quand même bizarre cette similitude avec l'assassinat de Robert Domancy et de Charles Tallard !

— Je viens à peine de parcourir le dossier, je n'ai pu encore me former une opinion.

— Ce fait imprévu blanchit Firmin Cabrières. Vous allez le relâcher ?

— Il sera libre demain, après les formalités d'usage.

Inquiet de l'insistance de Joseph, Augustin Valmy se concentra sur un de ses gants de suède jaune.

— J'ai été un peu sec avec M. Legris, concéda-t-il. Son aptitude à démêler les cas épineux est remarquable et peut-être cette troisième cible va-t-elle m'obliger à recourir à son zèle. Je suppose qu'il vous l'a confié, Robert Domancy, que je préfère désigner comme la première victime, était mon…

Augustin Valmy toussota plus longtemps qu'il n'était nécessaire.

— Je sais, et j'en suis désolé. C'est dur de perdre un proche, qui plus est dans de telles circonstances.

— Je vous serais reconnaissant de ne pas ébruiter mes liens de parenté avec… Et… Je… Aimeriez-vous être mon ambassadeur auprès de M. Legris ?

— Dois-je en déduire que vous aspirez à le voir reprendre son enquête ?

— Dites-lui simplement qu'il bénéficiera de mes faveurs, à condition d'éviter toute accointance avec mes services.

— Cela va de soi, nous serons discrets, monsieur le commissaire. M. Legris et moi nous vous transmettrons nos déductions.

Augustin Valmy hocha la tête pour signifier qu'il prenait acte du « nous ».

— Cette entrevue n'a jamais eu lieu, conclut-il d'une voix onctueuse, impersonnelle.

« Le genre de voix, pensa Joseph, apte à maintenir une distance de vingt pas entre le locuteur et ses partenaires. »

— Bien entendu. Mes respects, monsieur le commissaire.

À l'écart de ses confrères, Isidore Gouvier assistait avec une nonchalance teintée d'ironie à la scène qui se déroulait dans un local encombré de paperasses. Joseph se glissa jusqu'à lui. Son ami avait vieilli, s'était empâté, et ne quittait plus le melon râpé destiné à couvrir son crâne dépourvu de cheveux. Il avait discipliné la pilosité de son visage en grosses côtelettes de poils jaunes grignotant ses joues. Sa main gauche serrait le mouchoir à carreaux, fidèle compagnon de sa rhinite chronique, tandis que la droite était fermée sur un crayon et un carnet dont il avait jugé superflu de se servir.

— Bonjour, monsieur Pignot. J'aime mieux moisir dans des expositions de peintures insipides que subir des ronds de jambe hypocrites. Comme si un ruban consolait d'avoir altéré sa santé ! chuchota-t-il.

Des têtes se tournèrent. Isidore Gouvier pilota Joseph en direction de la sortie.

— Ça suffit, j'ai de quoi griffonner ma rubrique. Ces pauvres gars triment à la construction du Palais des armées de terre et de mer, entre les ponts d'Iéna et de l'Alma. Seize fermes de bois étaient déjà montées et on en bâtissait d'autres grâce à des appareils de levage quand tout s'est écroulé. Résultat : neuf blessés, trois grièvement. La peau d'un charpentier ne vaut pas cher...

Il prit le temps de se moucher avant de héler un fiacre qui les emporta vers le sud-est de Paris.

Quand Joseph lui eut résumé l'enquête à laquelle Victor et lui étaient mêlés et le but précis de cette expédition à Bicêtre, Isidore Gouvier éternua et marmonna dans son mouchoir :

— Ça va me flanquer le cafard, il y a un bail que je n'ai mis les pieds là-bas, une affaire de disparition, quand je végétais au Bureau des recherches, sale histoire de captation d'héritage, internement d'office avec la complicité d'un médecin marron. Ah, la vie ça file ! On se décatit, la machine se rouille alors que l'esprit fonctionne encore allégrement. Vous m'insufflez une bouffée d'oxygène, je m'étiolais dans un bocal d'eau vaseuse à l'intérieur de mon pavillon de Montreuil. Quelques rares incursions rue Laffitte ou à la préfecture, et c'est tout.

Joseph sentit son estomac se nouer à la pensée qu'un jour il mènerait peut-être une existence de poisson rouge.

— Comment allez-vous vous débrouiller pour que nous pénétrions là-dedans ?

— Facile, je connais un vieux manchot qui est surveillant des aliénés au Marais, le potager. Il dirige les travaux de jardinage. Dans le temps, c'était mon indic. Il avait commis de menus larcins, je suis intervenu pour le faire admettre, parce que même ici faut montrer patte blanche, on refuse systématiquement les individus affligés de la plus faible condamnation.

Je voulais lui éviter le dépôt de mendicité, la mort programmée. Il m'est redevable. Ah, on arrive.

Penché à la fenêtre de la portière, Joseph découvrit de hautes murailles qui dominaient Paris.

— On jurerait un château fort.

— Ouais, le château fort de l'indigence et de la folie. Heureusement il a été modernisé, parce que je vous assure qu'il y a quelques décennies il ressemblait beaucoup au Bicêtre décrit par Michelet, ça tenait pas mal de la prison. Sept dans un lit, tous mélangés, les arriérés, les malades, les voleurs, les souteneurs, les chemineaux. D'ici partaient les forçats pour le bagne après le ferrage de la chaîne. Avez-vous lu *Le Dernier Jour d'un condamné*, de Victor Hugo ? Vous savez ce qu'il disait des pauvres hères ? « C'est par l'hôpital qu'ils commencent et par l'hospice qu'ils finissent. » L'injustice, c'est que la section qui regroupe les enfants arriérés et épileptiques soit partie intégrante de celle des aliénés.

Joseph frissonna, bénit le ciel d'être libre de ses mouvements et adjura Dieu de protéger Iris, Daphné et Arthur. Et maman, ajouta-t-il.

— J'ai récemment appris que c'est à Bicêtre qu'on a expérimenté la guillotine en 1792 sur des dépouilles humaines, marmonna-t-il.

— Même que le bourreau Sanson s'est écrié : « Belle invention ! Pourvu qu'on n'abuse pas de la facilité. »

Le fiacre les laissa à l'entrée. Ils s'engagèrent dans la cour des Champs, cernée de bâtiments sévères. Boitant et se mouchant, Gouvier expliqua :

— Elle est fréquentée par les vieillards valides et les jeunes infirmes. La cour de Sibérie est le fief des paralytiques, des gâteux, des culs-de-jatte. Le lieu de réunion s'intitule cour de l'Église, on y trouve l'infirmerie générale, la pharmacie et la boutique du coiffeur. Les sédentaires peuvent lire le journal, fumer, taper le carton et boire un petit noir à l'épicerie-café-bureau de tabac de la cour des Marchands. S'il pleut, les pensionnaires s'abritent sous les arcades de l'allée des Bronchites.

— Rédigez un guide, les touristes se régaleraient.

— Chiche, je vais y songer. Tenez, voilà notre bonhomme.

Un vieillard était attablé au café devant une tasse de tisane et, de ses doigts tremblotants, se roulait une cigarette.

Ils prirent place face à lui.

— Alors, mon vieux Bourju, pas de jardinage ?

— C'est plus la saison.

— Il y a presque dix ans que tu crèches ici. Tu as bien soixante-douze printemps, maintenant. Toujours satisfait, j'espère. Accepterais-tu de me rendre un service ?

— Oui, m'sieu Gouvier.

— Tu ne le regretteras pas, enchaîna Gouvier en adressant un signe à Joseph qui empila cinq pièces de deux francs sur la table.

Bourju les glissa vivement dans sa poche et fixa Gouvier d'un air interrogateur.

— Te bile pas, je vais seulement solliciter ta mémoire. As-tu connu une femme, infirmière ou surveillante, qui a exercé ici ? Elle se nommait Lina Duruty.

Le visage de Bourju s'éclaira.

— J'préfère ça, je craignais… Parce qu'à mon âge, on n'est guère vaillant pour des filatures. La Lina, je ne l'ai pas oubliée, un tendron d'une vingtaine d'années, elle était fille de salle. Grâce à elle nous ne manquions jamais de vin ni de douceurs. Elle nous racontait Job sur son fumier, Naboth dans sa vigne, Loth et ses filles, Daniel et ses lions. Ce que j'aimais le plus, c'était Gavroche et les deux enfants perdus qui pioncent dans le ventre de l'éléphant de la Bastille, c'est dans un roman. On avait le béguin pour elle. On se souvenait de jadis, quand notre mère nous bordait avant qu'on s'endorme. Moi, elle me toilettait comme un caniche. Elle essayait aussi de soulager le sort des gosses simples d'esprit, une très brave personne. Et puis elle déclamait mieux qu'une actrice, des tas de poésies, par cœur. *Le Loup et l'Agneau*, ça me tirait des larmes.

— Victor Hugo, La Fontaine, elle avait ses lettres, la fille de salle, commenta Joseph en effleurant des lèvres la verveine qu'un adolescent taciturne avait déposée sur le marbre.

L'équation « Lina = Charlina » scintilla faiblement en lui.

— On a tous été tristes quand elle a été renvoyée, poursuivit Bourju.

— À quelle date ?

— Oh ça... En 93 ou 94... Oui, en 94, ça m'a marqué cette année-là.

— Pourquoi ? demanda Gouvier, recrachant le chocolat à l'eau dont il venait de s'humecter le palais.

— Parce que le président Sadi Carnot a été assassiné.

— Oui, oui, mais pourquoi a-t-elle été balancée ?

— Elle était piquante, et pis jeune, les docteurs la serraient d'un peu trop près. Un jour elle en a giflé un. Quel scandale ! Ce qui me chagrine c'est que je ne l'ai jamais revue.

— Elle voulait te visiter, mais impossible de remettre les pieds ici, ton rapport en témoigne. Elle a chargé son bon ami de me contacter. Mais je suis d'un naturel méfiant, je désirais vérifier qu'elle avait travaillé à l'hospice. C'est donc en toute quiétude que je te remets ce cadeau de sa part.

Gouvier ouvrit son portefeuille et fourra un billet de dix francs au creux de la paume de Bourju.

— Ben ça, ben ça, dit le vieux. Et lui, qui c'est ?

Il désigna Joseph du menton.

— Mon neveu, je lui apprends les ficelles du métier, mais crois-moi, Bourju, personne ne t'arrivera à la cheville question coups tordus et mauvais procédés.

Ils saluèrent Bourju et s'empressèrent de quitter la buvette imprégnée d'odeurs pharmaceutiques.

— Vous ne finissez pas vos boissons ? cria le vieil homme.

N'obtenant pas de réponse, il vida les deux tasses.

— Alors, vous êtes content ? Lina Duruty, c'est la femme que vous recherchez, Victor et vous ? s'enquit Gouvier.

— Certes, et je vous suis reconnaissant, l'investigation s'appuie désormais sur une base solide, énonça Joseph qui voulait dissimuler ses suspicions.

« Lina Duruty a été employée à Bicêtre, Mme Nollet n'a pas menti, hourra. Mais qui est Lina Duruty ? Charlina, championne de récitation ? Et surtout, où est-elle ? Mystère et boule de gomme ! »

— Tenez, acheva-t-il en restituant à son ami le billet de dix francs donné à Bourju.

— Je ne refuse pas, c'est un article rare. Au fait, merci d'avoir réglé les consommations, même imbuvables, et le fiacre.

— De rien. Je vous invite d'ailleurs à profiter de celui du retour.

— Volontiers. Montreuil est au diable, surtout quand on traîne la patte.

Joseph dressa mentalement la liste de ses dépenses et se promit d'en réclamer la moitié à Victor.

« Décidément, cette enquête causera la faillite de mes finances ! »

Kenji n'avait plus de goût pour quoi que ce fût. Lui qui n'avait jamais été le jouet de ce mal éprouvait les effets de la mélancolie. Le cercle de ceux qu'il aimait et qui constituaient un rempart entre les dangers extérieurs et sa vie intime s'était fendillé. Djina, accourue auprès de son mari dès qu'il avait claqué des doigts. Victor et Joseph, évaporés. Iris et les enfants, de plus en plus absorbés par leurs occupations. Tasha, débordée par sa fille et son métier. Si encore la jolie Mlle Mirande avait honoré ses avances ! Ou si son ancienne flamme, l'ex-archiduchesse Maximova, autrefois plus connue sous le nom de Fifi Bas-Rhin, se remémorait son mikado chéri et surgissait afin de le réconforter !

Quant à la librairie, le refuge permanent de ses peines passées, quelle malédiction l'avait-elle changée en un lieu d'ennui ? Délaissé sur le bureau, le catalogue en cours se morfondait. Alignés sur les étagères que fouillaient en gloussant deux étudiants de l'École des ponts et chaussées en quête de littérature grivoise, ou en piles derrière le comptoir, les livres n'avaient plus le pouvoir de séduire leur propriétaire. Il regrettait ses choix, il déplorait de n'avoir pas continué à voyager, de s'être enfermé de son propre gré entre ces quatre murs.

Même la suite incomplète des *Cinquante-trois relais du Tōkaidō*, d'Utagawa Hiroshige, achetée la veille à Samuel Bing, ne le comblait pas de bonheur ainsi que c'eût été le cas une semaine plus tôt.

« Je ne serais pas plus solitaire si on m'avait débarqué sur une île déserte. Supposons que je m'éteigne, là, à la minute, qui s'en soucierait ? Tiens, c'est une idée, le suicide. »

Il inventa un proverbe, « Vivre longtemps est un tourment », et tenta d'envisager de quelle façon il allait fixer un terme à ses jours.

Aussi tressaillit-il à l'apparition dans la boutique du « marchand de mort honorable ». Fallait-il y voir le fruit du hasard ou une réponse surnaturelle à un appel inaudible au commun des mortels ?

Il se cloîtra dans un silence hostile, persuadé que son compatriote allait le gaver de statistiques.

— Mori-*san*, murmura Ichirô Watanabe, j'ai conscience de l'impolitesse de mon intervention. Cependant je suis dans l'obligation morale de vous confier ce qui obsède mes pensées. J'ai, sans l'avoir prémédité, surpris une conversation entre vos associés. Ils s'exprimaient d'un ton énigmatique au sujet de M. ou Mme C. Lostange et de la nécessité de se rendre boulevard Bourdon et boulevard de Clichy. Leurs mines de conspirateurs m'ont titillé le cerveau car, ayant lu les quotidiens parisiens qui sont, selon moi, des amas d'immondices, je me suis aperçu que ce nom et ces artères sont liés à une série de meurtres.

Kenji lui étreignit le bras.

— Vous êtes certain de ce que vous avancez ?

— Me feriez-vous l'injure de suspecter la véracité de mes dires ?

Kenji secoua la tête. Le vertige qui l'avait assailli redoubla, il dut s'asseoir.

— Donnez-moi votre parole que cela demeurera entre nous. Leur vie est en jeu. Les imbéciles, ils ont récidivé !

Il s'était exprimé plus fort qu'il ne le souhaitait. Les deux étudiants l'observaient.

— Eh bien, quoi ? Allez écouter vos professeurs au lieu de gaspiller votre temps en sottises !

Outrés, les jeunes gens déguerpirent.

— Mais, Mori-*san*, c'est votre activité que vous dénigrez ! protesta Ichirô Watanabe.

— La peste soit de mon activité. Ils enquêtent !

Kenji était trop en colère pour s'apercevoir que cette constatation avait chassé le spleen.

— Ne bougez pas, s'il vous plaît.

— Votre époux vous autorise à peindre ? demanda Valentine de Pont-Joubert.

— Il ne manquerait plus qu'il me l'interdise, c'est la condition de notre union heureuse.

— Je vous jalouse, vous avez épousé un homme tolérant, vous êtes née sous une bonne étoile.

— Lui aussi ! Après tout, je supporte ses frasques, même s'il met sa vie en péril. Tenez, en ce moment, il est lancé dans une enquête avec son associé. Ils s'imaginent que je suis dupe.

— Faites-vous allusion à M. Pignot ? Parfois je me repens…

Valentine se tortilla et s'empourpra.

— Vous l'aimiez ?

— Je l'admirais. Sans doute aurais-je goûté à l'amour avec lui, mais comment échapper aux préjugés de classe ? C'eût été une mésalliance. Ma tante Olympe me surveillait plus étroitement qu'un geôlier son prisonnier, je suis en cage.

— Quoi de plus normal, Mme de Salignac voit rouge si l'on porte atteinte à son sang bleu.

Tasha imbiba un chiffon de térébenthine et nettoya ses pinceaux, puis elle les piqua dans un pot et sourit à Valentine.

— Le passé est mort, il faut vivre pleinement le présent, l'avenir sera ce que vous en ferez. Je suis assurée que vous prendrez les décisions adéquates. On ne triche pas avec soi, sinon on s'étiole et on meurt. Tenez, c'est comme la peinture, soit on accepte les compromis pour obtenir gloriole et argent, soit on suit le chemin que l'on s'est tracé, et souvent c'est un chemin à l'écart des grands axes. Il y a peu de personnes capables de comprendre la fantaisie. D'aucuns peignent de ravissants paysages où le soleil brille, ils bannissent l'ombre, la nuit, l'hiver, la vieillesse, ils répondent aux penchants du public et sont convaincus de trouver une issue à leur quotidien borné. Suivre son inspiration, tout est là.

— Vous êtes si tonique ! Moi, je suis démoralisée, fatiguée, indolente, les tâches répétitives me lassent. Même mes fils ne parviennent pas à me distraire.

— C'est parce que vous n'avez jamais eu besoin de gagner votre pain et que vous n'avez aucun projet en perspective. Vous allez retourner la situation, je vous soutiendrai.

— Vous êtes gentille.

— Non, je suis pragmatique. Si l'on baisse les bras devant l'adversité, on est fichu. Tenez la pose, s'il vous plaît, soyez naturelle, je veux découvrir et transposer sur la toile ce que vous avez dans les yeux.

— Ce sont vos dernières photos ? demanda Joseph en examinant distraitement les tirages de l'Odeur, un bouquiniste du quai Voltaire.

— Cessez de tripoter ces clichés, ils sont à peine secs.

— Très réussi, le bonhomme. Il ressemble à un dromadaire déshydraté.

Planté sur le seuil de son laboratoire, Victor contemplait l'atelier de Tasha à quelques pas.

— Elle barbouille ?

— Défense de la déranger, elle croque un tableau de…

Victor s'arrêta juste à temps. Il voyait d'un mauvais œil Valentine de Pont-Joubert poser pour son épouse.

— Dites, beau-frère, je n'ai pas la soirée. Peut-on terminer ce colloque sans risquer d'attraper une fluxion de poitrine ?

Victor ferma la porte et rejoignit son associé près de la salamandre.

— Je vous écoute.

— J'aurais pu me dispenser de cavaler en banlieue. Ça nous donne quoi de savoir que Lina Duruty a été renvoyée de Bicêtre en 94 ? Je n'ai rien appris sur son passé.

— Vous m'avez prétendu qu'elle récitait des poésies avec le talent d'une comédienne !

— Et après ? Ça ne fait pas d'elle une actrice du Théâtre-Français.

— Charlina Pontis est au courant des lois de l'Assistance publique concernant la dîme prélevée sur les billets de théâtre, Lina Duruty a été engagée par l'Assistance publique. Ce point commun ne vous intrigue pas ? Et, tenez-vous bien, elle a séjourné dans le sud de la France pendant une semaine quand Domancy a été assassiné. Le Sud, Joseph, le Pays basque. Donc Charlina pourrait être Lina Duruty.

— Alors selon vous cette double personnalité serait l'assassin ? Le témoin Aude Sembatel affirme que c'est un homme.

— D'après la description du journaliste Renaud Clusel, Mme Sembatel est une femme âgée, malade, elle se sera trompée, surtout la nuit.

— Vous savez ce que je pense, Victor ? Votre cerveau réclame une pause.

On frappa. Tasha, revêtue d'une blouse maculée, se glissa à l'intérieur et leur jeta un regard suspicieux.

— Que complotez-vous ?

— Victor me montrait ses tirages.

— Ton modèle est encore là ? s'enquit Victor, d'un air faussement désinvolte.

— Elle est partie, répondit Tasha en observant Joseph.

On avait prévenu Firmin Cabrières que les présomptions retenues contre lui s'étaient dissipées et que la levée d'écrou serait effectuée dès qu'on aurait réglé les formalités administratives.

Il ne manifesta pas de troubles, car il était de ces esprits simples persuadés que leur innocence, aussi bafouée fût-elle, serait en fin de compte établie.

Bien qu'on ne lui eût fourni aucun détail sur les raisons de sa libération, il présumait qu'un troisième meurtre avait été perpétré. Le mal dont il souffrait à intervalles réguliers recommença de le harceler. Cela datait de son retour du Tonkin. Un matin que, tête nue, appuyé au bastingage arrière, il faisait face à l'océan Indien, il avait senti la pression du soleil sur son crâne. Des taches rouges virevoltaient devant ses yeux, les flots distordus se brisaient et s'assemblaient en dessins farfelus. Il crut distinguer une pieuvre géante arpenter les vagues de ses tentacules, une forêt de fleurs bigarrées tapissa le sillage, un chemin de fer cahota à bâbord pendant qu'à tribord s'empilaient et se multipliaient d'énormes diamants étincelants. Il s'évanouit et s'éveilla deux jours plus tard sur sa couchette, en sueur.

Depuis cette expérience, il était le jouet d'hallucinations, surtout lorsque le quotidien était perturbé par des incidents inexpliqués.

Dès qu'il comprit que la grande faucheuse avait de nouveau sévi impasse du Cadran, il sut que le crocodile approchait. Aussi ne fut-il pas étonné d'assister à ses évolutions hésitantes puis plus audacieuses le long des murs qui l'enfermaient.

Mais le crocodile n'était pas seul. De concert avec lui ondulaient un squelette au sourire goguenard menant un fiacre empli de gerbes de blé, et un vieillard échevelé que poursuivaient sabre au clair des soldats au costume bariolé qui se muèrent en arlequins.

Le crocodile le dévisagea. Sa peau écailleuse d'un vert phosphorescent illuminait la cellule. Et il lui parla sans desserrer les mâchoires. Sa voix hachée vibrait sous son crâne, et s'il était incapable d'isoler les syllabes constituant le message, le sens en était limpide. Dès qu'il serait relâché, il lui faudrait rencontrer le vieux fuyard et l'aider à esquiver la justice.

Firmin Cabrières acquiesça, porta les mains à son front qui résonnait comme un tambour et s'écroula sur le ciment.

Tasha débarrassait la table. Elle avait préparé les plats préférés de Pinkus : un bortsch, des *latkès*[1] et

1. Galettes de pommes de terre, en yiddish.

un strudel aux pommes. Alice dormait, Tasha rinçait la vaisselle. Resté en tête à tête avec Pinkus, Victor servait le café. Il en voulait à Djina de ne pas avoir mis Kenji au courant de la présence de son époux à Paris, mais elle s'était montrée inflexible : « Je refuse de lui forcer la main. S'il veut m'épouser, ainsi qu'il le prétend, il me présentera sa demande officielle une fois le divorce prononcé. »

Victor se sentait emprunté près de ce beau-père qu'il connaissait à peine. La journée avait été fertile en émotions, il était épuisé, ses facultés fonctionnaient au ralenti.

— Quand comptez-vous repartir ?

Pinkus esquissa une grimace.

— Merci, mon garçon, c'est obligeant de votre part.

— Je n'avais nullement l'intention de…

— Voyez-vous, Victor, j'ai quelques démarches à régler et j'aimerais apprivoiser ma petite-fille. Rassurez-vous, je me contenterai d'interpréter les figurants. Je tiens également à vous rembourser la somme que vous m'avez avancée en 92 pour payer mon passage vers l'Amérique.

— Négligez cela, je vous en prie. Vous épauler allait de soi. Vous êtes ici chez vous, dit-il sans conviction.

— Oh, n'ayez crainte, jeune homme, ce n'est qu'un arrangement provisoire.

De plus en plus désemparé Victor jeta un regard en biais à Pinkus et résolut qu'à ses futures provocations il opposerait le silence. Il se leva, entrouvrit la fenêtre et alluma une cigarette.

— Qu'est-ce que vous mijotez, les hommes ? interrogea Tasha en s'installant dans un fauteuil.

— Nous discutions. Finalement, ma chérie, j'avais raison.

— Raison sur quoi ?

— Sur les conséquences de l'affaire Dreyfus. Je t'avais prévenue que tout peut arriver. Pourvu que nous ne soyons pas contraints un jour à braver des crises plus dramatiques que celle-là !

— Papa, tu es d'un pessimisme ! Nous ne vivons pas sous le knout du tsar.

— Sous celle de l'armée, de la clique des antisémites forcenés et des xénophobes, riposta Pinkus. Je citerai Georges Clemenceau à propos du procès d'Alfred Dreyfus : « La justice militaire est à la justice ce que la musique militaire est à la musique. »

— Toi et tes métaphores ! Ne peux-tu parler d'autre chose ? s'emporta Tasha. Je suis à cran ! Sept ans sans se voir et voilà que ça recommence ! La politique, toujours la politique !

Pinkus l'examinait, un sourire railleur aux lèvres. Une intonation amusée perça dans sa voix.

— Calme-toi, ma biche. J'aimerais sortir Alice, l'emmener au cirque des Champs-Élysées, il y a des matinées le dimanche.

— Elle est trop jeune pour apprécier les acrobaties équestres.

— Et le théâtre de marionnettes ? Après tout, les tréteaux de Guignol sont aussi nobles que le chariot de Melpomène et Thalie, c'est une excellente initiation à Shakespeare, Molière, Beaumarchais.

Victor considéra son beau-père. Quels noms avait-il énumérés ? Une image lui apparut : Charlina Pontis au jardin du Palais-Royal. Elle ignorait l'existence de ces déesses antiques qui présidaient aux arts libéraux. N'était-ce pas étrange pour une actrice ? Il lui avait précisé : « Melpomène, Thalie, la muse de la tragédie et celle de la comédie. »

Il envoya valser son mégot sur les pavés de la cour.

— Victor, on gèle, lui lança Tasha.

Perdu dans ses pensées, il ferma la croisée et s'extirpa de son rêve éveillé avec le sentiment de frôler une révélation. Il n'était besoin que d'un mot, un simple mot…

À l'instant où il s'asseyait, le mot surgit.

CHAPITRE XVI

Samedi 11 novembre

Iris feignait de dormir. À travers ses cils elle vit Joseph enfiler un long waterproof et se coiffer d'une casquette à pont.

« Le voilà qui revêt son costume de Sherlock, il est pire qu'un gamin. »

Dans la cuisine, Joseph rafla l'entame d'une baguette et se heurta à sa mère déjà aux fourneaux.

— Tu n'as pas entendu la sonnerie du téléphone ? C'est malin d'appeler si tôt, ça va réveiller les enfants, grogna-t-elle.

— Qui c'était ?

— Victor Legris. Comme s'il ne pouvait pas attendre l'ouverture de la librairie ! Paraît que c'est important. Encore un qui passe son temps à baguenauder au lieu de trimer ! Pas étonnant, il est né avec une cuiller en argent dans le bec ! Et toi, t'as vu ta dégaine ? T'es autant libraire que moi j'suis danseuse de cancan ! gronda-t-elle d'une voix qu'elle alla chercher jusque dans ses souliers.

Joseph affrontait la tempête en s'empiffrant de gros morceaux de pain.

— Arrête de fixer la ligne bleue des Vosges quand je te cause, protesta-t-elle en secouant un biberon. Et tâche voir un peu de rentrer pile pour le souper ! cria-t-elle alors qu'il dévalait les étages.

À cette heure de la matinée, *Au va-et-vient* n'accueillait que deux balayeurs de la Ville de Paris et une pocharde qui logeait sous les ponts.

— Qu'y a-t-il de si urgent ? demanda Joseph en prenant place face à Victor.

— Depuis hier un mot me martèle l'esprit, j'en ai perdu le sommeil.

— Je présume que ce mot va changer le cours de notre enquête. Je donne ma langue au chat.

— A-li-bi. Nous aurions dû commencer par vérifier celui des suspects. Où se trouvait Charlina Pontis lorsque les meurtres se sont produits ? Où était Raphaël Soubran ? Où était Barnave ? Est-ce que vous me suivez ? S'ils ont un alibi, alors ils sont hors jeu.

Écrasé par cette évidence qui ne l'avait pas effleuré, Joseph resta sans voix.

— Nous avons mis la poussière sous le tapis en nous fiant à notre intuition, enchaîna Victor.

— Oui, ben, c'est le lot des amateurs, ils font ce qu'ils peuvent avec ce qu'ils ont. Tout de même, c'est la poisse, sitôt entrevoit-on une solution que l'histoire repart de zéro. Quant à vos zigues, quoi qu'on exige d'eux, ils nous serviront des fadaises, ce sont tous de fieffés menteurs.

— Il faut cuisiner leur entourage. Habilleuses, maquilleuses, collègues, garçons de restaurants proches des théâtres. Je veux des témoins fiables. Si nous parvenons à établir que ces énergumènes possèdent un alibi pour les soirées des… Minute.

Victor consulta ses notes.

— … des soirées du dimanche 29 octobre, du jeudi 2 novembre et de celle du mardi 7, cela allégera notre besogne.

— Vous êtes mieux habilité que moi pour pénétrer dans le sérail du spectacle et passer au crible leur emploi du temps, beau-frère, vous irez fouiner après la fermeture de la librairie, moi je me tire à la fin du repas de midi, je m'occupe de Barnave. Un conseil : réfutez les explications tarabiscotées que ces histrions vous jetteront comme un os à un chien galeux. Au fait, j'aurais besoin d'un alibi pour justifier ma défection et surtout pas de bibliothèque à expertiser ou d'enfant atteint de la coqueluche, alors faites travailler votre imagination pour emberlificoter Kenji !

Tasha l'avait confié sous le sceau du secret à Iris, qui s'en était ouverte à Euphrosine en la priant de celer l'information. Comment un jaloux tel que Victor réagirait-il en apprenant que sa femme bien-aimée avait subi les outrages de Boni de Pont-Joubert ? À supposer qu'il provoquât en duel ce goujat, il y avait tout à parier qu'il mourrait au fond d'un bois, transpercé d'une balle, et laisserait une veuve inconsolable et une orpheline balbutiante. Donc, bouche cousue.

Euphrosine ravala son indignation, mais décida de laver elle-même la réputation avilie de la famille. Elle invoqua une réunion près des Halles avec d'anciennes camarades marchandes de fruits et légumes, et déserta la rue de Seine plus tôt que de coutume. Elle alla chez elle comprimer d'un corset son buste généreux et doubla ce supplice en suffoquant dans un costume tailleur violine trop étroit, don de Djina Kherson. Lorsqu'elle eut repris son souffle, elle aplatit ses cheveux et les recouvrit d'une capote à brides en velours gris. Elle utilisa une brosse à dents afin de rabattre les pointes de ses sourcils où elle discerna quelques poils blancs qui la chagrinèrent. Enfin, elle dévissa un bocal de cornichons reconverti en tirelire et amputa son pécule de quelques pièces destinées à l'aller-retour rue de Rémusat en fiacre.

Elle parla toute seule pendant le trajet. « Si c'est après-demain la fin du monde, faut que j'me dépêche de leur dire ce que je pense à ces vertueux messieurs qui se donnent du de. Comme ça, ils iront droit en enfer. La fin du monde, j't'en ficherai de la fin du monde, la fin de leur monde, oui ! »

Lorsque le laquais en livrée l'introduisit, il fixa d'un œil interrogateur cette physionomie inconnue de lui. Euphrosine ne se démonta pas.

— Annoncez Mme de Pignot-Courlac, je vous prie.

Elle le talonna jusqu'à la porte et se faufila derrière lui. Avant qu'il ait pu la retenir, elle trottinait vers un salon d'où lui parvenaient des échos de conversations. Son intrusion dans une réception où des groupes d'invités péroraient, un verre à la main, en attendant l'heure de passer à table, fit sensation. Tous la dévisagèrent, certains la reconnurent avec stupeur. Elle identifia celles que Joseph surnommait les moukères, Raphaëlle de Gouveline privée de ses chiens pour la soirée, Mathilde de Flavignol, Olympe de Salignac et sa nièce Valentine. Mais celui qui lui importait était le mari de cette dernière, un dandy filiforme dont les lèvres purpurines évoquaient celle d'un pantin. Elle vogua à sa rencontre, majestueuse.

— C'est vous l'patron ?

Étonné, il leva sa pipe éteinte en un geste propitiatoire.

— À qui ai-je l'honneur ?

— Mme de Pignot-Courlac, nasilla le laquais.

Mathilde de Flavignol gloussa dans son mouchoir.

— Pardon, mais n'êtes-vous pas la mère de Joseph, l'associé de Victor Legris ? articula Raphaëlle de Gouveline.

Olympe de Salignac sursauta.

— Ce libraire dreyfusard ? Il m'a insultée publiquement ! Lui interdire de pratiquer son négoce serait une peine légère ! s'écria-t-elle.

— De quoi j'me mêle, la rombière ? C'est vous qu'on devrait interdire ! Vous, la bonne catholique pétrie de haine, qui détestez Zola mais êtes à vous seule un assommoir et une débâcle !

Cramoisie, Olympe de Salignac en lâcha son face-à-main.

Mais ce n'était pas à elle qu'Euphrosine en avait. Imperturbable, Boni de Pont-Joubert adressa à son domestique un signe discret signifiant « ouste ! » Ses doigts n'étaient pas encore repliés qu'une furie prenait l'assistance à témoin.

— Admirez-le, ce charmant spécimen de noble décadent, cet échantillon de satyre fétide qui agresse les femmes sans défense ! Bel exemple de couardise masculine, violenter les personnes du sexe en toute impunité ! J'lui souhaite de périr par là où il a péché, la vérole ça lui ferait les pieds ! Le bras de la justice se garde de châtier des zèbres de cet acabit. Eh bien, mon bras à moi, je vais vous montrer qu'il ne chôme pas si on requiert ses services !

Euphrosine se rua sur Boni de Pont-Joubert et lui administra un double soufflet. Fou de rage, il tenta vainement de la frapper avec sa pipe, déjà elle courait en sens inverse et manquait renverser le laquais qui s'efforçait de lui bloquer l'issue.

Mathilde de Flavignol fut contrainte de s'éclipser du champ de bataille tant elle pleurait, non d'effroi mais de rire. Outrée, Olympe de Salignac clamait à qui voulait l'écouter que tout était la faute de cet ignoble Dreyfus, qu'il eût mieux valu le décapiter, et que l'œuvre entière de l'immonde Zola aurait dû alimenter les chaudières des locomotives. Raphaëlle de Gouveline profita de la confusion générale pour aller voir ses chéris Belinda et Chérubin abandonnés au vestiaire et les gaver de petits fours. Quant à Valentine, elle songeait avec émotion que la propre mère de l'homme qu'elle eût rêvé d'épouser l'avait vengée. Elle affecta de plaindre Boni, persuadé que la diablesse lui avait fêlé une incisive, et se promit d'aller remercier Joseph Pignot le plus tôt possible.

Joseph se fit déposer par un fiacre devant le Sacré-Cœur. Il continua jusqu'à la place du Tertre.

Soudain il aperçut Louis Barnave qui s'engouffrait chez *Bouscarat*. Il s'apprêtait à le rejoindre quand une silhouette familière y pénétra.

« Le Blaireau ! Les flics l'ont libéré ! »

Joseph inclina la visière de sa casquette, releva le col de son waterproof, s'approcha en rasant les murs et se dissimula à la lisière de la vitre. Les deux hommes se saluaient tandis que les piliers de bar les ovationnaient. Le patron, la mine réjouie, remplit des verres. Le garçon de café ouvrit la porte, se planta sur le seuil, alluma une cigarette en murmurant : « Ce que ça cocotte ! » Joseph se coula à l'intérieur et alla s'attabler au zinc. Là, il pouvait saisir les propos échangés entre Louis Barnave et Firmin Cabrières.

— J'ai pas moufté, Barnave, mais t'es cinglé. Ce n'était pas utile de zigouiller le troisième. Les flics vont finir par flairer un mauvais coup. File au vert, mon vieux, parce que s'ils te mettent le grappin dessus, ils te feront épouser la veuve, ça ne pardonne pas.

— C'est toi qu'es marteau, j'suis pur comme un agneau de lait. Pourquoi qu'on me collerait ces meurtres sur le râble ?

— T'as des alibis ?

— Tu me soupçonnes, toi ? Ben ça ! J'aurais été le dernier des crétins si je m'étais cassé la tête à en suriner trois alors que la comète va se charger d'anéantir l'humanité dans sa totalité !

— Arrête de délirer, Barnave. On ne te croira pas. Je peux t'indiquer une planque où tu pourrais observer sereinement l'apocalypse.

Les deux hommes sortirent. Joseph les suivit en râlant. Fameuse idée de s'attifer en limier d'outre-Manche, on allait le repérer à cent mètres. Une seule parade : jouer les touristes. Seulement ce rôle le ralentissait considérablement, si bien qu'arrivé au Sacré-Cœur, les deux gaillards s'étaient évaporés.

En pestant, Joseph se posta devant la plus grosse cloche de France, nommée Françoise-Marguerite. Depuis quatre ans elle occupait un emplacement spécial à droite du portail principal, en attendant la fin des travaux de l'église du Vœu national bardée d'échafaudages où des ouvriers semblables à des funambules se mouvaient parmi une profusion de madriers.

— Achetez-moi une pelote à épingles, m'sieu, ça vous portera chance, elle est brodée du cœur de Jésus, dix sous, m'sieu, psalmodiait un môme haut comme trois pommes.

Alors qu'il tendait une pièce au gamin, Joseph vit Firmin Cabrières quitter la basilique. Où donc était passé Barnave ? Il hésita, puis, sous le coup d'une impulsion, il fila le dessinateur à la craie qui l'entraîna à travers le paradis des vendeurs à la petite semaine. L'homme bousculait sans ménagement ceux qui entravaient sa progression. Il se hâta le long de la rue de La Barre. Joseph avait du mal à ne pas le perdre de vue au milieu de la foule des promeneurs qui se pressaient aux étals de ronds de serviettes, de tasses, d'assiettes, de plumiers, de presse-papiers, de coupe-papier, tous décoré du Sacré-Cœur de Jésus couronné d'épines, auréolé de flammes, estampille indispensable sans laquelle le bibelot n'aurait aucune valeur spirituelle.

Ils dépassèrent le *Réfectoire des Pèlerins*, une vaste cantine au menu et à la carte. Près des *Water-closets des pèlerins*, Joseph stoppa net, Firmin Cabrières avait disparu.

Joseph s'affola, c'était fichu. Non ! Cabrières fut l'un des premiers à émerger des cabinets. Il reprit illico sa trajectoire en direction d'un escalier vermoulu, dont il dévala les quatre-vingt-cinq marches à vive allure. Passage Cottin il introduisit une clé dans la serrure d'une bicoque délabrée accotée au commerce d'un marchand de charbon.

« Ça alors, c'est la meilleure ! La mère Anselme m'a assuré qu'il n'avait pas de domicile fixe ! Qui ment ? Elle ou lui ? Va-t-il réapparaître ? » pensa Joseph.

Afin de se donner une contenance, il feignit de s'absorber dans un tournoi de billes disputé par des marmots dépenaillés, ôta son waterproof trop voyant et le roula sous son bras.

Au bout d'un quart d'heure, un homme rasé de frais, vêtu d'un costume gris, d'un pardessus du même ton, portant canne et melon, poussa la porte de la masure.

Incrédule, Joseph reconnut Firmin Cabrières.

« La métamorphose du Blaireau ! Nom d'un chien ! Où allons-nous, maintenant ? »

Firmin Cabrières enfila des gants de suède fauve et, après avoir jeté un coup d'œil sur les environs, s'achemina vers la rue Ramey où il bifurqua pour rattraper la station des omnibus, rue de Clignancourt.

Firmin Cabrières alla s'asseoir sur la banquette la plus proche du cocher. Joseph se recroquevilla sur un siège près du marchepied. L'imposante matrone à son côté l'aiderait, espérait-il, à conserver l'incognito. L'omnibus vira place de la Concorde et s'engagea avenue des Champs-Élysées, freiné par une multitude de berlines, de breaks, de coupés, de tapissières et d'autres véhicules à impériale. Au sein de ce flux louvoyaient d'intrépides cyclistes des deux sexes, des renards poursuivis par une meute. Les percherons renâclaient parfois, les oreilles dressées, et le cocher fulminait alors contre une machine infernale pétaradant en se frayant un passage.

— Saleté de voiture à pétrole ! Comme si qu'l'air n'était pas déjà assez pourri !

Ils longèrent le restaurant *Ledoyen* cerné d'arbres dégarnis et privé de l'animation des beaux jours, quand les peintres et les sculpteurs venaient se régaler de truite à la sauce verte. Une succession d'échafaudages fut l'ultime vision du monde extérieur aperçue par Joseph dont la voisine, brusquement exaspérée par la présence de cet importun, se gonfla tellement qu'elle occulta la vitre de sa forte carrure. Paniqué,

Joseph, une fesse dans le vide, enfouit son front entre ses mains nouées, redoutant que le Blaireau ne le remarquât mais craignant aussi de le laisser échapper. Il le sentit plutôt qu'il ne le vit se faufiler près de lui à l'arrêt de la porte Maillot. Il n'eut que le temps de sauter sur le pavé. Le dessinateur à la craie se dirigeait vers le bois de Boulogne. Cent mètres en arrière, sa casquette rabattue sur les yeux, Joseph lui filait le train.

Ils doublèrent le Pré-Catelan, puis empruntèrent la route de Suresnes jusqu'à la Grande Cascade avant de mettre le cap sur l'hippodrome de Longchamp. Joseph marchait sur des œufs. Il avait beaucoup plu la nuit précédente et ses semelles s'alourdissaient d'une boue épaisse. Il s'arrêtait toutes les dix minutes pour les décrotter, mais elles étaient de plus en plus boueuses et il tempêtait contre le ciel plombé.

« Si encore on était en juin, au moment du Grand Prix ! Je serais moins solitaire et j'aurais pu supplier le propriétaire d'un huit-ressorts de me déposer, au lieu de m'enliser dans ce cloaque ! Zut, voilà qu'il faut payer ! Tout ça pour une course minable. Ils ne s'embêtent pas ! Cinq francs si on choisit les pavillons, vingt francs si on préfère l'enceinte du pesage ! Ah, c'est cher, la high life ! »

Un homme en redingote noire et tube anthracite, donnant le bras à une femme à jupe très longue et bottines, s'impatientait dans son dos. Joseph dut se résoudre à verser son obole.

« Une roue de derrière ! Victor a intérêt à me dédommager subito presto ! »

Firmin Cabrières doubla le pesage des jockeys bariolés de casaques bouton-d'or, bleues, mi-noir, mi-orange, vertes à pois rouges. Il allait et venait à travers la pelouse humide. À intervalles réguliers, il marquait une pause et s'adressait discrètement aux parieurs disséminés. Sur les tableaux du kiosque en forme de lanterne, l'affichage des partants de la première course se termina. Une cloche sonna. Les chevaux défilèrent avec souplesse, la robe bien lustrée. Ils prirent leur galop d'essai, puis, au signal du starter sur le point d'annoncer le départ, ils se rangèrent devant une barrière tendue de rubans élastiques.

La barrière se releva. Une clameur diffuse retentit. Le peloton multicolore s'élança.

Les chevaux tournaient sur une des quatre pistes. Ils s'évanouirent au-delà d'un bosquet, reparurent, embouquèrent la ligne droite. Le favori, un demi-sang pommelé nommé Boston, caracolait en tête. Un cheval isabelle se détacha du peloton, serra de près Boston, le rejoignit. Les deux chevaux se ruèrent vers le poteau d'arrivée. Les parieurs scandaient :

— Boston ! Yellow Queen !

Le gazon vibra, la trombe passa. Battu de peu, Boston hennit en secouant la crinière.

Firmin Cabrières avisa un habitué d'un âge respectable, à la mine chafouine. Il était assis à l'écart sur une chaise de fer et tétait un cigare éteint. Il lui remit une enveloppe prestement celée dans une poche intérieure. Cabrières s'éclipsa.

« Mon cher Jojo, voici l'occasion de prouver que tu es l'égal de ton beau-frère ! » se dit Joseph, déterminé à aborder le bonhomme.

— Pardon, monsieur, c'est la première fois que je me voue à ce sport, comment placer ses économies sans encourir des pertes préjudiciables à mon bien-être ?

L'interpellé le jaugea, daigna renoncer à son cigare et mâchonna :

— Ce sport est un jeu. Certains sont prudents, ils se cantonnent aux favoris. Ils ratissent dix sous, vingt sous. D'autres se jettent à l'eau, sélectionnent le plus exécrable cheval et dilapident le plus souvent leur pognon.

— Mais si par extraordinaire une Yellow Queen devance un Boston ? suggéra Joseph.

— C'est simple, ils touchent le gros lot. Je connais les coulisses, monsieur. Ces coups sont rares, mais ils existent, vous en avez été témoin. En dehors des écuries célèbres qui pratiquent loyalement l'hippisme, il est des canassons appartenant à un propriétaire sans scrupules, à un entraîneur peu honorable, à un jockey équivoque. Tenez, la ruse que voici est classique. Pendant des mois, un cheval court mal, ses épreuves sont piteuses et, un dimanche, la prétendue rosse dont on a pris soin de bonifier le régime de famine remporte la course avec dix longueurs d'avance.

— Moi, ça m'engourdirait plutôt d'ingurgiter un gueuleton avant une cavalcade, je piquerais un roupillon.

— Il y a mieux, c'est la substitution, ça, c'est encore plus fumant. Un excellent pur-sang, habilement maquillé, permute, à l'insu des parieurs, avec une *mazette*. Je peux vous narrer une anecdote à ce sujet : Bucéphale avait la solide réputation d'être un « veau », qualificatif inventé par les sportsmen. Il avait peur des nuages, des mouches, de son ombre. Or, un après-midi, miracle : Bucéphale arrive gagnant, mais gagnant-gagnant, hein, gagnant en valsant, en volant, la queue en trompette. On examine la bête : c'était un Bucéphale grimé en Bucéphale, mais ce n'était pas Bucéphale.

D'une voix étouffée Joseph constata timidement :

— On m'a parlé de « donneurs de conseils ». En quoi consiste cette activité ?

L'habitué tressauta sans que sa bouche participât à son hilarité.

— Ce sont des marchands de renseignements, ou, pour être plus précis, des propagateurs de fausses nouvelles. Le tuyau est la clé du mystère, monsieur. Représentez-vous ces petits-bourgeois, ces employés sans place, ces ouvriers au chômage, ces besogneux éreintés, ces vieilles fauchées, ces créatures déchues, attirés, fascinés comme des alouettes par le miroir d'un profit inespéré. Ils sont au bout du rouleau, leur avenir dépend d'une martingale. Ils ne se rendent pas à Longchamp ou à Auteuil pour l'amélioration de la race chevaline, ils ont lu et relu les journaux et combiné des succès mathématiques. Et voilà que rapplique le « donneur de conseils »…

— Et alors ? Les bons conseils font les mauvais amis, ainsi que l'a formulé l'un de mes associés.

— Monsieur, vous êtes d'une naïveté ! Les menteurs sont des relations précieuses à qui les estime à leur juste trempe. Abuser à la fois les autres écuries et le public sur la performance d'une rossinante, tel est le rôle du « donneur de conseils ». Il déambule dans les allées et les tribunes, il ébruite de prétendus secrets. Le baudet sur lequel personne ne risquerait un fifrelin est dans une forme éblouissante. En revanche, la coqueluche du public a toussé toute la nuit.

— Une fièvre de cheval, murmura Joseph.

— La rumeur se répand. Pas un parieur sur la jument enrhumée. Pourtant cette rossinante, dûment cravachée, l'emporte haut la patte. Chouette tableau, n'est-ce pas ?

— Et comment reconnaît-on un « donneur de conseils » ?

— On ne le reconnaît pas parce qu'on ne le connaît pas. Il sème des bobards qui circulent, enflent et triomphent, comme dans *Le Barbier de Séville*.

— Que vient faire un merlan sur un champ de courses ?

— La tirade de la calomnie, vous saisissez ? Vous ne savez pas ce que vous dédaignez. Repérer un vendeur de tuyaux est plus ardu que de cueillir un louis d'or sous le sabot d'un cheval.

— J'aimerais rencontrer un de ces conseillers, euh… voyez-vous, je vais me marier et ça arrangerait mes affaires si je m'enrichissais d'un magot. Germaine pavoiserait ! Germaine, c'est ma fiancée, elle est fleuriste.

— Ah, l'amour, l'amour ! Eh bien, jeune homme, il se trouve que je viens juste de m'entretenir avec un de ces fameux donneurs de tuyaux, je vais vous accorder une fleur, ce sera mon cadeau de mariage à Germaine, dont le métier est d'en vendre. Elle est jolie au moins ?

— Une rose, sans les épines.

— Sacré veinard ! Surtout, veillez à ce que sa poitrine soit assez généreuse pour vous emplir les mains le plus longtemps possible. Je suis un vieux roublard, j'en sais un rayon. Vous voyez l'homme en costume gris, coiffé d'un melon, qui bavarde avec la femme grassouillette enrubannée de nœuds lilas ? C'en est un.

Il eut un coup d'œil circulaire et ajouta :

— Elle, c'est une libre-échangiste, elle est là trois fois par semaine. Elle s'est baptisée Aphrodite d'Enghien. Mais je m'égare. Ce que je vais vous révéler doit demeurer confidentiel.

— Je vous le jure sur la tête de Germaine.

— Ce quart-de-monde en melon m'a déjà permis d'empocher des sommes rondelettes. Il s'attribue vingt pour cent.

Quiconque eût ignoré la rouerie de Joseph l'eût absout de tous ses péchés. Lèvres en cœur, il leva la main droite.

— Misez sur Calembredaine, dans la troisième course, jeune homme, c'est le bon lot, et mes hommages à Mlle Germaine.

Sur le chemin du retour, les embouteillages furent plus denses. Les calèches se croisaient à grand renfort de trompes et de sonnailles. Des familles avaient envahi le Bois et assiégeaient les marchands de gaufres et de marrons avant de saccager les buissons et de joncher l'herbe rase de papiers gras et de croûtons de pain.

« Les trois assassinés fréquentaient les courses. Ils avaient des contacts avec Firmin Cabrières, qui mène une double vie. Lui ont-ils reversé sa part ? Serait-ce lui le coupable ? J'ai la bobine en feu. J'aurais peut-être dû hasarder quelques francs sur Calembredaine. Réfléchissons calmement… Barnave a-t-il couvert Cabrières, tracé la faux plantée dans un corps et écrit des insanités sur le seuil de l'épicerie ? Si cela s'avère exact, il aurait aussi zigouillé le troisième homme ! Et Charlina ? »

Les pensées de Joseph se carambolaient si violemment en lui qu'il dérapa sur un os de poulet et se retrouva les quatre fers en l'air. Un souvenir désagréable l'empêcha de s'apitoyer sur l'état de son postérieur. Si le professeur Falb avait vu juste, la fin du monde aurait lieu le surlendemain.

Un peloton d'épingles fixé au poignet, la costumière se battait contre la tenue de scène qu'Arnaud Chérac se plaignait d'avoir du mal à boutonner.

— On n'a pas idée de bâtir sur le devant à son âge ! S'il persiste, sa bedaine fera bientôt barrage entre sa tête et ses pieds, et qui s'étalera en scène ?

Un *toc-toc* interrompit cette philippique. L'habilleuse feignit de n'avoir pas entendu. Nonobstant ce silence, l'intrus ouvrit la porte. L'immédiate production d'un billet bleu coupa court à un flot de jérémiades. Une pluie d'épingles parsema le tapis.

— Prenez garde à ne pas vous piquer, conseilla Victor. Je ne vous dérangerai pas longtemps. Vous êtes bien placée pour observer les comédiens. Je m'intéresse à Mlle Pontis, je suis un de ses fervents admirateurs. Où dîne-t-elle après la représentation ?

La costumière étudia brièvement son reflet dans une psyché et dompta une mèche insoumise. Elle enviait cette pimbêche de Charlina d'avoir tapé dans l'œil d'un homme aussi séduisant et affable. Après tout, rien n'interdisait qu'elle tentât sa chance.

— Le soir, elle ne déroge jamais à cette règle : se goberger, en compagnie d'autres comédiens, dans un restaurant pas trop cher et plutôt fameux, *Au Bœuf à la Mode*, rue de Valois, à la sortie de la galerie d'Orléans.

— Quel dommage que je ne l'aie pas su le jeudi 2 ! Ce soir-là, je lui avais apporté un gros bouquet, mais la salle était comble, et j'ai renoncé à me languir avec mes gardénias dans un café jusqu'à la fin du spectacle.

L'habilleuse traversa la loge en se déhanchant, se baissa, ramassa un bout de fil et se dandina vers Victor.

— Oh, ça me revient, vous avez eu raison de ne pas attendre ! Le jeudi 2, la pièce a démarré avec presque vingt minutes de retard à cause d'un incident. Dans ce théâtre, les dames sont admises à l'orchestre tous les soirs de la semaine sans chapeau ni coiffure d'aucune sorte. Le 2, une spectatrice, qui avait omis d'ôter une capote en soie surmontée d'un verger ambulant – pommes, raisins et reines-claudes –, a provoqué un scandale. On a dû rafraîchir le maquillage de la troupe. Au naturel, Mlle Pontis est d'ailleurs d'une banalité affligeante. Le public s'énervait, surtout que le jeudi c'est le jour des abonnés. Je crois me rappeler que, vu l'heure tardive, Mlle Pontis est rentrée directement chez elle.

— Et le 7 ? J'ai poireauté pour rien le 7.

— Je ne suis pas un calendrier des postes ! Vous vous imaginez être le seul à la courtiser ? Le 7 elle s'est envolée avec un capitaine des tirailleurs la poitrine bardée d'une batterie de cuisine et j'n'étais pas là pour tenir la chandelle.

D'un ton flegmatique malgré son excitation, Victor rétorqua :

— Mlle Pontis a-t-elle été souffrante ? J'ai récemment eu vent de son absence. Moi qui me déplaçais en pure perte en rêvant de l'aborder… je m'étais déjà cassé le nez le 29 octobre !

La costumière eut une moue contrite signifiant : c'est regrettable que vous n'ayez pas fait appel à mes services, j'étais disponible !

— Oui, Mlle Pontis est partie une semaine, assister aux obsèques de sa grand-mère. Même que sa doublure jubilait. Dame, pour aller dans le Sud et en revenir, ça demande du temps.

— Le Sud ? Quel Sud ?

— Celui de la France, pardi ! L'Antarctique c'est un peu loin ! Ah vous, alors ! Vous, vous n'êtes pas doué pour faire se lever le soleil

Victor fronça les sourcils, au désespoir de combler une faille de mémoire derrière laquelle palpitait un détail essentiel. Que lui avait révélé Mme Nollet, la mère du petit Florestan, à propos de Lina Duruty ?… « Elle était d'origine basque. » Ce séjour dans le sud de la France suffisait-il à confirmer que Charlina et Lina ne fussent qu'une unique personne ?

Il se libéra non sans peine des complaisances de la costumière qu'il promit de saluer à chacun de ses passages.

— Je me nomme Amandine, susurra-t-elle.

Il envisageait de dîner *Au Bœuf à la Mode* mais toutes les tables étaient réservées. Soudoyer un serveur à long tablier blanc s'avéra impossible, tant il y avait de monde à nourrir. Celui dont il parvint à stopper sa course lui répliqua crûment :

— Si vous vous figurez qu'on coche les dates pour les habitués, surtout quand ils sont en groupe !

— Une actrice du Théâtre-Français, accorte et libertine.

— Autrement dit, les trois quarts de notre clientèle. Ah ! Parlez-moi d'une rosière borgne et manchote, au moins, celle-là, elle marquerait ma mémoire !

Huit heures trente du soir ! Joseph entra. Euphrosine, bouche pincée, débarrassait les couverts. Sans lui accorder un regard, elle lui lança :

— On ne t'a pas attendu, hein ! Iris a couché tes enfants. Si tu veux dîner, y a de la soupe dans la cuisine, moi je suis éreintée, je pars, faut pas compter sur moi demain.

302

Lorsque Iris revint dans la salle à manger, elle se contraignit à conserver son sérieux face à un Joseph penaud, pris en faute comme un écolier qui a été collé par son instituteur.

La porte palière claqua.

— Mets-toi à l'aise, mon chéri, assieds-toi, il y a dans le four une tranche de rosbif et une part de clafoutis.

— Éteint, le four ? Les enfants dorment ?

Elle lui passa une main dans les cheveux.

— Oui. J'ai presque terminé mon conte. Tu sais, *Les Mésaventures de Filasse*, le chien de troupeau insomniaque qui additionne ses moutons pour trouver le sommeil. Rejoins-moi vite au lit, nous n'aurons pas besoin de l'imiter.

Les cafés des Grands Boulevards étaient bondés. Des commis de magasins écornaient leur paye en apéritifs. Une noria de fiacres réceptionnait leurs clients devant le restaurant *Marguery*. Victor jeta un coup d'œil sur la façade du *théâtre du Gymnase* et renonça à gagner la salle, le spectacle était en cours. Après des tours et des détours il dénicha un bureau minuscule situé à l'entrée des artistes. Il toqua au carreau. Un pékin rondouillard, à l'allure solennelle, s'en extirpa lentement, à dessein.

— Vous êtes le concierge ? s'enquit Victor.

— Non, monsieur, je suis le portier, nuance. On n'entre pas.

— J'ai la permission, dit Victor en produisant la lettre estampillée du paraphe d'Augustin Valmy.

— Qui m'assure que ce n'est pas un faux ? Ce ne serait pas la première fois.

— Mais je suis un ami de Raphaël Soubran. Nous avions rendez-vous le 29 octobre, puis le 2 de ce mois, j'ai patienté pour des haricots. Je lui ai fait déposer un mot, sans doute avez-vous omis de le lui remettre ? Nous devions nous rencontrer le 7, il n'est pas venu.

— Qu'insinuez-vous, monsieur je-ne-sais-quoi ? Cela fait trente ans que je préside aux allées et venues de ce théâtre, je connais tous les comédiens, on ne m'a jamais pris en faute ! Ne seriez-vous pas en quête d'une petite femme de revue ? En ce cas, vous vous trompez de lieu. Ici c'est le Gymnase, non une maison de tolérance. Ici, pas de flaflas, de branle-bas, de racolage, de luxure. Ici on crée et on travaille, on incarne des personnages. Allez ouste, du balai, interdiction de troubler des tragédiens qui endossent la peau de leur personnage !

Le portier avait la physionomie d'un vieux brave puritain qui ne devait pas en être un.

— Allez, laissez-moi passer, insista Victor.

— Que non, vous dis-je. Depuis deux semaines, avant et après chaque représentation de *Dégénérés !*, la troupe répète *Petit Chagrin*, une comédie en trois acte de Maurice Vaucaire qui sera jouée le 13. Ils terminent vers une heure du matin.

— Le 13 ? Le jour de la fin du monde ? Ce sera un gros chagrin.

— Monsieur, je ne goûte guère votre esprit. Vous êtes insultant envers l'auteur.

— Loin de moi cette intention, cela dit, vous prenez des risques en refusant de vous plier à ma requête, le commissaire Valmy sera furieux, à moins que vous ne m'octroyiez le droit d'examiner votre registre des arrivées et des départs.

Le portier parut ébranlé. Il se gratta la nuque et lâcha tout à trac :

— Ce sera cent sous.

Victor fouilla sa poche, mais garda sa main fermée.

— Je veux d'abord vérifier la véracité de vos assertions.

— Je vais vous montrer mon registre, tout y est consigné. Là, vous savez lire ? Le 29 octobre, les 1er, 2, 3, 4, 5, 6, 7, 8, 9, 10, et aujourd'hui 11 novembre : début de la représentation à sept heures trente, fin à dix heures trente, début des répétitions à vingt-trois heures trente, fin des répétitions à une heure, vous êtes content ? Vous voyez, votre ami était occupé. Je ne vous parle pas des dimanches où ces messieurs-dames sont également sur scène en matinée.

Victor parcourut les noms des comédiens présents aux répétitions. Raphaël Soubran n'en avait raté aucune.

CHAPITRE XVII

Dimanche 12 novembre

D'un commun accord, Kenji, Victor et Joseph avaient considéré qu'en vue des fêtes de fin d'année les deux vitrines de la librairie Elzévir seraient consacrées à la littérature pour la jeunesse. Les associés de Kenji, habitués à subir les saillies féministes de leurs épouses, s'étaient insurgés contre sa suggestion d'exposer d'un côté les livres destinés aux garçons et de l'autre ceux des demoiselles. Aussi mêlaient-ils allégrement les cartonnages bigarrés et dorés sur tranches des romans de Jules Verne et de la comtesse de Ségur, *La Famille Fenouillard* de Christophe et *Ondine* de Friedrich de La Motte-Fouqué, les contes de Mme d'Aulnoy et ceux d'Andersen. C'était plus que n'en pouvait supporter Kenji, hostile à ces fables rédigées afin de persuader les lecteurs de tous âges que la vie se teintait davantage des couleurs du rêve ou de l'aventure intrépide que de celles, moins éclatantes, de la réalité. Aussi inventa-t-il une course à l'extérieur afin de jouir de sa solitude.

— Que lui arrive-t-il ? N'a-t-il pas voyagé à travers le monde, sillonné des pays fabuleux ? Lui qui a nourri mon enfance de légendes, je ne le reconnais plus, marmonna Victor.

— Les étrennes tombent dans un peu plus d'un mois, il faut supposer que le grand manitou apprécie médiocrement ces réjouissances infantiles, répondit Joseph en réservant des places privilégiées aux recueils écrits par Iris et illustrés par Tasha.

— Soyez plus respectueux. Kenji adore ses petits-enfants, et Alice est chère à son cœur. Je subodore que quelque chose le trouble.

— Si la fin du monde se produit demain, nous n'aurons pas l'occasion de satisfaire beaucoup de clients, prédit Joseph.

— Quels mensonges avez-vous servis à Iris ?

— Et vous à Tasha ?

— Elle a deviné mais elle se tait.

— Iris aussi, j'en suis quasiment certain. Cependant, elle a cafardé à ma mère. Hier, à mon retour, Euphrosine m'a battu froid. Et bien sûr elle s'est lamentée de la porter, sa croix !

— J'ai téléphoné à la Comédie-Française, il y a relâche. J'ai proposé à Charlina Pontis de découvrir tout à l'heure le *Cabaret du Néant* de concert avec nous. Elle s'est empressée d'accepter. Nous improviserons, je n'ai rien préparé. Je veux vérifier son alibi du 7 novembre, un militaire, paraît-il.

— La jugez-vous compromise dans cette manigance de courses hippiques ?

— Louis Barnave était cocher. Je me suis souvenu de ce qu'elle m'a confié : elle a été écuyère au cirque Fernando, donc elle est accoutumée aux chevaux. Je renifle une complicité entre ces deux larrons.

— Hypothèse valable. Soit elle œuvre pour vous vendre ses charmes, soit elle espère inverser la situation à son avantage. Qu'elle vous ait relancé à votre domicile prouve qu'elle ne manque pas d'estomac. Pourquoi le *Cabaret du Néant*, n'y a-t-il pas mieux ?

— Parce qu'il joue un rôle majeur dans cette affaire. Notre assassin a la passion du temps.

— Ce spectacle me flanque une trouille bleue ! Il faut que je me libère ce soir, cette fois je vais me faire incendier, déplora Joseph.

Kenji se profila derrière les vitrines qu'il inspecta d'une expression critique. Il entra, s'installa à son bureau sans un commentaire et plaça devant lui un bloc neuf de papier vergé. La sonnette tinta.

— Tiens, voilà le samouraï qui rapplique, chuchota Joseph. Cet Ichirô me tape sur le système, il se pose en inspecteur des travaux finis !

Ichirô les salua sèchement et s'entretint en aparté avec son ami. Les coups d'œil furtifs que Kenji jetait à Victor auraient dû l'inquiéter et l'avertir que l'on ruminait des reproches à son encontre. Mais il décida de n'en avoir cure.

Djina descendit, drapée d'une robe de satin vert olive, enfila un mantelet de velours noir, se coiffa d'un chapeau de feutre crème à larges bords et sortit sans un mot.

Soulagé du départ de sa rivale, Ichirô Watanabe, qui avait pris ses quartiers d'hiver dans la boutique, se redressa et s'exprima haut et clair.

— Gaspiller les deux tiers de sa vie en sommeil n'est pas un sort enviable, et pourtant c'est ainsi que nous autres humains dilapidons nos nuits. Quand des gens se plaignent de leurs insomnies, je souris, car j'estime qu'ils ont la chance de…

À bout de nerfs, Kenji se précipita dans l'arrière-boutique. Ichirô était mortifié de cette fin de non-recevoir, mais n'en révéla rien et reporta son attention sur Victor et Joseph en pleine conversation à l'extrémité de la librairie. Il saisit au vol des bribes de phrase où il était question d'un rendez-vous le soir au *Cabaret du Néant* alors même qu'il avisait les grimaces échangées entre les deux comparses.

Joseph cria à Kenji que ses associés rentraient déjeuner chez eux, mais qu'ils reviendraient rapidement à leur poste. Ils s'esquivèrent sans un adieu à Ichirô, qui se caressa le menton, la mine matoise.

L'appartement de la rue Fontaine ayant été investi par Pinkus, Tasha et Alice s'étaient repliées, ainsi que Kochka, dans l'atelier. Victor ne ressentait qu'une sympathie modérée envers un beau-père se complaisant à interpréter les guides spirituels. Qu'un homme exilé loin d'une famille dont il se souciait peu se crût autorisé à dispenser ses conseils indisposait son gendre. Sa curiosité à propos des techniques cinématographiques nouvelles eut raison de sa prévention.

— Quelles sont les dernières bandes que vous vous soyez procurées ? demanda-t-il à Pinkus vautré dans un fauteuil traîné dans la cuisine, occupé à lire un quotidien en se goinfrant de cornichons salés.

Pinkus abaissa les feuillets froissés et discourut sur l'unique sujet qui le captivât vraiment : lui-même.

— J'ai obtenu pour une bouchée de pain *Déchirons le drapeau espagnol*, une œuvre de propagande sur la guerre à Cuba. Le premier film japonais : *Scènes de rues et danses kabuki*, *Les Régates de Henley* et *La Visite à Barcelone de la reine mère et de son fils*

Alphonse XIII[1]. Sans compter que j'ai une option sur *La Prise de Pretoria*, de Cock et Dickson.

Victor regretta qu'on n'eût pas inventé une machine à se catapulter illico en n'importe quel point du monde. Il eût sauté à New York.

— Je me suis équipé d'un écran argenté conçu par George Eastman, la qualité de l'image est bien meilleure que sur un écran blanc. Avec l'accompagnement au piano, c'est fou ce que ça dramatise les scènes. À la projection de *Déchirons le drapeau espagnol*, on a exécuté le *God Save the Queen*, le public en liesse s'est levé comme un seul homme. Les spectateurs en parlent et ils reviennent, je réalise des affaires formidables. Les salles de cinématographe, c'est l'avenir, il y a des places à prendre. Il serait judicieux qu'un passionné tel que vous s'y intéresse.

Victor faillit rétorquer qu'il n'y avait nullement pensé, mais un léger ronflement derrière le journal déployé sur le visage de Pinkus lui apprit que celui-ci somnolait.

La porte d'entrée grinça, un trottinement se dirigea vers la chambre à coucher. Victor surprit avec attendrissement sa fille munie d'un panier où elle entassait les vêtements de ses poupées.

— Ma chérie, tu ne devrais pas traverser la cour par ce froid.

— Maman m'a permis. J'ai besoin de choses.

Elle s'interrompit le temps d'enfiler un gant de dentelle appartenant à sa mère sur la tête d'un crocodile en peluche. Son père tressaillit.

---

1. Respectivement de James Stuart Blackton (États-Unis), de Tsunekichi Shibata, de James Williamson (Royaume-Uni) et de Fructuosa Gelabert (Espagne).

— Qui t'a donné ça, ma chérie ? articula-t-il d'une voix étranglée.

— C'est M. godile Croqvert, il est très malin.

— Sans doute, mais qui te l'a donné ?

— M. Croqvert se cache au fond de la rivière, on voit juste ses yeux, parce que pour son dîner, il attend les bêtes qui viennent boire, c'est pépé qui me l'a raconté, seulement ce godile-là, il avale que des poissons.

Victor s'empara du jouet, regagna la cuisine au trot et secoua sans ménagement Pinkus.

— C'est vous qui l'avez offert à la gamine ?

— Quoi ? Ah ! Le crocodile ? Vous avez une dent contre ces animaux ?

— Le lui avez-vous acheté, oui ou non ?

— Inutile de hausser le ton. Je suis en dehors du coup, le paquet a été délivré tôt ce matin, au nom de Mlle Alice Legris. Je me suis autorisé à l'ouvrir et je l'ai porté de l'autre côté de la cour. Tasha peignait. Alice était ravie.

— Il y avait une lettre ?

— Une simple note : *Pour une gentille petite fille*.

— Vous l'avez gardée ?

— Non, je l'ai jetée avec la boîte qui contenait la peluche.

Victor courut jusqu'aux poubelles alignées sur le trottoir. Elles avaient déjà été nettoyées par les chiffonniers. De nouveau chez lui, il refusa de céder le crocodile à sa fille, qui se mit à pleurnicher, et laissa exploser sa colère.

— Vous laissez ma fille s'amuser avec un objet dont la provenance vous est inconnue !

— La provenance, je la connais, c'est le Bazar de l'Hôtel de Ville. La peluche était dans une boîte scellée. Rendez-la-lui, vous voyez bien qu'elle a du chagrin.

— Consolez-la !

Dominant son beau-père, Victor avait le regard vide d'une personne envoûtée. Ses yeux semblaient rivés sur l'épingle à cravate de Pinkus, mais en réalité ils étaient tournés vers le chaos qui régnait dans son propre esprit d'où une phrase émergeait :

« Ce n'est pas lui qui a acheté ce cadeau. »

Il prit brusquement Alice dans ses bras et se rua vers l'évier.

— On va s'amuser à se laver les mains, dit-il d'un ton haché.

— Vous êtes dément ! s'exclama Pinkus. L'eau est glacée !

— Ah vous, la ferme ! Savonne ma chérie, savonne. Là, c'est bien, tu vois, ça fait des bulles. Maintenant on va se sécher et tu vas chercher ton ours. Les ours sont plus attirants que les crocodiles. Veillez sur elle, ordonna-t-il à Pinkus, sidéré.

Insoucieux du déjeuner qu'il avait promis de partager dans l'atelier avec Tasha et Alice, Victor enfila sa redingote, enfonça le crocodile dans l'une de ses poches, enfourcha sa bicyclette et pédala en direction de la rue des Saints-Pères.

Joseph peaufinait les vitrines de Noël. Il était fier de son initiative : exposer dans chacune un exemplaire de *La Fin du monde*, de Camille Flammarion.

Victor pila net et, dans sa hâte à rejoindre son beau-frère, heurta du guidon de son vélo le chambranle de la porte. Il agita le crocodile sous le nez de Joseph.

— Qu'est-ce que c'est que ça ?

— On l'a envoyé ce matin à ma fille de deux ans et demi.

— Nom d'un chien ! Vous pensez que c'est un avertissement ? Qui posséderait votre adresse ?

— Tous les suspects, nous leur avons distribué nos cartes de visite !

— Ne vous fourrez pas martel en tête, c'est une tentative d'intimidation. Si jamais Charlina Pontis est l'expéditrice, c'est qu'elle est mouillée jusqu'au cou dans cette affaire. Nous serons fixés ce soir puisque vous l'avez conviée. Allez, calmez-vous, ce n'est qu'un joujou inoffensif, nous ne sommes plus à l'époque des Médicis ou des Borgia.

— Justement, ce crocodile est peut-être enduit de poison, les gosses ont la manie idiote de porter n'importe quoi à leur bouche. Je vous envie votre certitude, vous m'imposez votre vérité comme un cocher fouette sa rosse. Qu'avez-vous ? Vous êtes livide.

— C'est à cause de ce mot, cocher. Barnave a été employé de la Compagnie des omnibus et Firmin Cabrières dormait dans l'usine de montage des omnibus. Détient-on l'identité de celui qui l'a dénoncé à la police ?

— Un employé de la Compa... Louis Barnave !

— Soit ces deux lascars sont de mèche, et vous aviez raison, soit Firmin Cabrières a été piégé. À quoi se résoudre ?

— Nous nous en tenons au plan initial. Et nous réfléchissons. Très très fort.

— Oui, encore plus fort que d'habitude. Mais quel est ce bruit ?

— Mon ventre proteste parce qu'il a faim.

— Montez à l'étage et chipez de quoi vous nourrir. Kenji est allé au restaurant, il déteste la brandade de morue.

— Moi aussi, soupira Victor en allant remiser sa bicyclette.

L'après-midi s'écoula lentement, ponctué de quelques ventes et de multiples délibérations au sujet de l'enquête. Quand enfin ils furent sur le point d'accrocher les contrevents, Joseph avait élaboré un scénario afin de s'évader avant d'être obligé d'affronter le *Cabaret du Néant*. Il soutiendrait à son beau-frère qu'il avait oublié ses clés, mais, au lieu de gagner son domicile, il bondirait dans un fiacre qui le conduirait jusqu'à une gare, n'importe laquelle. Il se hisserait dans le premier train rencontré, il s'exilerait à jamais loin d'Iris, Arthur et Daphné, Euphrosine. Sa vie se muerait en enfer. Il broda à satiété sur ce canevas et finit par admettre qu'il était issu d'un imaginaire immature. Quant à Victor, il aimait mieux ne pas envisager le déroulement de la soirée et se réjouissait de la disparition de Kenji. Aussi, lorsque celui-ci, accompagné d'Ichirô, fit irruption dans la librairie, éprouva-t-il une vive déception.

— Quelle chance de vous agrafer avant votre départ pour le *Cabaret du Néant* ! observa Kenji. Attendez-moi, je monte me changer.

— Comment savez-vous... commença Joseph. Comment diantre sait-il ? répéta-t-il en toisant Ichirô.

Sans se troubler, celui-ci remarqua :

— Je vous ai entendus évoquer ce projet tout à l'heure. J'aspire à me familiariser avec les diverses manières de représenter la mort en Occident.

— Mais nous, nous ne vous avons pas sollicité ! s'insurgea Victor.

— Voilà qui est bien cavalier. Pardonnez-nous de nous imposer, et considérez-vous nos invités, lança Kenji à mi-hauteur de l'escalier en colimaçon. Au fait, Joseph, soyez assez aimable pour ôter de nos vitrines cet ouvrage de Camille Flammarion. Malgré mon estime envers ce savant, je juge ses sornettes du plus mauvais effet, eu égard aux circonstances.

— Si le monde vole en éclats demain, les opinions portées sur la valeur littéraire des bouquins sombreront dans le néant ! Il n'y aura plus de livres, plus de lecteurs, plus de critiques ! Alléluia ! riposta Joseph.

— Il n'y aura également plus d'auteurs, songez-y, vous qui vous consacrez à l'écriture, constata Kenji, qui, sans se départir de son flegme, ajouta : Iris et Tasha sont au courant de notre escapade nocturne, inutile de vous inquiéter.

Durant le trajet en fiacre, Joseph rumina sa rancœur à l'endroit de Kenji et Victor remâcha sa défiance envers Ichirô. Indifférents aux sentiments qu'ils leur inspiraient, les deux Japonais échangeaient des données concernant le nombre de fauteuils des théâtres parisiens. Le moins bavard était Kenji, toujours aussi peu ému par les chiffres dont le gavait Ichirô mais reconnaissant à celui-ci de l'avoir prévenu de ce qui se tramait.

Dès qu'ils eurent mis pied à terre, Victor annonça que Joseph et lui souffraient d'un petit creux et qu'ils allaient rondement se sustenter.

— Nous vous rejoindrons à l'intérieur.

— Que nenni, mon cher, vous êtes nos hôtes, nous ne nous quittons pas d'une semelle, Ichirô paie les billets et après le spectacle je vous régale d'un dîner dans le restaurant qui vous conviendra.

Kenji entoura d'un bras les épaules de Joseph, de l'autre celles de Victor, et les poussa vers le guichet, conscient de bouleverser leur programme.

— C'est que… nous avions promis à une amie de lui régler sa place.

— Si cette amie a de la jugeote, elle s'informera à la caisse, où vous allez lui déposer un mot et un ticket, et elle viendra aussitôt nous retrouver.

Contraint de s'exécuter, Victor pesta en lui-même contre Kenji et s'arrangea afin de griffonner loin de son regard inquisiteur un message à l'intention de Charlina Pontis.

Quand Ichirô l'entraîna dans la première chambre, Joseph retint son souffle et battit l'air des bras, un naufragé sur le point de couler.

Il leur fallut s'asseoir autour d'un cercueil calé sur des tréteaux en guise de table et s'abreuver de boissons prétendument infectées de germes. Les serveurs vêtus de noir s'affairaient auprès d'une troupe de joyeux drilles. Victor reconnut l'équipe de l'épicerie.

— Monsieur Legris ! Joignez-vous donc à nous, l'interpella René Cadeilhan, nous fêtons nos fiançailles ! Y a de l'espace sous notre catafalque !

Le chœur des croque-morts entonna un couplet sur l'air de « J'ai du bon tabac » :

> J'ai de bons virus dans mon anisette,
> J'ai de bons virus tu n'en auras pas !
> J'ai des crachats de tuberculeux
> Et des microbes de catarrheux...

Hilaire Lunel scrutait avec anxiété les deux Japonais, persuadé qu'il s'agissait de bandits chinois. Pélagie Foulon ne cessait de vérifier le contenu de son cabas qu'elle avait garni de deux flacons de cognac destinés à la préserver des épidémies. Colette Roman lançait des coups d'œil à Joseph, qui masquait son trouble sous la jovialité avec laquelle il s'adressait à la mère Anselme.

— Je suis bien aise de vous rencontrer ici ! Avez-vous dévoré les provisions que je vous ai aidée à entasser chez vous ?

— Vous êtes l'émissaire de la Providence, la bonté en personne !

— La Providence serait-elle assez aimable pour emplir mon verre de cette excellente aguardiente ? dit Victor, goguenard.

Un aboiement étouffé résonna sous la table.

— Couché, Aristote ! ordonna René Cadeilhan.

— Ne me dites pas que vous avez amené cet animal, je hais les puces ! s'écria la veuve Foulon.

— On a collé Aristote dans un baquet ce matin et on l'a étrillé des oreilles à la queue, alors pas de danger, repartit Catherine d'un ton aigre.

Elle avait convié Pélagie Foulon à ses fiançailles uniquement pour satisfaire son futur époux, convaincue que seule la diplomatie amadouerait la veuve.

— Pourquoi l'avoir baptisé ainsi ? demanda Victor.

— Parce que, d'après ce que j'ai lu, ce philosophe grec affirmait la réalité du monde concret, et le concret, mon chien s'en pourlèche ! expliqua René Cadeilhan.

À cet instant, Charlina Pontis fit une entrée remarquée. Elle était moulée dans une robe de tulle à paillettes aussi échancrée que ses précédentes toilettes et balançait négligemment l'étole de fourrure qui lui avait couvert les épaules. Victor alla l'accueillir et la guida jusqu'au catafalque illuminé de chandeliers constitués de tibias cireux.

— Admirable décor, on se croirait dans la scène finale de *La Dame aux camélias*, il ne manque plus qu'une chapelle ardente. J'adorerais interpréter Marguerite Gautier, je tousse à merveille, surtout l'hiver.

— Désirez-vous un verre de choléra asiatique et un certificat de décès, ô avenante mortelle ? suggéra un des collègues de René Cadeilhan.

— Ni l'un ni l'autre, deux doigts de porto suffiront.

— Nous possédons de très belles phalanges prélevées sur la dépouille d'un éthylique, répondit le garçon.

— Offrez-les à l'une de ces dames, rétorqua Charlina en désignant Colette et Catherine.

Tous, à l'exception d'Ichirô Watanabe qui examinait la tablée d'un regard suspicieux et s'abstenait d'alcool, trinquèrent à la santé des amoureux.

Un croque-mort les invita ensuite à se rendre dans une pièce adjacente.

— Le chien reste ici, prévint-il.

La chambre proposait toujours son lot de danses macabres et d'exécutions capitales gravement commentées par un faux ecclésiastique. Cette fois, face à ces illusions, Joseph jouait les farauds en s'amusant de la répulsion manifestée par Ichirô et Kenji. Ce dernier sursauta quand une main caressa son bras en murmurant :

— Mon mikado, vous ici, quelle aubaine ! Dommage que je sois accompagnée de mon galant. C'est un gentleman britannique haut placé qui voyage incognito. Mais dès qu'il aura regagné l'*Hôtel de Marlborough*, je vous contacterai. Vous avez intérêt à me réserver un traitement douillet, un tête-à-tête, monsieur le libraire « bientôt la bague au doigt ». Quel scandale de se passer la corde au cou alors qu'il y a tant de femmes à combler !

Kenji, plus satisfait que choqué, la conjura de se taire, redoutant l'indiscrétion de son compatriote nippon, heureusement subjugué par le port royal de la ci-devant archiduchesse Maximova, Fifi Bas-Rhin pour les intimes.

— Au revoir, mon mikado, Bertie s'impatiente, souffla-t-elle à son ex-amant.

— Quelle magnifique créature ! s'extasia le spécialiste *ès* statistiques. Mori-*san*, présentez-moi.

Sans s'exécuter, Kenji tourna les talons.

Un maître de cérémonie distribua des bougies aux clients et les somma d'emprunter un corridor menant à la chambre de la mort, ultime destination de ce voyage. Le pâle éclairage des bobèches se mêlait aux flammes de chandeliers muraux et donnait aux visages un aspect maladif. Les ossements et les crânes composant les parois ajoutaient à la morbidité de cette marche. Oubliées, les fanfaronnades ! Joseph était en butte aux affres de la peur.

— Misérables débris d'humanité, préparez-vous à découvrir ce que vous regretterez d'avoir lorgné !

Ayant prononcé ces paroles d'une voix caverneuse, le guide introduisit dans une énorme serrure une clé attachée à une chaîne. La gâche céda avec un grincement.

— On devrait leur fournir un peu d'huile, observa Joseph.

— Silence, morpion ! Voici l'éternité, d'où l'on ne revient pas !

Tendues d'étoffes sombres, les cloisons n'offraient aux curieux que les éclats de cierges massifs. Avant de s'esquiver, le maître de cérémonie ordonna à l'assistance de s'installer sur des tabourets et de contempler une embrasure en forme de cercueil.

— Encore cette lumière bilieuse ! Ça ne présage rien de bon, annonça Joseph, aussitôt rabroué par ses voisins.

Un cercueil dressé verticalement apparut. Il était occupé par une gracieuse jeune femme drapée d'un suaire blanc, les traits épanouis comme si l'on n'eût pu convoiter plus confortable villégiature. Joseph ferma les yeux. Il se repentit de les avoir entrouverts, car, ainsi qu'il l'avait prédit, la scène se mua en cauchemar. En un clin d'œil, la jeune femme, adoptant une rigidité cadavérique, perdit ses couleurs, ses yeux, ses dents et ses cheveux. Il ne resta bientôt d'elle qu'un amas rougeâtre sans aucune ressemblance avec une demoiselle. Lorsque la pourpre se fut dissipée, le public fut confronté à un squelette apparemment ravi de l'effet qu'il produisait.

Colette Roman se leva, murmura quelques mots d'excuses à Catherine et se dirigea vers la première salle.

— Elle nous quitte ? s'étonna Joseph.

— Elle ne supporte pas ce genre de spectacle et je la comprends, dit la veuve Foulon.

Victor agrippa le bras de Charlina Pontis, et choisit ce moment pour exhiber le crocodile en peluche enfoncé dans la poche de sa redingote.

— Vous devriez avoir honte ! Effrayer ainsi une petite fille innocente et me menacer à travers elle !

— Vous travaillez du chapeau ! s'exclama l'actrice en se redressant. C'est ce vert qui vous monte au cerveau ? Pouah, la sale bête !

Luttant pour se dégager, elle bouscula Pélagie Foulon. La veuve oscilla et percuta Colette Roman, dont le réticule valdingua au sol. Elle en ramassa vivement le contenu éparpillé et se retira en glissant à Joseph au passage :

— Je m'absente cinq minutes, j'ai besoin d'air.

Sans lâcher le bras de Charlina Pontis, Victor se courba, sa main cueillit un rectangle cartonné qu'il considéra distraitement. C'était une photo mais, dans la pénombre, il distinguait mal ce qu'elle représentait. Il la retourna machinalement. Quelques lignes étaient gribouillées au dos. Il libéra Charlina Pontis et lut : *Bd Bourdon. Lycée Carnot.* Perplexe, il étudia de nouveau la photo.

— Joseph, approchez votre bougie je vous prie.

Il réussit à discerner un blondinet souriant, engoncé dans un gilet brodé et un pantalon serré aux chevilles. Son rythme cardiaque s'accéléra. Il resta figé, la photo à la main.

— Nom d'un chien !

Il releva la tête. Colette Roman se tenait dans l'embrasure de la porte. L'espace d'une seconde, leurs regards se croisèrent, elle fit brusquement demi-tour en courant.

— Hé ! Attendez ! cria-t-il.

Il abandonna Charlina, se précipita à sa poursuite et la rattrapa *in extremis* devant l'entrée du cabaret.

— Mademoiselle Roman, vous êtes souffrante ? Je peux vous aider ?

Elle l'affronta.

— Merci, ça ira, ce genre de spectacle ne me convient pas. C'est la troisième fois que nous nous rencontrons en une semaine, que cherchez-vous, monsieur Legris ? Vous êtes toujours là où l'on vous espère le moins.

— J'y suis intentionnellement.

— Vous êtes très assidu. Qu'est-ce que c'est que cette chose ? Vous êtes retombé en enfance ?

— Vous êtes parfaitement au courant, c'est un crocodile, dit-il en lui fourrant la peluche sous le nez.

— Je le vois bien, et alors ?

— Connaissez-vous une jeune femme du nom de Lina Duruty ?

— Est-ce une cliente de l'épicerie ?

— Je ne sais. Elle a été la nurse d'un petit garçon, Florestan Nollet.

— Vous vous imaginez que je m'intéresse à la vie privée de nos pratiques ?

— Non, bien sûr que non, seulement j'ai trouvé ceci sous votre table et comme vous avez fait choir votre sac, je me demandais…

Il lui montra la photo. Elle secoua la tête.

— Je n'ai jamais vu ce gamin.

La mâchoire de Colette s'était crispée, Victor s'en aperçut et fut persuadé qu'elle lui dissimulait quelque chose. Il s'enquit d'une voix douce :

— Aimez-vous votre travail, mademoiselle ?

— Vous vous croyez drôle ?

Elle arbora un semblant de sourire.

— Ne préférez-vous pas vous occuper d'enfants ? enchaîna-t-il.

Elle fut aussitôt sur la défensive. Son sourire se mua en rictus.

— Vous vous moquez ? C'est cruel. Moi qui me flattais d'exercer un certain charme sur vous…

Colette Roman soupesait Victor, le jaugeait, notait l'expression faussement innocente de son visage.

— Je ne me moque pas, mademoiselle. Je sais que ma question n'est pas très rationnelle et…

— Elle est humiliante. En fait, vous ne vous souciez de moi que dans la mesure où je suis susceptible de vous renseigner, monsieur le journaliste. Donnez-moi cette photo, je l'ai vue trop rapidement.

Il la lui tendit, elle s'en empara et la déchira en menus morceaux qu'elle jeta dans le courant du caniveau où ils furent avalés par la bouche d'égout.

— Satisfait, monsieur Legris ? Il eût été plus simple de me dire ce que vous voulez entendre, espèce de sale fouineur.

Elle le fixait d'un air ironique et il se sentit soulagé parce qu'il comprit qu'il avait vu juste.

— C'est vous, n'est-ce pas ? C'est vous qui les avez tués.

Les traits de Colette se durcirent. Elle se colla à lui et parla plus fort.

— Avez-vous conscience de ce que vous avancez ? Pensez-vous vraiment que l'on va gober une histoire pareille ?

Elle scrutait la chaussée, supputant ses chances de s'échapper, mais Victor lui barrait la retraite, la refoulant pas à pas à l'intérieur du cabaret.

— Écoutez, dit-elle, je sais où vous voulez en venir. Prouvez que je suis coupable et inventez-moi un mobile valable.

— Je le prouverai, mademoiselle Roman, ou faut-il vous appelez Lina Duruty ?

— Zélina, monsieur Legris, Zélina Duruty.

— Si cela vous chante. Quant au mobile, il est évident qu'il s'agit d'un règlement de comptes longuement ruminé. Que s'est-t-il réellement passé dans l'omnibus AQ en avril 1895 ?

Il lui saisit les poignets et la tira à travers la première salle.

— Lâchez-moi ! Comment envisagez-vous d'établir ma culpabilité, monsieur le libraire ?

Pris de court il formula le premier argument qui lui vint à l'esprit.

— Vous ne possédez aucun alibi concernant les soirées des meurtres.

— C'est vous qui le dites ! Mon concierge pourra témoigner que chaque soir il tire à mon intention le cordon à huit heures précises.

— Vous auriez pu redescendre sans qu'il y prenne garde.

— Il le niera, ce serait douter de sa vigilance.

Il poussa du pied la porte de la salle au cercueil. Colette se raidit.

— Ce doit être frustrant de déceler la vérité et de ne pouvoir en faire état. Vous vous apitoyez sur ce trio de moins que rien ? Rassurez-vous, ils n'ont pas souffert. Combien touchez-vous de la préfecture, monsieur Legris ? Qu'attendez-vous ? Enfilez-moi les menottes !

— Est-ce vous qui avez écrit ces graffiti devant l'épicerie ?

— Oui, c'est moi, je l'avoue. Cette avaricieuse de Pélagie Foulon n'a eu que ce qu'elle mérite. J'ajoute que j'en ai ressenti un immense plaisir.

— Pourquoi avoir monté cette mise en scène autour du corps de ces trois malheureux ? Ces accessoires… Le temps ?

— Quel fin limier vous faites ! Vous n'êtes qu'un piètre enquêteur. Vous brûlez d'envie de le savoir, hein ? Vous pouvez vous l'accrocher !

Elle éclata de rire.

— Je vais vous être agréable. Ils étaient quatre, il en manque un. Résultat, je serai obligée de rendre justice moi-même et ce n'est pas un mouchard dans votre genre qui m'en empêchera. C'en est assez ! Écartez-vous, j'ai une tâche à terminer !

L'esprit spéculatif de Victor considérait les éventualités qui s'offraient à lui. S'il la laissait partir, il deviendrait le complice d'une criminelle. S'il la dénonçait à la police, il appartiendrait au camp de ceux qui crient haro sur la bête. Comment trancher ? Cette hésitation lui fut fatale. Colette Roman lui décocha son soulier dans le tibia, le culbuta violemment et fonça vers le cercueil où le squelette à demi dressé écarta les bras. Elle fit volte-face, chercha une sortie à l'autre bout de la salle, mais elle appuya sur la porte au lieu de la tirer.

Le visage tordu de haine, elle contre-attaqua. Elle exhiba vivement de sous son châle un bâton de bois sculpté qui, d'une détente, se changea en un manche achevé par une pointe acérée. Avec un grondement, elle se jeta sur Victor, le saisit aux cheveux pour l'attirer contre elle et lui planter la lame dans la gorge. Un saut latéral permit à Victor de n'écoper que d'une entaille au cou. La douleur le plaqua au cercueil. Il entendit les consommateurs glapir à ses oreilles et tomba à genoux, sans force. Un liquide tiède coulait sous sa chemise.

Un à un les spectateurs s'immobilisèrent en silence. Soudain, un hurlement retentit, puis ce fut la panique. Hommes et femmes se ruèrent vers la seule issue. Charlina Pontis s'agrippa aux épaules de Joseph. La veuve Foulon, empêtrée dans son cabas en tapisserie, s'était aplatie au sol, le nez entre ses deux flacons de cognac, et interdisait toute manœuvre à Joseph et Kenji.

Colette Roman revenait à la charge. Elle bondit en direction du cercueil. Peut-être eût-elle transpercé la carotide de Victor si Ichirô Watanabe, la ceinturant par-derrière, ne l'avait soulevée dans ses bras et fait cabrioler de côté. Certain de l'avoir réduite à l'impuissance, il tendit son écharpe à Victor qui saignait abondamment, aussi ne s'aperçut-il pas qu'elle ajustait son arme et s'apprêter à l'en frapper. Kenji contourna la veuve Foulon et s'interposa entre Colette et Ichirô Watanabe. La malencontreuse intervention de Hilaire Lunel, convaincu d'avoir affaire à des bandits chinois, ruina ses efforts. Incapable d'épingler Colette, il ne put la maîtriser avant qu'elle ne tentât le sort en agressant le squelette. Celui-ci n'eut que l'opportunité de se garer, déjà la furie était loin.

Tandis qu'on le pansait dans une pharmacie, Victor, à moitié sonné, ferma les yeux.

— Bouche sèche, articula-t-il.

— On va boire ce grand verre d'eau avec ce petit cachet. Là, ç'est bien. Maintenant, on rentre à la maison et on pique un roupillon.

La voix du pharmacien lui parvenait à des kilomètres de distance. Il fut secoué d'un rire nerveux. Les traits de Colette Roman s'imposèrent à lui. Elle remuait les lèvres, ses mots se télescopaient sous son crâne : « Ils étaient quatre, il en manque un… rendre justice moi-même… »

Il se leva, tituba et s'affala dans les bras de Kenji. Le cachet ingurgité engourdissait sa lucidité, il flottait vers des territoires comateux où des suppositions irréalistes s'amalgamèrent en un gigantesque sablier.

— Le temps… Barnave ! gémit-il.

Pélagie Foulon l'observait avec méfiance comme s'il avait perdu la raison.

— Qu'est-ce que vous racontez ? demanda Catherine.

— Barnave, elle va le tuer !

Il attrapa sa redingote et s'élança sur le trottoir, le pharmacien et Kenji à ses trousses.

— Il se conduit toujours de cette façon ? s'informa Charlina Pontis qui avait du mal à les suivre.

Kenji fit une grimace.

— Oui, ma chère.

— Monsieur, monsieur, attention à votre bandage ! cria le pharmacien.

Victor agrippa Joseph par les revers de son veston.

— Savez-vous où trouver Louis Barnave ?

— Non, mais je connais quelqu'un qui nous renseignera.

— Qui ?

— Firmin Cabrières.

Victor se tourna vers Pélagie Foulon.

— Où loge-t-il ?

— Je ne fréquente pas ce milieu-là.

— Vous, Catherine ?

— Il venait parfois à la boutique, il causait surtout à Colette.

— Mais j'ai son adresse ! Victor, vous êtes sourd ou quoi ? dit Joseph.

— Nom d'une pipe, le temps presse ! Un fiacre, il nous faut un fiacre !

— Il en faut deux, dit Ichirô Watanabe, les épiciers veulent venir.

— Passage Cottin ! cria Joseph, avant de grimper dans un véhicule en stationnement à la suite de Victor, Kenji, Ichirô Watanabe et René Cadeilhan.

Le cocher protesta, et ses imprécations redoublèrent quand Aristote, sifflé par son maître, s'ébroua près de lui.

— Mon sapin n'est pas un fourgon ! Passage Cottin ? Moi, je vous largue à l'angle de la rue de Clignancourt et de la rue Ramey, parce que mon sapin n'est pas non plus un ascenseur, y a quatre-vingt-cinq marches !

— Vite, vite, martelait Victor, sinon il sera trop tard.

— Vous êtes un homme plus obstiné qu'un mulet du Poitou, commenta Kenji. Vous rendez-vous compte que vous avez une nouvelle fois frôlé la mort et que Watanabe-*san* et moi avons failli être percés de part en part ?

— Et moi, alors ? Charlina Pontis m'a tellement serré le kiki que j'ai les amygdales coincées dans la glotte ! se plaignit Joseph.

— Vous, motus ! Une lourde responsabilité pèse sur vous, monsieur le romancier à la flan !

— Alors ça, c'est une injure que je ne vous pardonnerai pas de sitôt ! décréta Joseph.

Aristote aboya, indifférent aux injonctions de son maître.

— Voyons, mes amis, ne vous disputez pas. Saviez-vous que les humains passent en moyenne vingt minutes par jour à se quereller ce qui, au bout de vingt ans…

Ichirô Watanabe s'interrompit en avisant les regards des autres occupants braqués sur lui. Aristote le fixait avec hargne.

— Terminus, tout le monde descend ! clama le cocher.

— Et puis d'abord, pourquoi Colette Roman voudrait-elle se débarrasser de Barnave ? demanda Joseph d'une voix hachée tandis qu'ils gravissaient la Butte en file indienne.

— Quel numéro ? répondit Victor.

— Il fait noir et j'ai les méninges en purée. La bicoque près du marchand de charbon. Ma parole, il y a foule.

Ils s'engouffrèrent dans un vestibule au milieu duquel Firmin Cabrières, débraillé parmi des voisins, gesticulait en se tenant la gorge.

— Elle est devenue folle ! Elle m'a piqué avec sa canne-épée, je vais mourir, allez quérir un docteur !

— Vous ne saignez même pas, remarqua un barbu très maigre, la serviette autour du cou.

— Adrien, t'es en bannière et ton gratin d'endives refroidit, rouscailla une commère en papillotes.

— Où est-elle ? Où est la femme qui vous a attaqué ? lança Victor.

— Au Sacré-Cœur. C'est là que se planque Barnave. Elle veut sa peau. J'étais forcé de le lui dire sinon elle m'embrochait.

— Parce qu'il est votre complice ? Il vous a secondé pour supprimer vos débiteurs ! affirma Joseph.

— Mes quoi ? Je n'ai tué personne ! J'étais en taule quand le facteur a été éliminé. Vous, vous êtes un sale indic ! brailla le dessinateur à la craie en reconnaissant Joseph. C'est Colette, c'est elle ! Si j'avais pu me douter !

Victor sprintait en direction de la basilique.

— Attendez-nous, espèce de toqué ! s'époumona Kenji.

Le petit groupe talonnant Victor se gonfla comme une boule de neige dévalant la pente d'un glacier. Firmin Cabrières, Catherine, Charlina, des promeneurs, des filles de joie, des gamins attardés dans les rues mal éclairés s'agglutinèrent à ses basques. Mais Victor n'arriva pas le premier au Sacré-Cœur, il fut dépassé par Aristote qui se prenait pour un lévrier et n'avait de sa vie couvert un tel trajet en si peu de temps.

Une masse grisâtre se dressait vers le ciel. Des nuages libérèrent une lune à demi pleine, on discerna un édifice apparenté à un monument byzantin, des coupoles, des arcs cintrés évoquant une église à bulbe, un fronton triangulaire. Ces éléments de décor biscornus paraissaient avoir été conçus par un architecte dément, acharné à concilier les styles et les époques en un gros soufflé laiteux orné de gargouilles et de frises. La truffe orientée vers la basilique, Aristote émit une plainte aiguë.

L'église était en partie emprisonnée dans un treillis dont elle tentait d'éclore. Ces poutres enchevêtrées étaient précédées d'une sorte de baraque de bois d'où sourdaient des cris. Deux silhouettes en jaillirent. La première, celle d'un homme tête nue, s'arrima à une corde qui montait à l'assaut d'un portail surmonté d'un Christ à l'abri d'une niche. Les bras tendus vers la capitale en une pose apaisante, la statue arborait un cœur auréolé de rayons d'or. La seconde silhouette, plus mince mais plus enragée, secoua violemment la corde. L'homme eut beau s'y cramponner, il ne put résister au roulis qu'on lui imposait et s'étala. Nonobstant la clameur indignée des badauds attroupés sous les pilotis, un bâton fut brandi. La lune fut avalée par les nuages.

Quelques minutes plus tard, les spectateurs aperçurent le rescapé accroché aux portants étagés le long de la coupole principale. Il essayait d'atteindre une plate-forme aménagée sous un clocheton, mais ses gestes patauds étaient dérisoires en comparaison de l'agilité de l'ombre fluette qui escaladait la charpente. Sur le point d'être rejoint, l'homme lâcha prise et atterrit sur une terrasse où il demeura prostré.

— Mais affolez-vous, nom d'une pipe, aidez-moi à le faire descendre ! rugit Joseph sans remuer d'un centimètre.

Il se rappelait le jour lointain où il avait fait basculer un corps du haut de la colonne de la Bastille.

L'homme boula sur lui-même, évitant l'arme de son adversaire qui s'était laissé tomber à son côté. Le combat qui s'ensuivit se déroula trop en retrait du bord pour que les spectateurs en savourent les péripéties.

En dépit de sa maladresse, l'homme parvint à s'enfuir. On le vit dégringoler d'une échelle métallique non loin du portail. Au-dessus de lui, la femme s'escrimait à lui blesser le crâne de son bâton.

— Une vraie tarentule ! murmura Joseph, qui, dans une illumination, imagina le sujet de son futur roman : une araignée géante déboulait sur Paris où elle tissait une toile démesurée jusqu'à ce qu'un dessinateur à la craie efface ce cauchemar grâce à une éponge magique piquée au bout d'un manche.

— « Le Règne de l'araignée », titre provisoire… Non, règne et araignée, ça se marie mal. « Le Règne de la tarentule », c'est mieux. Ça tisse des toiles, une tarentule ?

Le souffle court, Louis Barnave cavalait devant le porche constitué de trois portes hispano-mauresques. La femme allait le rattraper quand une forme trapue fondit sur elle et se suspendit à ses jupes. Sa proie se démena en tous sens afin de se dégager, trébucha, et, déséquilibrée, s'écroula vers l'avant.

— Aristo ! glapit René Cadeilhan.

Le chien recula et hurla à la lune.

— C'n'est pas possible, quand il repère un lapin, il se cache la tête entre les pattes ! répétait son maître en s'approchant.

— Colette Roman n'est pas un lapin, répliqua Joseph.

On encercla la femme allongée sur le ventre. Ichirô Watanabe se baissa, la retourna avec difficulté et fit un saut de carpe. Une rumeur horrifiée parcourut les rangs des curieux. Victor s'accroupit, désigna le bâton enfoncé dans le torse de la femme qui respirait faiblement, puis se pencha sur son visage. Elle le fixa sans ciller.

— Ne bougez pas, dit-il doucement.

— Il est vengé. Je regrette… Je regrette… Le quatrième s'en est sorti… Il faut que vous sachiez. Ils ne respectaient rien… Ils avaient gagné aux courses…

— Taisez-vous, les secours sont en route.

— Ils se croyaient tout permis… Ils se vantaient… Les deux salauds, le comédien et l'autre, le professeur, me maintenaient entre eux… Le facteur l'incitait à enjamber la rambarde, ça les amusait.

— Incitait qui ?

— Florestan… Le cocher était ivre et… ils ne supportaient pas que le gamin gesticule… Cinq ans, il avait cinq ans… je l'aimais.

Sa tête retomba. Victor lui ferma les paupières.

— C'est fini, assura-t-il en se redressant.

— Le chien l'a effrayée, dit Kenji. Elle s'est entravée dans ses jupons et s'est empalée sur son arme.

— Aristote n'est pas un assassin, il a sauvé la vie de Barnave, protesta René Cadeilhan, j'y suis pour rien. Sans lui, Barnave serait en train de s'égosiller avec les anges.

— Avec les anges ou avec le diable ? marmonna Kenji.

— Oh, mon Dieu, c'est affreux ! geignit Catherine.

Sa voix s'étrangla dans un borborygme. Elle s'affala dans les bras de René Cadeilhan. Il la serra sur sa poitrine, son visage était blafard sous la lueur bleutée des réverbères. Charlina Pontis s'appuya à la palissade qui protégeait la cloche monumentale et se mit à vomir.

Victor se releva, tira le nœud de sa cravate, déboutonna le col de sa chemise et glissa la main sur sa blessure au cou. Il avait eu confirmation de sa théorie, mais il n'en récoltait aucun contentement. La vision de scènes décousues vint danser sous ses paupières.

Longchamp. Eusèbe Tourville, Robert Domancy, Charles Tallard. Ils ont misé sur un long et frêle tocard qui, à la surprise générale, a remporté la course. Grisés par cette victoire, les heureux compères s'installent sur l'impériale d'un omnibus au milieu d'un océan de véhicules qui roulent vers l'Arc de Triomphe. Un véritable retour de bataille où vainqueurs et vaincus échafaudent des rêves de richesse : « la prochaine fois, la prochaine fois… » Il n'y aura pas de prochaine fois. Un stupide accident va mettre fin à leur complicité naissante, ils ne se reverront jamais. Déjà Lina Duruty et Florestan Nollet sont montés sur l'impériale. Le garçonnet est turbulent, il irrite les trois hommes. Lequel d'entre eux murmure un défi à son oreille ? « Chiche que tu escalades le garde-fou ! » Déjà l'omnibus repart. Déjà, le cocher en état d'ébriété lève son fouet. Déjà, l'enfant téméraire est projeté sur la chaussée. Mort sur le coup. Police. Constat. Les passagers livrent leur version des faits : un drame dû à la négligence d'un ivrogne.

— Mon Dieu ! s'exclama Pélagie Foulon. On lui aurait adjugé d'emblée la couronne de roses des enfants de Marie. Toujours souriante, prévenante, travailleuse. Sournoise, oui ! Elle se faisait passer pour une sainte nitouche, j't'en ficherai, moi ! C'est bien fait, elle n'a que ce qu'elle mérite.

— Taisez-vous, gronda Victor d'un ton glacial. Quand viendra le jour du Jugement dernier, avec qui vous expliquerez-vous, madame Foulon ?

Pélagie Foulon lui lança un regard malveillant sans proférer un mot. Elle releva le menton et interpella Catherine.

— Venez, ma petite Catherine, j'ai été injuste avec vous, il n'y a rien à voir, ici.

— Je rentre avec René, lui rétorqua Catherine.

Pélagie Foulon haussa les épaules et s'en prit à Hilaire Lunel.

— Et vous ? Vous attendez le déluge ?

— Pas le déluge, ma grande, la fin du monde et c'est pour demain, gouailla Barnave. J'en ai le palais desséché. Quelqu'un aurait un remontant ?

CHAPITRE XVIII

Nuit du 12 au 13 novembre

Ils avaient dû rester sur les lieux, à la disposition de la police. Lorsqu'il poussa la porte de son logement, Tasha l'accueillit avec un visage qui n'augurait rien de bon.

— Tout va bien, Tasha ? Tu ne t'es pas fait trop de souci ?

Elle répondit froidement, agacée de sa sollicitude.

— Tout va bien, je suis folle d'inquiétude, oui, tout va bien. J'ignore où tu vas traîner, tu réapparais couvert de bandages…

— Tu as l'air vraiment contrariée.

— Oh non, voyons, quelle idée ? Il n'est pas loin de minuit, je suis lasse de tes fredaines. Ton col est taché, c'est du sang !

— Ce n'est pas grave, chérie, ça part. J'ai ôté mon vieux pansement et rouvert une entaille, un pharmacien m'a confectionné cette cravate nouvelle mode.

« Ce n'est pas un mensonge, se dit-il, simplement la vérité légèrement arrangée. »

— Quand tu sors, je me demande si tu vas me revenir en un seul morceau.

Sa voix tremblait, elle avait honte de sa mauvaise foi et s'obligeait à feindre la colère, car elle avait appris, de la bouche de Valentine, l'action d'éclat d'Euphrosine chez les Pont-Joubert. Iris avait gaffé. Victor était-il au courant ? Avait-il corrigé ce débauché de Boni ?

— Victor... Trouves-tu que j'ai tort d'être aimable avec la nièce de la comtesse de Salignac ? Je ne voudrais pas que tu le prennes mal, je sais que les Pont-Joubert te sont antipathiques.

— Avec toi la moindre peccadille se transforme en affaire d'État. Tantôt une soubrette de la Comédie-Française m'aguiche. Tantôt le commissaire Valmy est un émule de Casanova. Pourquoi ne supplies-tu pas ton limier adoré de mener une enquête ?

— Manquerait plus que ça, dit Tasha qui ne le quittait pas des yeux.

« Il ne sait rien, pensa-t-elle, ou alors c'est le roi des dissimulateurs. »

— Viens te coucher, ça vaudra mieux.

Victor put enfin s'étirer. Il vieillissait, il le sentait à ses tendons douloureux. Blottie près de lui, Tasha respirait régulièrement, mais il ne pouvait s'endormir, il revoyait le visage figé de Colette Roman.

Lundi 13 novembre

— Ouf, il est cinq heures passées et la vie poursuit sa course, constata Joseph.

— De quoi parlez-vous ?

— De la fin du monde.

— Mon pauvre Joseph, vous ne savez définir les priorités, nous sommes dans la panade. Comment justifier la mort de Colette Roman ?

— Ça tombe sous le sens ! Elle vous a avoué ses forfaits.

— Détrompez-vous, les indices sont trop maigres pour bâtir une théorie sur cette base. Je suis l'unique témoin. Elle a détruit la photo avec les adresses de deux des victimes qui aurait pu l'incriminer.

— Mais il y a d'autres faits qui retiennent l'attention, elle a tenté de tuer Barnave, elle vous a agressé.

— On ne peut lui imputer les trois meurtres sans preuves.

— Elle possédait deux noms ! Elle a été engagée à l'épicerie sous la fausse identité de Colette Roman alors qu'en réalité elle…

— Et après ? La veuve Foulon n'était pas censée lui réclamer son bulletin de naissance.

— Les Nollet pourront attester qu'elle a travaillé chez eux.

— Cela ne l'implique pas forcément.

— Ah, ça fait plaisir à entendre ! bougonna Joseph. Valmy sera ravi de ce résultat calamiteux.

— Ne vous souciez pas des états d'âme du commissaire, il accommodera les faits à sa manière, comme d'habitude. Et comme d'habitude, la presse spéculera sur cet imbroglio pendant quelques jours, puis il sera enterré aussi vite qu'il a été déterré.

— Vous espérez que ce blanc-bec de Renaud Clusel jettera l'éponge si facilement ? Vous êtes optimiste !

La porte de la librairie s'ouvrit sur Catherine Louvier.

— Je craignais de trouver boutique close. Il faut que je vous parle, je me suis souvenue, c'est important, ma réputation est en jeu. Avant que Mme Foulon, Hilaire et la mère Anselme affirment m'avoir reconnue en compagnie du type au veston à carreaux, le soir du dimanche 5...

— Eusèbe Tourville ? Celui qu'on a découvert égorgé impasse du Cadran ?

— Lui-même. S'il vous plaît, faut que je me concentre sinon je vais perdre le fil. La semaine d'avant, Colette m'avait priée de lui prêter mon chapeau à fleurs et une jaquette longue de forme sac que je garde pour les grandes occasions. J'ai renaudé, mais je ne pouvais lui refuser, elle était si gentille avec moi. La garce ! Elle voulait qu'on me suspecte.

Victor laissa échapper un soupir. Enfin un fait positif. Joseph exultait, c'était l'épisode le plus solide à leur actif.

— Mademoiselle Louvier, si l'on vous mande à la préfecture de police, accepteriez-vous de vous présenter ?

— Et comment ! Parce que vous savez, elle ne m'a jamais rendu mes vêtements. Si vous fouillez son armoire, je suis certaine que vous les trouverez, j'y tiens.

— Joseph, j'y pense, nous ferions bien de profiter de l'offre du *Cabaret du Néant* ! Rappelez-vous l'affiche : pas de cataclysme équivaut à une entrée gratuite !

— Si vous êtes tenté... Je m'abstiendrai, cet endroit m'a terrorisé.

— Voyons, Joseph, personne n'y croyait vraiment, à cette fin du monde. Les scientifiques l'avaient démentie, mais les humains adorent s'infliger des frayeurs. Moi, ce qui m'effraie, c'est cette bâtisse où un inculpé sur deux est innocent, dit Victor en désignant la préfecture de police. Votre retour à la maison au milieu de la nuit vous a-t-il valu des reproches ?

— Une chance qu'Euphrosine ait été absente ! Iris dormait, je n'ai pas eu à lui conter de sornettes. Et vous ?

— Oh, moi…

Le mécontentement d'Augustin Valmy était à son comble. On aurait dû punir l'ouvrier négligent qui, rue d'Arcole, un seau de goudron à la main, avait constellé de mouchetures noires les revers du pantalon d'un inoffensif passant. Ce passant, c'était lui. La réclusion était sans doute une sanction excessive, cependant une amende salée eût lesté de plomb la cervelle de ce crétin.

Et quelle peine appliquer à l'auteur anonyme de *Mille et Un Procédés pratiques d'économie domestique* ? N'avait-il pas le culot de soutenir que la meilleure recette pour se débarrasser d'une éclaboussure de goudron consistait à la barbouiller de beurre ? Il suffisait ensuite de traiter la seconde tache grâce à de l'eau bouillante et à du savon. Moyennant quoi le pantalon à rayures du commissaire s'ornait d'un magma brunâtre auréolé de gras du plus mauvais effet.

Il enroula ses jambes autour des pieds de son siège en priant que nul ne remarquât cette double souillure.

— Avez-vous du nouveau ? demanda-t-il d'un ton neutre.

Joseph, fasciné, examinait les mains manucurées du commissaire.

— Nous avons démasqué l'assassin, une femme. Hélas, elle est morte.

Augustin Valmy sortit son mouchoir, le pressa sur sa bouche et se renversa sur sa chaise.

— Je sais. Je veux un compte rendu concret, dépouillé de détails superflus.

Victor entama son récit en passant sous silence les événements annexes concernant les agissements frauduleux de Charlina Pontis, Raphaël Soubran et Firmin Cabrières. Augustin Valmy ne laissait rien paraître de ses pensées.

— Voilà, conclut Victor, ce sont les dernières paroles de Colette Roman.

— Pour la justice ce sont des allégations arbitraires, des questions sans réponses fiables, que lui importe qu'il y ait une nébuleuse relation entre cette femme et le triple meurtre ? rétorqua Augustin Valmy avec acidité.

— Je vous entends parfaitement, monsieur le commissaire. À défaut de confirmations formelles, M. Pignot et moi avons échafaudé une thèse. Après avoir suivi plusieurs pistes, nous ne pouvions nous fier qu'aux déclarations de Zélina Duruty, alias Colette Roman.

— Je vous écoute, dit Augustin Valmy, peu encourageant.

— La disparition cruelle de Florestan Nollet l'a poussée à fomenter une vengeance exemplaire. Elle n'a eu de cesse de traquer dans la jungle parisienne les quatre responsables du décès de l'enfant. Débusquer Louis Barnave fut aisé. Quoi de plus élémentaire que de se renseigner auprès de la Compagnie des omnibus ? Nous supposons que l'idée de lui coller ses futurs crimes sur le dos a déterminé sa recherche d'un emploi dans le IXᵉ arrondissement où elle a été embauchée par Mme veuve Foulon sous le nom de Colette Roman.

— Oui, bon, et alors, ce ne sont que des hypothèses, marmonna Augustin Valmy. Moi, il me faut du tangible !

— Permettez-moi de développer notre argumentation. Zélina-Colette a noué des rapports amicaux avec l'ex-cocher, elle a détecté son obsession du temps et conçu une mise en scène liée à Saturne. De là a sans doute germé son projet de convoquer les trois autres larrons l'un après l'autre impasse du Cadran. Elle connaissait leur profession, ils l'avaient mentionnée lors de leur interrogatoire au commissariat du VIIIᵉ arrondissement. Zélina-Colette visita les théâtres de la capitale et repéra Robert Domancy. Même démarche pour Charles Tallard, bien que la liste des écoles fût longue. Eusèbe Tourville, lui, était postier, il avait été renvoyé suite à une grève. Ses collègues fournirent une adresse, délaissée faute d'argent. Le concierge lui a probablement livré celle de Clarisse Lostange où il s'était réfugié.

— Votre récit est séduisant mais rien de l'étaye. Encore des « probablement ». Par quel subterfuge a-t-elle attiré ces trois messieurs impasse du Cadran ?

— Nous l'ignorons.

— Votre histoire romanesque ne tient pas. Trop de « peut-être », de « sans doute ». Allez raconter ça à un procureur ! Et puis le principal témoin, Mme Sembatel, affirme que l'assassin est un gaillard.

— Zélina-Colette tuait déguisée en homme à l'aide d'un bâton de berger basque, un *makila* en néflier qui cache un pic aiguisé sous sa poignée. Elle savait où frapper, grâce à ses antécédents d'infirmière.

— Elle n'était pas infirmière, elle était fille de salle. Cependant je peux vous concéder qu'elle possédait un bagage anatomique. C'est tout ? Et ces fameux dessins à la craie effacés par l'opération du Saint-Esprit, elle en était aussi l'auteur ?

— Oui. Ils étaient destinés à innocenter Firmin Cabrières et à régler ses comptes avec la veuve Foulon qu'elle n'aimait pas. Nous ne détenons aucune pièce à conviction hormis l'arme qui a causé sa mort.

— Rien ne démontre que celle-ci ait servi à supprimer les trois victimes.

Victor et Joseph restèrent cois.

— Je suis déçu, Legris. C'est tiré par les cheveux. Pour ce qui en est du témoignage de Mlle Catherine Louvier, soi-disant victime indirecte des manigances de Mlle Roman, s'il nous incite à considérer cette dernière fortement impliquée, il n'est pas assez probant pour l'accuser. Ce faisceau d'indices est insuffisant pour prouver la culpabilité de la défunte. À partir de ce point, le champ des conjectures est vaste. Tout bien pesé, Legris, je pense que nous ferions mieux de simplifier les choses.

— Mais, monsieur le commissaire... balbutia Joseph.

— Il n'y a pas de mais, monsieur Pignot. Ma décision est prise. Laissez-moi vous rappeler que c'est moi qui enquête, n'est-ce pas, Legris ?

— Si vous insistez, monsieur le commissaire, nous sommes forcés de nous incliner. Mais seulement parce que vous êtes investi d'une autorité plus haute que la nôtre. Désormais, la suite est de votre ressort, quant à nous, nous nous retirons. Cependant je suis certain que nous sommes dans le vrai.

— Ne faites pas cette mine de croque-mort. J'ai reçu un jeune journaliste du *Passe-partout*, Renaud Clusel, un coriace, il ne gobera jamais ce genre d'explication sans un mobile concret.

Augustin Valmy se pencha en avant.

— Monsieur Pignot, j'ai l'intention d'utiliser vos compétences, vous allez me faire profiter de vos talents littéraires, dit-il en souriant.

Joseph sourit en retour, mais sans amusement.

— Je comprends mal, monsieur le commissaire, vous voulez tout remettre à plat, c'est cela ?

Augustin Valmy hocha la tête.

— Une fausse déposition, grommela Joseph, je commence à y voir clair.

Victor observait Augustin Valmy. Le commissaire souhaitait par-dessus tout se débarrasser de cette compromettante affaire, couper court aux paperasseries qui risquaient de dévoiler sa parenté avec Robert Domancy. Autant collaborer.

— Qui suggère une telle malversation ? s'exclama-t-il. Voyons, Joseph, la mémoire vous fait-elle défaut ? Colette Zélina m'a avoué ses forfaits, elle m'a agressé au *Cabaret du Néant*, devant témoins, avec son *makila*, j'en porte encore les marques à la gorge, elle aurait pu me saigner à blanc. Le pharmacien qui m'a soigné n'en démordra pas. Ensuite il y a eu cette course-poursuite jusqu'à la basilique du Sacré-Cœur où elle a menacé Firmin Cabrières et tenté de supprimer Louis Barnave. Les nombreux spectateurs de cette scène épique auront beaucoup à raconter. Et les Nollet, vous oubliez les Nollet, ils l'identifieront sans hésiter, même après plusieurs années.

— Bravo, Legris, vous lisez en moi ! approuva le commissaire. Je crois que nous allons nous entendre, à condition, certes, que M. Pignot coopère.

— Coopère à quoi ?

Le commissaire Valmy lissa son buvard et dit d'une voix doucereuse :

— Il vous suffira de narrer sur papier les faits tels que vous me les avez rapportés, avec cependant une petite variante.

— Quelle variante ?

— Soyez positif. Supprimez les « peut-être », les « sans doute », les « probablement » et tout autre adverbe fauteur de doute. Insistez sur le rôle prépondérant que j'ai joué dans la résolution de cette énigme, en omettant, bien entendu, de révéler que Robert Domancy était mon demi-frère, vous saisissez ? Un feuilletoniste de talent pourra-t-il me pondre un scénario cohérent ?

— M. le commissaire a raison, approuva Victor, pince-sans-rire. Il serait dommageable que la presse se gausse de l'incurie de la police.

— Je serai payé à la ligne ? s'enquit Joseph

— Que nenni, jeune homme ! Soit dit en passant, j'apprécie votre sens de l'humour. En revanche il ne sera jamais fait mention de votre participation et de celle de M. Legris à cette enquête, ainsi, vos épouses respectives n'auront aucun motif de vous reprocher quoi que ce soit. Remerciez-moi. Vous disposez de vingt-quatre heures pour me remettre votre copie.

Quai des Orfèvres, Joseph regarda les plantons d'un air bravache et croisa les bras.

— Quel manipulateur ! J'aurais dû lui dire non. J'ai besoin d'un verre, ce flic me rend cinglé. Vingt-quatre heures !… De vous à moi, Victor, qu'auriez-vous fait, vous, si vous aviez été Colette ?

— Honnêtement, je n'en sais rien. Ainsi que le dirait Kenji : « L'eau ne reste pas sur la montagne, ni la vengeance sur un grand cœur. » Mettez-vous au travail.

Dépité du manque d'enthousiasme de son beau-frère à lui prêter main-forte, Joseph boudait. Ils atteignirent la place Saint-Michel sans avoir échangé un mot. Il ne donna libre cours à son indignation qu'au moment où ils allaient se séparer.

— Vous avouerez tout de même ! Et la justice dans tout ça, parce que, après tout, c'est nous qui...

— La justice a les yeux bandés. Profitez de l'opportunité, Joseph, ce rapport fera de Valmy votre obligé.

— Vous n'avez pas tort, je vais lui trousser un récit circonstancié de derrière les fagots, à ce flic, il va pouvoir se pavaner devant la presse. Dites, que va devenir Charlina Pontis ?

— Elle ne sera pas poursuivie, puisque nous avons sciemment omis de mentionner son petit trafic. Gageons que d'ici à quelques jours elle sera ravie d'être courtisée par Arnaud Chérac.

— Du coup il fera un régime et retrouvera la ligne. Et Raphaël Soubran ?

— Je l'ai déjà averti, maître chanteur est un vilain métier. Qu'il se borne à jouer la comédie sur les planches et que son quotidien soit exemplaire.

Ils se quittèrent réconciliés. Joseph se dirigea vers le quai Voltaire, où il comptait confier ses projets à Raoul Pérot, et Victor fila rue des Saints-Pères.

À quelques mètres de la librairie, il aperçut une silhouette élancée qui lui était familière. Une robe en mousseline de soie jaune, une cape de zibeline, un chapeau de taffetas piqué de plumes et de bouquets de violettes, des bottines fourrées : cette toilette mettait en valeur une sylphide à la croupe ondulante que Victor identifia aussitôt. Eudoxie Allard, alias Fifi Bas-Rhin, alias Fiammetta, alias l'ex-duchesse Maximova. Il battit prudemment en retraite, peu soucieux de s'attirer les bonnes grâces de cette mante religieuse qui croquait avec autant d'appétit amants et diamants. Que Kenji se débrouille.

Mais Kenji manquait à l'appel. Sur la chaise qu'il occupait d'habitude devant son bureau était assis Ichirô Watanabe, additionnant avec volupté les colonnes de statistiques dont, il en était persuadé, allaient se régaler les Parisiens dès que son livre verrait le jour. Au tintement de la sonnette, il se retourna.

— Mon mikado ! s'exclama Eudoxie. Mais non, ce n'est pas toi, c'en est un autre... Je m'interroge, ne seriez vous pas un mandarin ?

— Chère madame, dit Ichirô Watanabe en s'inclinant, sachez que les mandarins ne sont que de hauts fonctionnaires de l'Empire du Milieu, alors que le mikado est l'empereur de l'Empire du Soleil levant dont je suis originaire à l'instar de Mori-*san*.

— Sans blague ! Ah, je me rappelle, nous nous sommes rencontrés dans cet endroit putride où dansaient des cadavres.

— Votre mémoire est fidèle, admit Ichirô Watanabe. Ce soir-là, je me suis extasié sur votre beauté, égale à celle d'une geisha qui se serait fourvoyée dans un pays où l'on prétend honorer la femme mais où on la rabaisse au rang d'un vulgaire cul-de-lampe.

— C'est la première fois qu'on me compare à un cul-de-lampe. Votre langage dénote une rare originalité. Votre comportement privé est-il aussi excentrique ?

Ichirô salua derechef.

— Madame, vous me flattez. J'aime les chiffres, je les aligne, je les assemble, je les additionne et ils me livrent leurs secrets.

— Moi, je raffole des soustractions. Voici ma carte, je reçois à partir de sept heures du soir, des hommes uniquement, chacun leur jour. Nous retranchons, nous retirons, nous défalquons tout ce qui nous encombre d'inutiles ornements, et lorsque nous touchons au zéro vestimentaire, je souffle les bougies. Enfin, façon de parler, car mon hôtel est doté de l'éclairage au gaz. Alors, c'est d'accord, mon mikado ? Vous gratterez à ma porte ?

Ichirô salua plus bas, si bien que, quand il se redressa, Eudoxie avait disparu.

Raoul Pérot attendait patiemment que l'énergumène coiffé d'un melon surmonté d'une aile d'albatros eût fini de transpercer de son parapluie figurant une épée un adversaire invisible. L'homme caracola autour de Joseph en lui affirmant :

— En garde, freluquet ! Voici un superbe dégagé de quarte en tierce : vous êtes occis.

Il hennit fièrement avant de baisser sa rapière et de s'éloigner en piaffant.

— C'est incroyable ce qu'il y a de tordus en liberté, grogna Joseph.

— Oh, la plupart ne sont pas méchants. Celui-ci était boulanger. Un jour, un fiacre a défoncé sa vitrine et détruit sa boutique, il a tout perdu, désormais il se prend pour le canasson d'un mousquetaire du roi.

— Et ça marche, les affaires ?

— Aujourd'hui ce n'est pas reluisant, mais dimanche dernier j'ai écoulé un nombre inouï de bouquins, les clients m'auraient même acheté des résidus de poubelles, ça ne m'était pas arrivé depuis une éternité. Et vous, l'écriture ?

— J'ai eu une intuition magnifique : une énorme tarentule qui menacerait Paris. Dommage que mon parrain n'ait pas ouvert ses boîtes, je lui aurais conté mon scénario.

— Votre parrain Fulbert vieillit, cet hiver il préfère ne pas vendre de livres dans une chambre bien chauffée plutôt que sur un quai glacial. Votre tarentule symboliserait à merveille l'Exposition universelle prête à nous écraser de ses pattes métalliques. Je vous prédis un succès pour 1900. Mais, si je puis me permettre, pourquoi une tarentule ? Pourquoi pas une tortue géante, animal à la carapace imposante ?

Joseph prit congé en marmottant qu'il allait y réfléchir.

« Une tortue… Un escargot tant qu'on y est ! Et puis d'ailleurs… » Il fixait les passants d'un air songeur. La brume envahissait les rives de la Seine, où mugissaient des péniches fantômes. Les gens eux aussi avaient une allure spectrale. « Oui, c'est ça, pas de tarentule, pas de tortue, une sorte d'épidémie, les Parisiens deviendraient transparents, comme sous l'effet de rayons X, et seraient expédiés vers l'au-delà. *Le Peuple d'outre-tombe*, c'est racoleur. »

Il n'avait pas envie de regagner la rue de Seine. Parfois, la routine du cercle familial lui pesait. Il erra dans les ruelles du Quartier latin, espérant apercevoir des écrivains réputés, et s'octroya un dîner dans un bouillon.

Enfouie sous les couvertures, Iris éprouvait la satisfaction d'un auteur qui a terminé son travail. *Les Mésaventures de Filasse, berger des Alpes,* étaient achevées, ne restait plus qu'à prier Tasha de l'illustrer. Elle tenta d'imiter le chien et de compter les moutons d'un troupeau paissant sur les vertes pentes d'une montagne. Mais elle demeura éveillée. Pourquoi Joseph ne revenait-il pas ? Un accident ?

Une altercation avec le commissaire Valmy ? Cela lui apprendrait à jouer les détectives en dépit des injonctions de son épouse. À moins que… Elle essaya de refouler le soupçon qui s'insinuait en elle. Fiasco. À moins qu'il n'eût rendez-vous avec celle qui jadis le fascinait, Valentine de Pont-Joubert, devenue l'amie de Tasha ! Si forte avait été son inquiétude qu'elle fut terrassée de fatigue et de soulagement lorsque la serrure grinça.

Joseph contempla ses deux enfants assoupis dans leurs lits jumeaux. Daphné dormait les bras repliés autour de Fratoche, la poupée de chiffon reçue de Djina pour son anniversaire. Arthur tétait son pouce en ronflant.

La pensée du calvaire enduré par Colette Roman s'imposa brusquement à lui. Voir l'enfant qu'elle adorait projeté sur le pavé à cause de la malveillance de trois inconnus et de l'ébriété d'un cocher ! Se fût-il vengé, lui aussi ? Et si l'on s'attaquait à ses rejetons, comment réagirait-il ?

Il se dévêtit sans bruit et se coula auprès d'Iris.

— Tu dors ?

— Plus maintenant. Tu as les pieds gelés.

— Tu m'aimes ?

— Qu'est-ce que tu as ? Tu es souffrant ?

— Je te demande si tu m'aimes, ce n'est pas un symptôme de maladie.

— À la folie, je t'aime ! Sinon, je supporterais difficilement tes extravagances !

— Mon amour, à l'idée qu'on puisse t'agresser je perds la boule.

Elle se lova contre lui, agréablement surprise.

— Chéri, il y avait longtemps que tu ne m'avais témoigné un tel intérêt. Je suis flattée, mais sois prudent, deux enfants c'est déjà beaucoup.

Il profita d'un long baiser pour introduire ses mains sous la chemise de linon. Tout à l'heure, quand ils iraient se restaurer à la cuisine, il lui résumerait l'intrigue qu'il avait élaborée au cours de la soirée. Bien qu'elle prisât peu les romans, Iris était toujours d'excellent conseil.

Rue Visconti, Euphrosine tirait la langue en noircissant une page de son précieux keepsake, confident de ses joies et de ses peines. Elle s'y étendait sur le rôle qu'elle avait joué dans la récente investigation de Victor et de Joseph. N'était-ce pas grâce à la ténacité léguée à son fils que celui-ci avait eu le courage de se colleter avec des squelettes épileptiques ?

Elle réserva quelques lignes à l'un des méfaits de Mélie Bellac :

Cette godiche avait lu dans la recette d'un gâteau qu'il fallait incorporer trois œufs entiers à la pâte, et voilà-t-il pas qu'elle a jeté dans la jatte ses trois œufs avec la coquille ! M. Mori s'est éraflé le palais et j'ai manqué m'étouffer ! Je lui ai secoué les puces dans les grandes largeurs, à cette cloche ! Elle a pleuré toutes les larmes de son corps, ça lui évitera des yeux trop secs en vieillissant !

Elle se relut et pensa que cette anecdote alimenterait les futurs écrits de Joseph, puisqu'il avait éventé la cachette de son journal, sous une pile de draps dans l'armoire, et le consultait en douce afin d'enrichir la trame de ses feuilletons.

« Gare à lui s'il nous a angoissées pour des prunes, Iris et moi, en ne réintégrant pas ses pénates. Jésus-Marie-Joseph ! Ce godelureau, quel souci ! »

Les cheveux noués à la va-vite, vêtue d'une blouse sous laquelle elle était nue, Tasha bravait une toile de belles dimensions représentant Valentine de Pont-Joubert assise dans un fauteuil, un livre à la main. Bien que les yeux fussent à moitié baissés vers l'ouvrage, le visage du modèle exprimait impertinence et fermeté. Depuis quelque temps, Tasha utilisait non plus des aplats mais de petites touches qui, sans être pointillistes, reflétaient l'influence exercée sur elle par les expériences des peintres contemporains. Elle ne cessait de remanier le sourire, le modelé des joues, insatisfaite de son portrait, trop mièvre selon elle. Elle accentua les angles des pommettes et la finesse du nez, recula, hocha la tête, barbouilla son pinceau de noir et traça une mince ligne sombre de part et d'autre des tempes. Son ambition était que sa peinture traduisît la détermination de sa nouvelle amie à bousculer le joug de la vie maritale et à gagner son indépendance. Sans doute Tasha se libérait-elle ainsi sans en avoir pleinement conscience d'un lien matrimonial parfois trop contraignant.

Elle avait entendu la porte s'ouvrir et se refermer, mais fit semblant de ne pas avoir remarqué l'entrée de Victor. Ne sachant quelle contenance adopter, celui-ci toussa, se racla la gorge, déplaça un fauteuil.

— Joli travail, finit-il par décréter.

— De quoi parles-tu ? Du tableau ou de ton enquête ?

— Justement, à ce propos, je souhaiterais clarifier la situation.

Elle se débarrassa posément de son pinceau et de sa palette, et pivota sur elle-même.

— J'ai renoncé à toute discussion avec toi au sujet de tes exploits. À quoi cela sert-il de te chapitrer ? Tu promets et tu te parjures. Tu minimises les dangers auxquels tu t'exposes, et les conséquences que ta perte aurait sur mon existence et sur celle d'Alice.

— Je n'ai pas l'intention de disparaître, sauf si tu y tiens.

— Ne joue pas à ce jeu avec moi. C'est très féminin, de dévier la conversation.

— J'assume ma part de féminité. Aussi aimerais-je que ce soit toi qui fasses le premier pas.

— Le premier pas vers quoi ?

— Vers une réconciliation où les mots seraient remplacés par des gestes.

Elle ne put réprimer un rire. Il ne changerait pas. Était-ce une des raisons pour lesquelles elle ne parviendrait jamais à se détacher de lui ? Il se dérobait, il évitait tout affrontement direct, il s'en sortait avec une pirouette et elle cédait à ses avances.

Elle lui retira lentement son veston, son gilet, sa chemise. Il ne bougeait pas, les bras levés afin de l'aider à le déshabiller. Quand il fut torse nu, elle s'arrêta.

— Et le bas ?

— Garde-le, contente-toi d'ôter tes chaussures.

— Et ta blouse ?

— Retrousse-la. Nous allons nous aimer comme dans les estampes chères à Kenji où les parties intimes n'apparaissent qu'après un examen attentif.

Il ne se fit pas prier et eut tôt fait d'explorer son corps pendant qu'elle déboutonnait son pantalon. Ainsi livrés à leur désir réciproque, ils progressèrent jusqu'à l'alcôve où ils s'apprêtaient à s'allonger, quand une voix fluette s'éleva d'un lit à barreaux.

— Maman ! Z'ai soif ! cria Alice.

ÉPILOGUE

Kenji dînait seul à la cuisine lorsque Djina apparut. Elle avait emprunté l'escalier de l'immeuble mitoyen.

— Silence, souffla-t-elle.

— Craignez-vous des reproches ? Vous êtes libre, ma chère.

La serviette autour du cou, il se tenait devant elle, raide comme un piquet, et la dévisageait avec sévérité. Elle ne se détourna pas et fit un pas vers lui. Il adopta une attitude indifférente, refusant de lui avouer qu'il ne pourrait vivre sans elle.

— C'est vrai, je suis libre. Pinkus est parti. Je suis une joyeuse divorcée.

La bête sournoise qui l'empêchait de respirer à fond depuis plusieurs jours battit en retraite. Soulagé, il cligna des yeux.

— Tant mieux.

— C'est tout ?

— Voilà une excellente nouvelle.

Kenji sembla sur le point d'ajouter quelque chose, pourtant il refréna son impulsion.

— J'espérais une réaction enthousiaste, je me suis fourvoyée, murmura-t-elle.

Il avait envie de l'étreindre et de l'embrasser, mais il se sentait vaguement ridicule.

— Nous sommes des étrangers dans ce pays. Il va falloir réunir des tas de papiers, avoir affaire à une administration tatillonne. Et qui va se coltiner ces formalités ? Moi.

— Auparavant, vous devrez évacuer de votre esprit les inconvénients du mariage et me faire votre demande officielle. Remisez donc un instant au placard votre éducation rigide, plus britannique que japonaise, et redevenez celui qui m'a enjôlée ! À moins que vous n'eussiez préféré la fin du monde ? Djina Mori, cela sonne bien. Et cela contient le mot *amor*, tout un programme.

Il s'approcha d'elle, l'emprisonna entre ses bras. Quand leurs lèvres se frôlèrent, Kenji envoya promener les soupçons et la mauvaise humeur engendrés par la visite de Pinkus. Il n'était plus M. Mori, il n'était plus libraire, il n'était plus un sexagénaire doutant de son pouvoir de séducteur. Il n'était qu'un homme amoureux.

Louis Barnave avait invité Firmin Cabrières à boire un verre de rouge chez *Bouscarat* après le dîner. Le garçon les servit la bouche en O et, s'éventant avec un menu plié en accordéon, tenta de chasser le relent tenace dont étaient imprégnés leurs vêtements.

— Je suis rudement déçu. La fin du monde n'a pas eu lieu. Qu'est-ce qu'on va devenir ? Le plus enquiquinant, dans tout ça, c'est qu'on va être obligés de régler le terme, et pis aussi les autres factures en souffrance, grogna Barnave.

— Et si on remplaçait la comète par une catastrophe de notre cru ? suggéra Cabrières entre deux gorgées.

— Comment ? J'suis loin d'être un météore.

— J'ai lu un truc sur les ménageries de laboratoire. Imagine des troupeaux de microbes classifiés selon leur virulence : le choléra, la peste, le charbon, la variole, la rage… Creusons un peu, supposons quelques zélés savants qui aient la fâcheuse idée d'accoupler la peste à la variole pour créer un fléau inédit.

— C'est possible, ça ?

— Pourquoi pas ? On croise bien des espèces de chiens ou de vaches pour en bonifier la race. Sais-tu d'où est issu le percheron ? Je te cause des chevaux parce que c'est mon domaine.

— Moi aussi j'ai eu affaire à eux quand j'étais à l'Urbaine et, sans vouloir te vexer, j'm'en contrefiche de leur arbre généalogique.

— Il est originaire d'Orient, oui monsieur. C'est un étalon amené il y a plusieurs siècles par les Arabes. Ensuite il a été le résultat d'une sélection d'éleveurs, c'est le plus massif des chevaux de trait.

Barnave vida son verre et le considéra d'un air pensif.

— Finalement, t'as raison, on fabrique des explosifs et des armes de plus en plus meurtriers, alors pourquoi pas des microbes ? Il suffirait d'embarquer une horde de ces bestioles dans une pipette, on grimpe sur la tour Eiffel et zou, on la vidange au-dessus de Pantruche ! Le mal se répand du Trocadéro à Tombouctou !

— Tu parles, pourquoi hésiter ? On a massacré sans pitié les Peaux-Rouges, les Africains, les premiers habitants d'Australie ! Où qu'y a d'la gêne y a pas d'plaisir.

— Seulement ça pourrait se retourner contre nous.

— Oui, et ce serait l'ouverture du septième sceau.

— Quel seau ?

— Ben c'est dans la Bible, l'Apocalypse, quoi !

— C'est déjà commencé. L'homme a les yeux plus gros qu'le ventre, il dépeuple à tour de bras, il s'en prend à ses propres frères, aux animaux, aux arbres… C'est pas la fin du monde, c'est la fin d'un monde, ça prendra juste un peu plus de temps.

— Je t'offre une rincette.

Cabrières se leva, fit un signe au serveur réticent et se planta devant la porte vitrée.

— T'as vu si c'est beau, les étoiles !

— Aussi beau que les fleurs des champs.

— Y a des gens qui ne regardent jamais les étoiles ni les fleurs.

— Ils se moquent des nuages qui se culbutent les jours de tempête. Le vent se démène sous les toitures et ils sont sourds comme des bécasses.

— Et le grillon qui chante dans la cheminée. Il a plein de choses à nous dire, le grillon.

— Et les odeurs ! Quand je flaire la vase sous le Pont-Neuf, ça me rappelle la mer, les bateaux, les voyages au bout du monde que je n'entreprendrai plus !

— Ils ignorent où l'on peut admirer de magnifiques couchers de soleil dans Paris. Ils détestent flâner, ils sont pressés. Leur vie aura passé pareille à une journée moite d'été et ils s'en iront sans avoir profité de tout ce qui est gratuit et apporte la joie de vivre. En somme, on est vernis.

— C'est bien vrai. Tu sais, la fin du monde, ça attendra, y a quand même de chouettes trucs sur cette planète.

Ils trinquèrent et burent avec avidité. Le garçon, qui avait surpris la conclusion de Barnave, s'absorba dans la contemplation d'une photo. Sa fiancée lui souriait. Elle se prénommait Philomène et elle avait les yeux noisette. Il sifflota, l'avenir était prometteur.

Victor avait préparé une dînette. Il revint de l'appartement portant un plateau avec des sandwiches au pâté, une salade de pommes de terre et du vin. Il le posa sur un guéridon et s'approcha de Tasha en train de peindre.

— Madame est servie, lui murmura-t-il à l'oreille.

— Je vais coucher la petite.

— Non, laisse-la s'amuser.

Alice avait transporté ses peluches sur le lit de l'alcôve. Elle les câlinait et les grondait ainsi qu'une mère sa progéniture. Elle s'interrompait pour pointer le doigt sur le portrait de Kenji qui ornait le mur opposé et menaçait :

— Kenzi va se fâcher.

Ce spectacle constituait pour Victor une expérience poignante et lui faisait prendre conscience de la rapidité avec laquelle le bébé d'hier était devenu une fillette. Qu'adviendrait-il d'elle ? Quels seraient son visage, sa silhouette d'adulte ? Combien de temps lui et Tasha veilleraient-ils ensemble sur sa vie ?

Ému, il se détourna, déboucha la bouteille de valpolicella, emplit une coupe et revint près de Tasha.

— Chérie, si on faisait du mal à notre fille, te vengerais-tu ?

Étonnée, elle plongea son pinceau dans un verre.

— C'est étrange, figure-toi que j'y ai souvent réfléchi. Le souvenir du pogrom de Jitomir me hante, surtout dans mes cauchemars. J'ignore si j'en aurais le courage et la force physique, mais oui, j'irais jusqu'à tuer.

Brièvement, le visage de Colette Roman se dessina au milieu des pensées confuses de Victor. Elle hochait le menton et souriait.

— Alice, un cadeau, dit-il. Devine ce que j'ai dans ma poche ?

La petite se précipita. Ses mains potelées le chatouillaient. Elle attrapa un paquet noué d'une faveur bleue dont elle arracha l'emballage sans ménagement.

— M. Croqvert !

Elle serra le crocodile contre son cœur et courut le présenter à sa famille de peluches.

POSTFACE

Le 16 février 1899, à dix heures trente-cinq du soir, le directeur de la préfecture de police reçoit une dépêche télégraphique signée Nadeau, officier de paix :

PAR SUITE D'UNE SYNCOPE, M. LE PRÉSIDENT DE LA RÉPUBLIQUE VIENT DE MOURIR.

C'est à l'Élysée, dans le petit salon bleu, en recevant sa maîtresse, la belle Marguerite Steinheil, que le galant Félix Faure, surnommé le « président Soleil », a rendu son mandat.

En fin d'après-midi, des coups de sonnette ont alerté les domestiques, qui l'ont découvert allongé, en train de râler sur un divan, une main crispée dans la chevelure de Mme Steinheil, hagarde, les seins nus sous sa jaquette. On l'a discrètement chassée par une porte dérobée débouchant rue Saint-Honoré. Le médecin est arrivé, la légende veut qu'il ait demandé :

« Le président a-t-il encore sa connaissance ?

— Non, docteur, elle vient de s'enfuir par l'escalier. »

Les commentaires officiels ne font pas état de la présence de Meg Steinheil et rapportent que le président a subi une terrible agonie suite à une congestion cérébrale. La rumeur publique s'empresse de rebaptiser Marguerite Steinheil « La pompe funèbre ». L'affaire est étouffée.

Georges Clemenceau, chef du parti des dreyfusards, écrit dans *L'Aurore* : « Je vote pour Loubet. »

Le 18 février, Émile Loubet est investi président de la République. Âgé de soixante ans, ce modéré, plutôt conservateur, a évité de prendre parti pendant l'affaire Dreyfus, mais il est clair qu'il réprouve l'attitude de l'armée. Son accession à la présidence exacerbe l'animosité des nationalistes, en particulier de Paul Déroulède, ancien combattant de la guerre de 1870, antidreyfusard acharné, fondateur avec Henri Martin de la Ligue des patriotes dont la devise est : « Qui vive ? France ! Quand même ! » Ce prosateur est bien connu des écoliers dont les protège-cahiers s'illustrent de ses « Chants du soldat », poèmes guerriers revanchards composés dans le but de leur inculquer le goût du combat.

> ...*Vive la bombe !*
> *Vive la bombe !*
> *Pour tout bousculer, nom de nom !*
> *Vive la bombe et le canon...*

Ainsi débute l'avant-dernière année du siècle.

Les Français sont inquiets. La création d'un impôt sur le revenu est à l'ordre du jour. On considère qu'il est la taille de l'Ancien Régime. Le plus riches trouveraient toujours le moyen de s'y soustraire. Les classes moyenne et ouvrière seraient directement frappées par la diminution des salaires, l'augmentation des prix et leurs répercussions économiques. Le principe de l'impôt général sur le revenu ne sera introduit que le 15 juillet 1914 dans la loi de finances. Cependant, à la question : « Qu'est-ce qu'un Français ? » la revue *Lecture pour tous* de 1899 répond : « C'est une matière imposable. »

En 1899, les dépenses ordinaires de l'État sont évaluées à trois milliards quatre cent soixante quatorze millions de francs-or. La dette publique s'élève à trente-trois milliards. Le citoyen lambda s'interroge : pourquoi les exportations commerciales de notre voisin allemand sont-elles supérieures aux nôtres ? Comment relever l'agriculture, l'industrie, le commerce si toutes les ressources, au lieu d'être disponibles, sont dévorées par le budget pour payer les possédants aux dépens de ceux qui travaillent et produisent ?

On peut relever dans *L'Illustration* du 3 juin un dessin humoristique sur les cours d'économie sociale à l'Hôtel de Ville : « L'avenir ?... L'avenir ?... C'est le pétrole ! »

En attendant ces lendemains qui chantent, deux articles fort prisés remplissent les caisses : le tabac et l'alcool. Plus des quatre cinquièmes des boissons fortes sont consommés par les ouvriers. La vente de cigares, cigarettes, tabac à fumer, tabac à priser, tabac à mâcher rapporte au Trésor public plus de deux cents millions pour les six premiers mois de 1899.

Le 23 février, les funérailles de Félix Faure ont lieu en la cathédrale de Notre-Dame de Paris. Après la cérémonie, les troupes qui ont rendu les honneurs regagnent la caserne de Reuilly. Paul Déroulède les attend place de la Nation. Il saisit la bride du cheval du général Roget, commandant de l'une des brigades, et lui crie : « Mon général, à l'Élysée ! » Le général Roget refuse d'obéir à cette injonction. Paul Déroulède, escorté de ses amis, pénètre dans la cour de la caserne et continue sa harangue, refusant de se retirer. Il est mis en état d'arrestation.

Le 31 mai, il est acquitté par le jury de la Seine.

De leur côté, les partisans de Dreyfus triomphent. Le 3 juin, la Cour de cassation rend un arrêt cassant le jugement de 1894, et ordonne que le capitaine Dreyfus soit rapatrié de l'île du Diable en France afin de comparaître devant un nouveau conseil de guerre. La totalité des magistrats de la cour ont estimé qu'il est patent que le bordereau incriminant Alfred Dreyfus n'a pas été rédigé par lui.

Fous de rage, les nationalistes organisent une manifestation sur le champ de courses d'Auteuil où Émile Loubet assiste au grand steeple-chase. Le président est injurié par des clubmen à la boutonnière ornée d'un œillet blanc. Le baron Christiani se rue sur la tribune officielle et aplatit à coups de canne le haut-de-forme présidentiel.

Le 11 juin, la gauche appelle à une contre-manifestation à laquelle les ouvriers participent en grand nombre, arborant l'églantine rouge qui sera durant quelques années un symbole subversif.

Un gouvernement fort est nécessaire. Le 22 juin, Pierre Waldeck-Rousseau, brillant avocat, âgé de cinquante-trois ans, sénateur de la Loire, reçoit le soin de former un cabinet de « défense républicaine ». La majorité de gauche groupe autour de Waldeck-Rousseau les défenseurs du régime. En réponse, le nationalisme vire à droite.

On nomme à la tête du ministère de la Guerre le général marquis de Galliffet à qui les manœuvres de l'état-major autour du capitaine Dreyfus paraissent absurdes.

Parti de l'île du Diable le 9 juin sur le croiseur le *Sfax*, le capitaine Dreyfus arrive à Quiberon dans la nuit du 30 juin au 1ᵉʳ juillet. Un train spécial, puis un landau, le conduisent de la gare d'Auray à la prison militaire de Rennes. Il porte un complet bleu et un chapeau noir de feutre mou sous le bord duquel on aperçoit des cheveux grisonnants et coupés ras. Son visage amaigri et hâlé, sa longue moustache roussâtre, son regard fixe derrière son lorgnon, ses épaules voûtées donnent au prisonnier une allure résignée que contredit sa démarche volontaire.

Tandis que, le 7 août, Dreyfus comparaît pour la première fois devant le conseil de guerre de Rennes, à Paris le gouvernement rejette le verdict d'acquittement de Paul Déroulède. Constitué en Haute Cour, le Sénat poursuit l'inculpé pour complot contre la sûreté de l'État. Sont également attaqués les dirigeants de la Ligue des patriotes et les chefs des Jeunesses royalistes et de la Ligue antisémite dirigée par Jules Guérin.

Maître Labori, qui fut l'avocat d'Émile Zola l'année précédente et qui assiste maître Demange dans la défense du capitaine, est blessé par balle le 14 août sans qu'on puisse identifier l'auteur de l'agression. L'incident n'a pas de suites graves, mais nécessite pour l'avocat un repos de quelques jours.

Pendant que le procès de Rennes attire une nuée de photographes, généraux, politiciens et journalistes, Jules Guérin se barricade avec quatorze comparses dans l'immeuble de la Ligue antisémite sis 51, rue de Chabrol, à Paris, et dénommé par ses occupants « Grand Occident de France » pour ridiculiser la franc-maçonnerie et le Grand Orient de France. Ils entendent ainsi échapper au sort réservé à Paul Déroulède. D'après la presse, ils détiennent des carabines Winchester, des revolvers, des hachettes, des masses d'armes et des bassines d'huile bouillante disposées sur le toit. Le préfet de police Lépine fait couper l'eau et le gaz dans leur citadelle. Les ligueurs de Guérin soutiennent un véritable siège, chichement ravitaillés par des vivres qu'on leur jette de l'impériale des omnibus sous les applaudissements de leurs partisans qui hurlent : « À bas les Juifs ! Vive l'armée ! » Faute de nourriture, la reddition de « Fort Chabrol » a lieu au bout de trente-huit jours.

Appelée à témoigner, la comtesse de Martel, romancière plus connue sous le pseudonyme de Gyp, répond au président de la Haute Cour lui demandant sa profession : « Antisémite ! »

Le 9 septembre, le tribunal de Rennes rend son arrêt et déclare Alfred Dreyfus coupable. Il est condamné à dix ans de détention. Cependant les juges signent un recours en grâce. À l'étranger, on clame que la France s'est mise « au ban de l'humanité ». Les Américains déclarent qu'ils sont résolus à boycotter l'Exposition universelle de 1900.

Le président Loubet signe le décret de grâce le 19 septembre. Dreyfus est libre mais non blanchi. Ce n'est qu'en 1906 qu'un arrêt de la Cour de cassation signera sa réhabilitation.

Paris ne cesse de se moderniser et de s'embellir. En janvier, on a mis en service sur sept kilomètres un tramway à traction électrique. La station de départ se trouve place de la Bastille, la ligne est souterraine jusqu'au boulevard Diderot. À la porte de Picpus, le tramway arrive au bois de Vincennes puis atteint le terminus porte de Charenton.

Le dimanche 9 juillet est une date mémorable dans les annales de l'hygiène publique : il marque le triomphe définitif du tout-à-l'égout, qui a coûté à la ville la bagatelle de soixante-six millions.

Il est maintenant certain que le métropolitain, qui joindra la porte de Vincennes à la porte Maillot, ne roulera pas pour l'inauguration de l'Exposition de 1900. Néanmoins la capitale est un vaste chantier. Sur la rive gauche de la Seine, on peut admirer la construction des palais étrangers. Depuis le pont de l'Alma, on a l'illusion d'une série de silhouettes, véritable jeu de patience exécuté, semble-t-il, avec des allumettes. Le pavillon de l'Italie est fort avancé, celui de la Turquie, qui débute à peine en septembre, est situé près de celui des États-Unis dont la charpente atteint le deuxième étage. Viennent ensuite le pavillon autrichien, celui de la Bosnie-Herzégovine et celui de la Hongrie.

Le percement de la rue Dante (V^e arrondissement) a jeté bas le vieux quartier de Saint-Séverin où se croisaient de pittoresques et sombres ruelles. Quelques-unes des plus anciennes maisons parisiennes, datant des XIVe et XVe siècles, ont sans ménagement été rayées de la carte. Le Château-Rouge, ancien hôtel de la Garancière, devenu dans les années 1840 un tapis-franc où se réunissaient clochards et biffins pour boire et dormir en chœur, n'a pas été épargné.

Le 19 novembre a lieu l'inauguration solennelle du *Triomphe de la République*, de Dalou, par Émile Loubet. Voilà un groupe statuaire qui correspond davantage au goût du XIXe siècle finissant que des bâtisses moyenâgeuses ! Un cortège immense se forme place de l'Hôtel de Ville et se rend à la Nation à travers les rues pavoisées, encadré de musiques civiles. On défile autour de la place entre la tribune officielle – que de tribunes la Troisième République n'aura-t-elle pas édifiées ! – et le monument, puis on redescend le faubourg Saint-Antoine jusqu'à la place de la Bastille selon un itinéraire désormais consacré.

Les collégiens sont rentrés. Les magistrats abattent leurs derniers perdreaux. Et déjà les marchands ambulants font rissoler des marrons à la devanture des mastroquets. C'est à peine l'automne mais, après un été torride, l'hiver pointe le bout de son nez. Les ramoneurs sont en pleine effervescence : tout le monde veut faire nettoyer ses cheminées en même temps et les fumistes sont débordés.

Que de fumistes dans le monde artistique se préparent à envahir les scènes musicales, théâtrales et les colonnes Morris ! On ne peut considérer comme appartenant à ce cénacle les personnalités suivantes :

Revenu de son exil anglais en juin, Émile Zola offre à son public le premier des Quatre Évangiles, *Fécondité*, un roman sur la natalité. Paraissent aussi *Le Jardin des supplices*, d'Octave Mirbeau, *Prométhée mal enchaîné*, d'André Gide, *La Terre qui meurt*, de René Bazin, *Poésies*, de Stéphane Mallarmé, *Les morts qui parlent*, du vicomte de Vogüé, *Reflets sur la route sombre*, de Pierre Loti, *À manger du foin*, de Willy, et les traductions de *Thomas Gordéiev*, de Maxime Gorki, *Résurrection*, de Léon Tolstoï, *Le Fardeau de l'homme* blanc, de Rudyard Kipling, *Le Vent dans les roseaux* de W. B. Yeats.

Au théâtre Sarah-Bernhardt, on présente *Hamlet*. À l'Opéra-Comique on peut voir *Cendrillon* d'Henri Cain, Paul Collin et Jules Massenet. *La Dame de chez Maxim* de Georges Feydeau se joue à guichet fermé. *L'Anglais tel qu'on le parle*, vaudeville de Tristan Bernard, est créé à la Comédie-Parisienne. Du même auteur, *Octave ou les projets d'un mari* investit le Grand-Guignol et *La Mariée du Touring-Club* s'installe à l'Athénée.

La mortalité due au cancer augmente dans tous les pays. En Angleterre, alors qu'elle était en 1840 de 1 pour 5 640 habitants, elle s'est élevée en 1899 à 2 pour 1 036.

Comme chaque année, la mort a fauché son lot d'humains. Seuls quelques-uns ont droit à une rubrique nécrologique. Francisque Sarcey (écrivain, journaliste, critique dramatique), Henry Becque (dramaturge), Victor Cherbuliez (écrivain et critique), Édouard Pailleron (auteur dramatique, poète, journaliste), Émile Erckmann (écrivain), Ludwig Büchner (philosophe et écrivain allemand), Rosa Bonheur (peintre et sculptrice française), Alfred Sisley (peintre impressionniste britannique résidant en France), le compositeur Ernest Chausson, Utagawa Yoshitaki (peintre et dessinateur japonais) ainsi que la Castiglione (Virginia Oldoïni), aristocrate piémontaise qui fut la maîtresse de Napoléon III), pour n'en citer que quelques-uns.

Un Parisien réclame la tête des arbres du square situé derrière Notre-Dame parce que, bien que très beaux, ils masquent la magnifique abside du monument. Fort heureusement, on lui refuse cette coupe sombre.

Coupe sombre ? Un complot s'est formé contre les chirurgiens, on veut absolument leur faire raser la barbe : il paraît que ce symbole de la virilité est un véritable nid à microbes, que ni le peigne ni les poudres antiseptiques ne parviennent à déloger. Mais les chirurgiens protestent, ne leur a-t-on pas déjà rogné les ongles et imposé le port d'un masque ?

L'opinion publique se soucie beaucoup moins des ravages causés par les armes. La *Pall Mall Gazette* exalte l'admirable invention de la balle dum-dum :

« Donnez aux soldats anglais une balle dont la moindre blessure cause des tortures atroces, et les ennemis de l'Angleterre y regarderont à deux fois avant de se risquer à prendre contact avec les troupes britanniques. »

L'Illustration répond :

« Espoir chimérique ! Car vos ennemis auront eu soin, avant d'engager le combat, de se munir de projectiles coupe-en-quatre qui feront pâlir vos dum-dum. Demandez plutôt au père Kruger, du Transvaal, s'il se laissera prendre au dépourvu. Et ils tirent bien, les Boers ! »

Les Boers sont les descendants de colons d'origine hollandaise et française qui vinrent s'établir en Afrique australe, les premiers en 1652, les autres en 1685, à la suite de la révocation de l'édit de Nantes. Opprimés et molestés par les Anglais qui, dès 1795, avaient commencé à s'introduire chez eux pour devenir définitivement maîtres du Cap en 1815, les Boers se replièrent d'abord vers le Natal en 1840 et en furent repoussés trois ans plus tard. Ils émigrèrent alors vers les plateaux arrosés par le fleuve Orange et le Vaal, et y fondèrent l'État libre d'Orange. Vaincus de nouveau par les Anglais, dix mille Boers franchirent le fleuve Vaal et fondèrent la République du Transvaal. En 1852, l'indépendance des deux États boers fut reconnue par les Anglais qui, au mépris des traités, prétendirent en 1877 placer le Transvaal sous leur protectorat. Cette tentative échoua, et, depuis 1881, la République sud-africaine se gouvernait selon ses propres lois.

Mais la découverte et le développement de mines d'or raniment les convoitises britanniques. Une fois de plus, les Boers vont devoir se défendre. Peuple agricole et pasteur, ce sont de bons tireurs et d'excellents soldats. Ils ont conservé les us et coutumes de leurs ancêtres, la famille est organisée de façon patriarcale, ils se marient de bonne heure et sont prolifiques.

Leur chef, le général Joubert, prend la direction des affaires militaires. En Grande-Bretagne, Joseph Chamberlain et son associé, Cecil Rhodes, maître de l'Afrique australe anglaise et des immenses contrées qui en dépendent (la « Rhodésie »), entraînent l'opinion publique à rêver d'une Afrique anglaise qui s'étendrait du Cap au Caire. Des intérêts précis sont en jeu : les compagnies financières anglaises qui se sont constituées pour exploiter l'or du Transvaal aimeraient se débarrasser des redevances qu'elles versent à la République sud-africaine.

Le cabinet de Londres clame qu'il est du devoir de la civilisation de contrer la tyrannie des Boers sur les indigènes, Zoulous et Hottentots. On encourage les étrangers établis au Transvaal – les Uitlanders – à revendiquer contre le président Paul Kruger, l'« Oncle Paul », paysan audacieux et obstiné qui gouverne le Transvaal, auquel décide de s'allier l'État libre d'Orange.

Au milieu de 1899, les négociations entre le Transvaal et l'Angleterre sont rompues. Le 11 octobre, la Grande-Bretagne déclare la guerre aux deux États sud-africains. Les Anglais défilent dans les rues de leurs villes, chantant à tue-tête le *Rule Britannia* et brandissant l'Union Jack. On affirme que la marche sur Pretoria ne sera qu'un jeu d'enfant. On demeure sourd aux prédictions de quelques esprits chagrins qui répètent que les Boers, bien que leurs forces ne regroupent que soixante mille individus, sont courageux et bien entraînés et que cette guerre injuste ne fait que commencer…

Les Anglais réussiront-ils à arracher de leur Empire ce qu'ils considèrent comme une dent cariée ? Les progrès de l'industrie inspirent en tout cas à un dentiste américain l'idée de consolider une dent fragilisée en enfonçant dans ses racines des tiges de fer noyées dans du ciment. En quelques minutes, la dent creuse est changée en un monolithe présentant une grande résistance à l'extraction.

Quel que soit l'état de la dentition des humains, ils vont, selon Rudolf Falb, professeur d'astronomie aux universités de Vienne et de Prague, être réduits à l'état de poussière. Le 13 novembre 1899, entre deux heures et cinq heures de l'après-midi, la comète Jacobini va entrer en collision avec notre planète. Le choc thermique de cette rencontre sera tel qu'il ne restera rien des deux adversaires.

Mais la comète épargne notre bonne vieille Terre, où renaît de ses cendres un spécimen complet de diplodocus grâce aux chercheurs du Carnegie Museum of Natural History.

Cette année-là verront le jour, parmi bien d'autres : Fred Astaire, danseur et chanteur américain. Georges Auric et Francis Poulenc, compositeurs français. Duke Ellington, pianiste, compositeur et chef d'orchestre américain. Humphrey Bogart, James Cagney, Gloria Swanson, acteurs et actrice américains. Marcel Dalio et Charles Boyer, acteurs français. Jorge Luis Borges, écrivain et poète argentin. Maurice Carême, écrivain et poète belge. Henri Michaux, poète et peintre français d'origine belge. Vladimir Nabokov, écrivain, poète et critique littéraire d'origine russe. Benjamin Péret, écrivain surréaliste français. Nevil Shute, écrivain britannique vivant en Australie. Francis Ponge, poète français. Roger Vitrac, poète et dramaturge surréaliste, Louis

Guilloux, écrivains français. Noël Coward, dramaturge britannique. Ernest Hemingway, écrivain américain. Jean Moulin, préfet et résistant français, assassiné par les nazis en 1943. Usher (Arthur) Felling, dit Weegee, photographe américain d'origine austro-hongroise. Gyula Halasz, dit Brassaï, photographe français d'origine autro-hongroise, peintre et sculpteur. Al Capone, d'origine italienne, surnommé Scarface, le plus célèbre gangster américain du XXe siècle... Et Alfred Hitchock réalisateur de films anglo-américain !

Ce dernier eût-il été plus âgé, se serait-il amusé à la projection des films de Georges Méliès, des frères Lumière, de Charles Pathé ?

Parmi les productions de l'année 1899, il aurait pu voir *L'Affaire Dreyfus* et *Évocation spirite* (G. Méliès), *Les Derniers Jours de Pompéi* (Robert William Paul), *Scandale au-dessus d'une tasse de thé* (George Albert Smith), *Les Méfaits d'une tête de veau* (Ferdinand Zecca) ainsi que de nombreux documentaires. Le cinématographe est en passe de devenir un art, le septième.

Nul doute que le futur Sir Alfred eût aimé réaliser un suspense cinématographique peut-être intitulé *Les Derniers Jours d'une tête de veau au-dessus d'une tasse de thé, évocation d'une affaire*, dont le « MacGuffin[1] » eût été l'absence regrettable d'une fin de siècle doublée d'une fin du monde.

---

1. Prétexte au développement d'un scénario.

n° 3505 - 7,50 euros

Mystère rue des Saint-Pères

À l'Exposition universelle de 1889, des visiteurs du monde entier se pressent autour de la vedette du moment, la tour Eiffel. Victor Legris, libraire rue des Saints-Pères, se joint à la foule pour un rendez-vous, quand une femme s'écroule sous le coup d'une étrange piqûre. Et la série de morts qui s'ensuit risque de faire basculer à jamais toutes ses certitudes…

Cette première enquête de Victor Legris nous plonge avec délice dans la capitale des impressionnistes, ses « villages » et ses quartiers populaires.

n° 4941 - 8,10 euros

En ce matin de janvier 1894, l'octroi des abattoirs fait peser sur la Villette une ombre plus sinistre que jamais : à quelques mètres à peine, une femme gît étranglée. Victor Legris, l'intrépide libraire de la rue des Saints-Pères, est bien déterminé à traquer la vérité coûte que coûte. Avec, pour seuls indices, un témoin douteux et un étrange médaillon...

La gouaille de Claude Izner enchante le Paris fin-de-siècle dans cette aventure de l'épatant duo de fins limiers.

n° 4449 - 8,80 euros

Paris divisé gronde et se passionne pour le procès du siècle : l'affaire Dreyfus. Tandis que Zola rédige son célèbre J'accuse, Victor Legris et Joseph Pignot se trouvent mêlés malgré eux à une série de meurtres qui frappent bouquinistes et habitués du quai Voltaire. Dans cette ambiance délétère, les deux hommes tentent d'assembler les pièces éparses d'un bien étrange puzzle.

« Pour nous faire voyager dans le temps, Claude Izner utilise la machine la plus fiable qui soit, celle de la langue. Elle nous transporte en un instant magique au coeur du Paris populaire. »
Thierry Hubert, *Le Dauphiné libéré*

10/18, une marque d'Univers Poche,
est un éditeur qui s'engage pour
la préservation de son environnement
et qui utilise du papier fabriqué à partir
de bois provenant de forêts gérées
de manière responsable.

Impression réalisée par

BRODARD & TAUPIN

La Flèche (Sarthe), 69658
Dépôt légal : septembre 2012
X05467/01

Imprimé en France